MEER DAN EEN HERINNERING

Georgia Bockoven

Meer dan een Herinnering

Uitgeverij Areopagus

Oorspronkelijke titel
A marriage of convenience
Uitgave
HarperCollins*Publishers*, New York

Vertaling
Parma van Loon
Omslagontwerp
Jan de Boer
Omslagillustratie
Rick Johnson

Dit boek draag ik met innige liefde en dankbaarheid op aan de verpleegsters van de intensive care-afdeling voor pasgeborenen in het Kaiser Permanente-ziekenhuis in Sacramento, Californië. Mijn speciale dank gaat uit naar vijf ongelooflijke vrouwen die me niet alleen hun medeleven en vriendschap toonden, maar me ook nog eens lieten delen in hun vakmanschap – Penny Conroy, Judy Gates, Denise Hirshfelt, Donna Lomax en Patti Read, alsmede naar de artsen Myra Pierce en Stephen Greenholz, die met zoveel liefde zoveel extra deden.

Maar dit verhaal is vooral een liefdesbrief aan John Murdoch Bockoven, geboren op 18 oktober 1989, twee pond en tweehonderd gram zwaar.

Hoofdstuk een

Niemand hoort in augustus te sterven – niet op zesentwintigjarige leeftijd – en zeker niet Diane Taylor.

De woorden galmden door Christine Taylors hoofd en vormden een litanie van angst en wanhoop.

Niet Diane. Alstublieft, God, niet mijn mooie zusje. Laat dit niet gebeuren. Laat het een afschuwelijke nachtmerrie zijn.

Chris ritste de weekendkoffer open die ze nog geen halfuur geleden mee naar binnen had genomen en mikte de inhoud ervan midden op het bed. Met trillende handen zocht ze in de warboel en verving de toiletartikelen. Toen liep ze naar de Queen Anne-kast, rukte de bovenste la open een haalde er blindelings een handvol zijde en satijn uit. Vervolgens rukte ze de kleren van de eerste de beste drie hangertjes in de kast, pakte een paar schoenen met platte hakken en smeet alles in de tas.

Natuurlijk was het een nachtmerrie, prentte ze zichzelf in, terwijl ze verdwaalde stukjes kleding uit de baan van de rits haalde. Na het weekend dat ze net achter de rug had, was het logisch dat ze een paar nare dromen had.

Maar niet deze nachtmerrie. Deze was te pijnlijk en verdrietig. Het was tijd om wakker te worden.

Ze keek op de wekker op het nachtkastje. Haar vliegtuig naar Sacramento vertrok over minder dan anderhalf uur. Ze verwenste haar kortzichtigheid om gezien vanuit de luchthaven een appartement te kopen aan de andere kant van Denver. Als ze het vliegtuig miste, zou ze tot de ochtend moeten wachten of naar San Francisco moeten vliegen, om te proberen daar aansluiting te krijgen. En als het bericht van haar moeder waar was, zou het op beide manieren te laat zijn.

Hoe kon Diane op zo'n doodgewone dag sterven?

Hoe kon Chris zo achteloos besloten hebben haar vertrek uit Kansas City van zaterdagavond naar maandagochtend te verschuiven, zodat ze een hele nacht kon slapen? Het had zo logisch geleken, de perfecte oplossing, maar het feit dat ze rechtstreeks van het vliegveld naar haar werk ging betekende dat ze haar antwoordapparaat vijf in plaats van vier dagen niet had afgeluisterd.

Chris huiverde toen ze bedacht hoe weinig het gescheeld had of ze had nog een dag langer gewacht met het beluisteren van de telefonische boodschappen. Ze was uitgeput thuisgekomen, had zelfs geen energie meer gehad om een boterham met pindakaas klaar te maken. Drie achtereenvolgende weekendconferenties buiten de staat betekenden tweeëntwintig volledige werkdagen, zonder dat het eind ervan in zicht was. Als produktmanager voor het nieuwe zwak alcoholische bier dat Wainswright Brewing Company over twee maanden op de markt zou brengen, had ze het gevoel dat het eventuele succes ervan afhing van de hoeveelheid werk in het voorafgaande stadium. De smaak van het produkt was natuurlijk belangrijk, maar viel in het niet bij het imago van het produkt. Wijnkoelers hadden iedereen in de industrie een belangrijke les geleerd over marketing, een les die geen van hen gauw zou vergeten.

Ze was op weg naar de voordeur toen ze een dwingende behoefte voelde nog één keer te proberen haar moeder te bereiken. Ze had het al drie keer geprobeerd, maar er werd niet opgenomen. Ze zette haar koffer neer in de betegelde hal, ging naar de zitkamer en nam de telefoon op. Terwijl ze wachtte op de verbinding, beleefde ze in gedachten opnieuw de scène van een uur geleden.

Ze had het rode knipperlicht op haar antwoordapparaat vijf minuten lang weten te negeren, en had toen met een gelaten zucht het bandje aangezet.

Een vertrouwde pieptoon, gevolgd door een even vertrouwde stem: 'Christine, met je moeder. Je hebt geen idee hoe ik de pest heb aan die vervloekte apparaten. Als het niet belangrijk was, zou ik ophangen.'

Typisch iets voor haar moeder om iemand in één adem te begroeten en te bedreigen. Chris was tien jaar geleden naar Colorado verhuisd, denkend dat de afstand het kleine restje dat nog bestond van de moeder-dochterrelatie misschien zou kunnen redden. Maar op je tweeentwintigste leek alles mogelijk.

'Je zus heeft me gevraagd je te bellen. Om de een of andere reden dacht ze dat het je zou interesseren dat ze hier in het ziekenhuis ligt. Ik heb haar eraan herinnerd hoe druk je het hebt met die baan van je en hoe moeilijk je jezelf ervan los kunt scheuren, maar ze hield vol dat je het zou willen weten.

In ieder geval ziet het er volgens de artsen niet erg veelbelovend uit voor de baby... of voor Diane zelf. Ze wil graag dat je komt, maar ik heb haar gezegd dat ze er niet op moest rekenen. Doe wat je wilt. Dat doe je altijd.'

Artsen? Baby? Sacramento? Wat was er in vredesnaam aan de hand? Chris had kort geleden nog met haar zus gesproken. Chris pijnigde haar hersens af om zich te herinneren wanneer ze voor het laatst met Diane had gesproken. Haar hart zonk in haar schoenen. Kon dat werkelijk in mei zijn geweest? Drieëneenhalve maand geleden?

Diane had de dag vóór haar eigen verjaardag gebeld, want ze wist dat Chris die dag altijd belde en een grote bos voorjaarsbloemen stuurde. Ze zei dat ze de stad uitging en Chris' telefoontje niet wilde mislopen en evenmin wilde dat haar bloemen op de stoep bij de voordeur zouden verdorren. Om het gemiste boeket van dit jaar goed te maken, had ze Chris laten beloven op haar volgende verjaardag een boeket te sturen dat twee keer zo groot was.

Voor Diane ophing had ze een ingewikkelde uitleg gegeven over problemen met de telefoon. Ze eindigde met de mededeling dat Chris zich geen zorgen moest maken als ze geen verbinding kreeg, maar even een briefje moest sturen. Zodra ze het ontving, zou Diane haar bellen.

Nu leek het allemaal op een onaangename manier heel zinnig, maar toen leek het alleen een beetje vreemd – niet verontrustend of zelfs maar opmerkelijk, behalve achteraf gezien. Chris had geen reden gehad Diane niet te geloven; ze hadden nooit tegen elkaar gelogen.

Tot nu.

De rest van het gesprek had Diane het uitsluitend gehad over de man in haar leven, hoe heerlijk ze het vond om eindelijk op eigen benen te staan, en hoe fijn het was om in Los Angeles te wonen. Ze had met geen woord gesproken over een baby of, God verhoede, een terugkeer naar Sacramento.

Chris had daarna een paar keer geprobeerd te bellen en een automatische mededeling gekregen dat Dianes telefoon was afgesloten en dat er geen nieuw nummer was. Omdat ze niets belangrijks had mee te delen, had Chris besloten het briefje maar te vergeten en het later nog eens te proberen.

Wat had in vredesnaam dat 'Het ziet er niet veelbelovend uit voor Diane of de baby' te betekenen? Echt iets voor haar moeder om in raadselen te spreken als het om iets belangrijks ging, en lang van stof te zijn als ze iemand een schuldgevoel wilde bezorgen.

Daarna was er een bericht van een vriendin, en toen weer de stem van haar moeder op het antwoordapparaat; 'Christine, in godsnaam, waar blijf je? Diane heeft je nodig. Nu!'

De angstige klank in de kwade stem van haar moeder had een koude rilling over haar rug doen lopen. Ze keek naar de klok op de televisie. Halfnegen. Haar maag kromp ineen toen ze opstond en door de kamer liep. Hoeveel uur geleden had haar moeder gebeld? Hoeveel dagen?

Chris had het antwoordapparaat uitgezet, de telefoon opgepakt en het nummer ingetoetst dat al langer van Harriet Taylor was geweest dan Chris had geleefd.

Ze kreeg geen antwoord. Een eeuwigheid, die niet langer dan een minuut kon hebben geduurd, bleef Chris verstard en besluiteloos staan. Als haar moeder eens overdreef? En als ze dat niet deed? Chris kon dat risico niet nemen. Ze begon de luchtvaartmaatschappijen te bellen.

Chris keek op de klok en toen naar haar koffer, die bij de voordeur stond. Ze wachtte tot de telefoon zes keer was overgegaan en wilde juist ophangen toen een ademloze stem zei: 'Met het huis van mevrouw Taylor.' Het was Madeline Davalos, de inwonende gezelschapsdame van haar moeder.

'Madeline, met Chris. Mijn moeder heeft een boodschap ingesproken –'

'O, Chris,' riep ze uit. 'Ik ben zo blij dat je eindelijk terugbelt. Je moeder is zo ongerust, ze is volkomen over haar toeren. Ze zal zo blij zijn dat je er bent. Waar ben je? Op de luchthaven? Moet ik je laten afhalen?'

'Ik ben thuis, Madeline. Ik heb net de boodschap van mijn moeder gehoord en ik wilde bellen om te vragen wat –'

Met een diepe teleurstelling in haar stem zei Madeline: 'Je moet meteen komen, Chris. De dokter zei dat ze niet veel tijd meer heeft. Je moeder is nu in het ziekenhuis. We zijn er dag en nacht geweest. Ik was alleen even terug om een nieuwe voorraad pillen voor haar te halen.'

'Welke dokter?' vroeg Chris, die probeerde het onbegrijpelijke tot details te herleiden.

'Monroe. Hij is de onco... onco... de kankerdokter die Diane heeft behandeld.'

'Heeft Diane kanker?' fluisterde Chris.

'Ze hebben het ontdekt toen ze er de eerste keer naartoe ging voor de baby.' Madelines stem brak. Er volgde een stilte en toen een gesmoord gesnik. 'Ze wil je zien, Chris. Ze vraagt steeds maar of je er nog niet bent.'

'Welk ziekenhuis?'

'Hetzelfde waar ze je vader naartoe hebben gebracht toen hij die hartaanval kreeg.'

'Heb je het nummer?'

Madeline zweeg even. 'Chris, je kunt aan de telefoon ruzie maken met je moeder, of je kunt je zus nog een keer zien voor ze sterft. Niet allebei.'

'Zeg tegen haar dat ik kom,' zei Chris, die eindelijk bedaarde. Ze maakte aanstalten om op te hangen. 'Madeline?'

'Ja?'

'Zeg tegen Diane dat ik van haar houd... en dat het me heel erg spijt dat ik er niet voor haar geweest ben.'

'Dat begrijpt ze wel. Schiet nu maar op.'

'Ik ben op weg.' Even overwoog ze of ze Madeline zou vertellen welke vlucht ze nam en te vragen of iemand haar kon afhalen, maar ze besloot het niet te doen. Madeline zou haar handen vol hebben aan Harriet. Als Chris op tijd op de luchthaven was, kon ze regelen dat er een huurauto op haar wachtte in Sacramento. Zo niet, dan zou ze een taxi nemen.

Herinneringen vermengden zich met een wanhopige ongerustheid, en dienden als een buffer voor Chris' krankzinnige angst toen ze van de snelweg afboog en naar het ziekenhuis reed op de donkere weg met aan weerskanten bomen. Chris verwelkomde die herinneringen niet alleen, ze klampte zich eraan vast, gebruikte ze om te voorkomen dat ze zich voorstelde wat ze zou vinden als ze Diane terugzag.

Chris had Sacramento tien jaar geleden niet alleen verlaten – ze was gevlucht. De zes keer die ze er sindsdien was teruggekomen hadden de wonden niet kunnen helen. Ze hoefde het huis van haar moeder maar binnen te komen om te beseffen dat de redenen waarom ze was weggegaan nooit minder gegrond zouden worden door zoiets louterends als het verstrijken van de tijd. Ten slotte, vier jaar geleden, na een opvallend verbitterd weerzien, had ze het opgegeven en Californië overgelaten aan haar moeder.

Op de een of andere manier, leek het nu, was het haar ook gelukt Diane daarbij in de steek te laten. Dat was nooit haar bedoeling geweest. Chris had elk woord geloofd van de belofte die ze Diane had gedaan op de dag dat ze vertrok: afstand zou hen alleen fysiek scheiden; in hart, hoofd en geest zouden ze altijd blijven zoals ze toen waren – nog intiemer zelfs, als de zestienjarige Diane achttien zou worden en bij Chris zou komen wonen.

Alleen hadden ze er geen rekening mee gehouden dat vriendjes en universiteit en banen hun droom zouden verstoren. Ze hadden nooit meer samengewoond na de dag waarop Chris Sacramento had verlaten.

En ergens moesten ze onbewust tot de overtuiging zijn gekomen dat ze elkaar eeuwig zouden hebben, of zo niet eeuwig, dan toch minstens nog veertig of vijftig jaar. Het geloof in al die komende dagen had hen zelfgenoegzaam gemaakt.

Maar konden ze emotioneel zover van elkaar verwijderd zijn geraakt dat Diane het gevoel had gehad dat ze niet langer een beroep kon doen op haar zus? Was dat mogelijk? Chris voelde zich misselijk worden bij de gedachte.

Ze was het ziekenhuis al bijna voorbij toen ze iets in de omgeving herkende en op de rem trapte. Wat vroeger één enkel gebouw was geweest, was nu een uit vele gebouwen bestaand complex, een nieuw bewijs van de recente explosieve groei van de stad. Ze parkeerde en liep met bonzend hart naar de ingang.

O, God, alstublieft, bad ze in stilte. Alstublieft, alstublieft, alstublieft, laat ze nog leven. Ik heb haar zoveel te vertellen. Ik verlang geen wonder, alleen maar voldoende tijd om haar te vertellen dat ik van haar houd. God, alstublieft!

De schemerig verlichte hal was leeg. Haar voetstappen klonken luid en hol op de tegelvloer toen ze naar de receptie liep.

Een schrijfmachine klonk ergens in de doolhof van kantoren achter de receptie. Chris luidde de zilveren bel op de balie en wachtte. Er verstreken enkele seconden. Ze belde opnieuw. 'Hallo?' riep ze, over de balie leunend.

'Christine?' riep een stem achter haar. 'Ben jij het?'

Chris draaide zich om. Een donkerharige vrouw stond aan de andere kant van de hal. 'Madeline?'

'Ik heb naar je uitgekeken.'

'Hoe is ze?' vroeg Chris. 'Nee, laat maar. Vertel me alleen waar ze is. Later kun je de rest vertellen.'

'Ik zal je naar je moeder brengen.' Madeline sprak zo zacht dat Chris zich moest inspannen om haar te verstaan.

'Ik ben hier gekomen voor...' Chris zag Madelines gewollen ogen en slikte moeilijk toen ze plotseling een brok in haar keel voelde.

'Kom mee,' zei Madeline, en stak haar hand uit naar Chris.

'Vertel.'

'Het is niet aan mij om het te vertellen.'

'Madeline, alsjeblieft,' smeekte ze. 'Laat het me niet van mijn moeder moeten horen.'

De oudere vrouw staarde enkele seconden lang naar Chris. In haar ogen blonken tranen. Ten slotte zei ze simpel: 'Ze is weg.'

'Hoe bedoel je, weg?' zei Chris, die haar stem met de grootste moeite in bedwang hield, zich vastklampend aan het geloof dat het ondenkbare met nuchter verstand kon worden tegengehouden. Diane kon niet dood zijn. Dergelijke dingen overkwamen andere mensen. Mensen over wie je las in de kranten, tragedies die je ontroerden tot je de pagina omsloeg en ontdekte dat de televisie die je wilde aanschaffen in de uitverkoop was.

'Ze is gestorven... tien minuten geleden.'

'Tien minuten?' herhaalde Chris als verdoofd. Wat waren tien minuten helemaal? Minder tijd dan ervoor nodig was om de landingsbaan vrij te maken, of om de passagiers vóór haar uit het vliegtuig te laten uitstappen, of te regelen dat er een auto voor haar gereedstond als ze in Sacramento aankwam. 'Ik geloofde je niet,' zei ze. Haar weerstand was gebroken. Ze leunde tegen de muur. 'Ik stond mezelf niet toe je te geloven.'

Madeline sloeg haar armen om Chris heen. 'Ik weet het,' zei ze. 'Ik had je eerder willen bellen, maar Diane wilde het niet. Ze was er zo van overtuigd dat alles goed zou aflopen. Ze wilde je niet ongerust maken. Je weet hoe ze is... hoe ze was.'

Chris maakte zich los. Ze was niet zo naïef om te denken dat er geen dingen in het leven waren die haar zus eronder konden krijgen, maar geloven dat íets sterk genoeg kon zijn om haar te beletten weer overeind te komen, leek plotseling verraad. 'Weet je zeker dat ze dood is? Ze is een vechter,' hield Chris vol. 'Ze is een vechter geweest sinds de dag waarop ze werd geboren.'

'Ik weet het,' zei Madeline. 'Maar deze keer was het niet voldoende.'

Chris liet verslagen haar schouders hangen. 'Waarom heeft ze niemand verteld wat ze doormaakte?'

'Ze wist dat we zouden proberen haar over te halen tot een abortus. Zo was Diane. Ze geloofde echt dat ze onoverwinnelijk was. Ze dacht dat haar kanker kon worden uitgesteld terwijl de baby in haar groeide. Maar ze had maar zeven maanden.' Madeline haalde een zakdoek uit haar zak en veegde haar ogen af. 'Je moeder wist verleden week pas dat Diane weer in de stad was.'

'Van alle plaatsen waar ze naartoe kon, waarom uitgerekend hier? Ze haatte deze stad even erg als ik.'

'Ze kon in de stad waar ze woonde geen dokter vinden, dus belde ze dr. Linden. Hij zei dat hij, als ze naar Sacramento kwam, haar persoonlijk zou behandelen. Maar toen besloot ze dat dr. Monroe gewaarschuwd moest worden, omdat haar kanker zo snel uitzaaide. Ze hebben alles geprobeerd, Chris –' Ze zweeg en wreef weer in haar ogen. 'Ik raaskal. Dat heb je helemaal niet gevraagd. Dat ze jou niet heeft gebeld en om hulp gevraagd, was om je niet ongerust te maken, niet omdat ze dacht dat je haar niet zou steunen, dat weet ik zeker.'

'Mij ongerust maken... ongerust?' gilde Chris, zich losrukkend uit Madelines armen. Ergens tijdens het verhaal was de boodschapper vereenzelvigd met de boodschap, en het doelwit geworden van haar machteloze woede. 'Ik weiger te geloven dat ze alleen om mij niet ongerust te maken zich in dit vervloekte ziekenhuis heeft laten opnemen, om hier dood te gaan met alleen jou en moeder naast haar bed. Dat slaat nergens op. Er moet meer achter zitten.'

Madeline schudde triest het hoofd. 'Ik weet niet wat ik tegen je moet zeggen. Kon ik het op een of andere manier maar gemakkelijker voor je maken...'

Chris' woede verdween zo plotseling alsof ze een klap had gekregen. 'Zeg dat het niet waar is,' smeekte ze.

'Ik wou dat ik het kon. Ze was als een dochter voor me.'

Een paar minuten gingen zwijgend voorbij. Langzamerhand begon Chris zich weer bewust te worden van haar omgeving. Het geratel van de schrijfmachine was opgehouden; een vrouw stond met een bezorgd gezicht achter de balie. 'Ik wil haar zien,' zei Chris.

Madeline knikte. 'Ik zal je erheen brengen.'

Chris duwde tegen de zware houten deur en bleef als aan de grond genageld staan toen die geruisloos openzwaaide. Haar blik richtte zich op het bed en op de roerloze gestalte die onder een keurig gevouwen gele sprei lag. Zelfs in het schemerlicht kon ze zich niet wijsmaken dat Diane alleen maar sliep. Ze liet de deur achter zich dichtvallen en wachtte op de zachte klik die haar zou vertellen dat ze alleen was, afgesloten van de nieuwsgierige blikken van een wereld die nog geloofde dat de zon de volgende ochtend zou opgaan, een wereld die goed nog van kwaad wist te onderscheiden.

Er waren geen bloemen, geen kaarten, geen ballons – niets om de patiënte een spoedig herstel toe te wensen. Het was duidelijk dat degenen die wisten dat Diane in het ziekenhuis lag, ook wisten dat ze hier was gekomen om te sterven.

Chris liep naar het bed en keek naar het gezicht van haar zus. De pijn had diepe lijnen gegrift rond haar ogen en mond, en deed haar eerder vijftig lijken dan zesentwintig. Zesentwintig. De enige mensen die op hun zesentwintigste aan kanker overleden kwamen voor in een film-van-de-week. Zoiets gebeurde niet in het werkelijke leven. Niet in Chris' leven. Niet in dat van Diane.

Maar het wàs gebeurd. Het wàs zo!

Chris probeerde de rimpels glad te strijken rond Dianes ogen. Ze kuste haar en pakte haar hand vast. 'Verdomme, Di,' zei ze gesmoord. 'Je hebt het al die tijd volgehouden, had je niet nog tien minuten langer kunnen wachten? Wist je niet hoeveel verdriet het me zou doen als je wegging zonder dat ik afscheid van je kon nemen?' Ze sloot haar ogen en dwong zich dit beeld van Diane niet in haar geheugen te prenten. Ze wilde zich haar niet op deze manier herinneren. Ze wilde zich haar lach herinneren, de fonkelende ogen, de kuiltjes in haar wangen. 'Ik zou op je hebben gewacht.'

Een traan rolde uit haar ogen, viel geluidloos op de strakgetrokken gele sprei, vormde een scheve cirkel. 'Ik zou alles voor je hebben gedaan... je had het maar hoeven vragen.'

Chris hoorde het zachte gezoem van een motor achter zich.

Ze verstarde. Na vier lange jaren was het geluid van haar moeders rolstoel nog even vertrouwd als altijd.

'Ze hééft het gevraagd,' zei Harriet, die uit de schaduw naar het licht reed. 'Met haar laatste adem.'

Typisch iets voor haar moeder om haar zelfs dit te ontnemen.

Chris draaide zich om, gereed voor de strijd. De woorden bestierven haar op de lippen. Harriet Taylor was stokoud geworden sinds hun laatste ontmoeting. Hoewel haar rug nog even recht en onbuigzaam was als vroeger, had de gewrichtsreumatiek de rest van haar lichaam ondermijnd. Ze leek de helft kleiner te zijn geworden – broos en kwetsbaar. Er lag een treurige blik in haar ogen, en Chris' verontwaardiging zakte.

'Ik neem aan dat je meende wat je zojuist tegen je zuster zei,' ging Harriet verder. 'Dat je alles zou doen wat ze vroeg?'

'Natuurlijk.'

'Goed. Dat zal alles eenvoudiger maken.'

Chris meende plotseling een waarschuwend belletje te horen. 'Waarom vertel je niet gewoon wat Diane heeft gezegd?'

Harriet staarde lange tijd naar haar dode dochter, voor ze haar aandacht richtte op degene die nog leefde. Toen ze weer naar Chris keek, vonkte er iets van het vroegere vuur in. 'Ze vroeg of jij haar zoon wilde nemen en als je eigen kind opvoeden.'

Hoofdstuk twee

'De baby leeft?' vroeg Chris ongelovig. 'Ik dacht dat Madeline zei –'

'Volgens de dokter zijn zeven maanden tegenwoordig voldoende.' Harriet draaide haar rolstoel een eindje opzij, zodat Diane niet langer recht in haar gezichtsveld stond. Ze legde beschuttend haar hand boven haar ogen toen ze naar Chris keek. 'Hij is niet veel bijzonders, maar dat had ik ook niet verwacht.'

'Nog steeds de oude, hè, moeder? Verwacht nooit te veel, dan word je nooit teleurgesteld.'

'Ik had gehoopt dat met het ouder worden die achterdocht van je wat minder zou worden, Christine. Zijn uiterlijk heeft niets te maken met zijn herkomst. Dianes kanker belette hem te groeien zoals hij had moeten doen.'

'Wat wil dat zeggen?' Chris probeerde haar stem in bedwang te houden, maar zelfs zij kon de angst erin horen.

'Wees maar niet bang, hij heeft ze allemaal bij elkaar. Hij is klein, dat is alles. Twee pond, zeiden ze, geloof ik.'

'Twee pond!' zei Chris hijgend. Ze probeerde zich zoiets kleins voor te stellen – haar handtas woog meer, het kleine katje van haar buurvrouw was zwaarder. Chris keek naar haar zus. 'Wist ze het?'

'Natuurlijk.'

Een vlaag van woede ging door Chris heen – over de verspilling, het onherstelbare verlies. 'Ik begrijp niet waarom ze dat heeft gedaan. Waarom moest ze haar leven opofferen voor zo'n baby?'

'Ach, het moederlijke instinct van de feministe. Heel ontroerend.'

Chris keek haar moeder giftig aan. 'Had je wat te zeggen over het moederlijk instinct, moeder? Als ik me niet vergis, heb je net een dochter verloren.' De rest liet ze ongezegd.

'Touché,' zei Harriet zacht.

Chris voelde een triomf die ze vernederend vond. Diane verdiende beter. 'Heb je al iets geregeld?'

'Nee.' Alle kracht was uit haar stem verdwenen. 'Ze vroeg het me... maar ik kon het niet.'

Waag het niet op mijn medelijden te speculeren, tierde Chris inwendig. Ik heb woede nodig om dit te kunnen verwerken. Maar het hielp niet. Haar woede was voorbij en liet slechts een oneindige droefheid achter. 'Ik zal het doen,' zei ze, en liet Dianes koude hand los.

Chris volgde het busje van haar moeder over Freeport Boulevard naar Thirteenth Avenue. Het twee verdiepingen hoge huis was niet meer geschilderd sinds Chris het voor het laatst had gezien. De afbladderende groene verf was een duidelijk bewijs hoe lang het geleden was.

Ze was hier opgegroeid, had in het park aan de overkant van de straat gespeeld, de eenden in de vijver namen gegeven, de middelbare school om de hoek bezocht, maar was niet naar het college gegaan nog geen halve kilometer verderop. Het was een gemeentelijk college, niet goed genoeg voor een van Harriet en Howards kinderen. Hun vrienden zouden kunnen denken dat ze een dom kind hadden, of, erger nog, dat het gezin minder rijk was dan het leek. In een buurt waar de status afhankelijk was van dergelijke dingen – en status was het enige dat haar moeder had – was het één bijna net zo erg als het ander.

Na twee jaar Mills College, Harriets vroegere school, had Chris zich zonder iets te zeggen laten inschrijven bij Berkeley, een bescheiden rebellie, die geëindigd was in een explosie, toen Harriet ontdekte wat ze had gedaan en dreigde elke verdere ondersteuning in te trekken. Chris reageerde door haar emancipatie af te kondigen. Dat ze op eigen kosten de school afmaakte had haar eindexamen anderhalf jaar opgeschoven, maar het voldane gevoel was elk uur waard dat ze had doorgebracht met het serveren aan tafels.

Toen Chris opgroeide, waren er momenten in haar leven waarop ze zich afvroeg of het mogelijk was dat mensen allergisch voor elkaar waren. In dat geval kwamen zij en haar moeder daarvoor in aanmerking. Ze waren het nooit met elkaar eens. Wat Chris als rood zag, vond Harriet oranje. Haar moeder was een overtuigd Republikein; zodra Chris oud genoeg was om te stemmen, stemde ze op de Democraten. Vond Chris een film mooi, dan vond haar moeder hem waardeloos.

Hoe Chris ook haar best had gedaan het haar moeder naar de zin te maken, het was nooit goed – ze koos de verkeerde jurk voor een feest, haar zorgvuldig geborstelde haar leek op uitgeplozen touw, haar conversatie was saai en miste elke bezieling. Ten slotte probeerde Chris het niet langer, en de kloof tussen hen werd elk jaar groter.

Chris stopte op de oprit achter de auto van haar moeder. Toen ze Madeline had geholpen met de lift, die de zware rolstoel uit het busje laadde, haar moeder naar binnen had gereden en haar het glas cognac dat ze 's avonds altijd dronk, had gegeven, pakte ze een stuk papier van het telefoontafeltje en vroeg of er nog iets speciaals was dat de directeur van de begrafenisonderneming moest weten.

'Ik wil dat vóór de toespraak *Amazing Grace* wordt gespeeld en *Just a Closer Walk with Thee* erna,' zei Harriet.

Hoewel het dezelfde gezangen waren die Harriet op de begrafenis van haar eigen vader en moeder en die van haar man had laten spelen, noteerde Chris ze, want zo wilde Harriet het nu eenmaal, keurig netjes, vertrouwend op aantekeningen en niet op het geheugen, een bewijs om op terug te vallen en iemand de schuld te kunnen geven als er iets mis mocht gaan.

'En natuurlijk moet dominee Cottle de dienst leiden en...'

Chris keek op van het papier. De tranen rolden over de wangen van haar moeder. Ze wiegde heen en weer, afwerend het hoofd schuddend.

'Een moeder hoort haar kinderen niet te begraven,' zei Harriet. 'Het is niet rechtvaardig. Het is niet natuurlijk.'

Chris knielde naast haar moeder neer en pakte zachtjes een knokige hand vast. 'Waarom houden we gewoon niet een kleine herdenkingsdienst? Het zou zoveel gemakkelijker zijn.'

'Gemakkelijker voor wie?'

'Voor iedereen,' zei Chris met een zucht.

'Voor één keer kun je nu eens niet de gemakkelijkste weg kiezen.'

Chris stond weer op. Als ze er niet gauw een eind aan maakte, zouden ze de hele avond met elkaar harrewarren. 'Goed, moeder. We doen het op jouw manier.'

'Ik wil dat de kist bedekt wordt met witte rozen.'

Witte rozen waren de lievelingsbloemen van haar moeder, niet die van Diane. Diane hield van tulpen en narcissen en seringen. Levendige kleuren, ongedisciplineerde vormen, bloemen die je in een vaas plompte en hun eigen weg liet zoeken.

Was het werkelijk mogelijk dat ze dit deed? Ze hadden het over haar zusje. Over de lieve, zachtmoedige Diane. Hoe kon dit verschrikkelijke haar zijn overkomen? Waarom had ze verkozen eenzaam te sterven? En waar was de schoft die haar het kind had gegeven? Waarom was hij er niet, hielp hij niet alles te regelen?

'Je bedoelt een boeket witte rozen?' zei Chris. 'Er is immers geen kist.'

'Wat bedoel je? Natuurlijk is er een kist.'

'Niet als je iemand cremeert.'

Harriet trok haar hand los. 'Ben je gek geworden?'

'Dat zou Diane hebben gewild. Dat weet je net zo goed als ik. Ze heeft geprobeerd je over te halen papa te laten cremeren.'

'Ik wil niet dat mijn dochter in een urn wordt gestopt.'

'Dat hoeft niet. We kunnen haar as over de zee verspreiden.' Zodra het idee bij haar opkwam, had ze de oplossing. 'Ze hield van de zee, moeder. Ze hoort niet in een kist. We moeten haar vrijlaten. Denk er alsjeblieft over na.'

'Ik kan erover nadenken vanaf nu tot de dag waarop ze me in mijn eigen kist leggen, en het antwoord zou hetzelfde blijven. Ik doe het niet. Het is heidens.'

'Dat is het niet. Het is –'

Harriet drukte op de knop van de elektrische rolstoel en reed achteruit, bij Chris vandaan. 'Ik wil er niets meer over horen. Of je doet het zoals ik het zeg, òf ik ga er zelf heen om het te regelen. Is dat soms je bedoeling? Zeg het dan. Speel geen spelletje met me.'

Ze waren weer terug bij af, precies waar ze vier jaar geleden waren opgehouden. 'Ik speel geen spelletje met je,' zei Chris. 'Dat heb ik nooit gedaan.'

'Je denkt dat je je zin kunt doordrijven door –'

'Stop! Het laatste waar we een van beiden behoefte aan hebben is ruzie. Vertel me wat je wilt en ik zal ervoor zorgen.'

Harriet keek haar achterdochtig aan. 'Ik ben niet iemand die vergeet hoe de wolf aan de schaapskleren kwam.'

'Wat een charmante vergelijking.'

Er gingen een paar seconden voorbij voor Harriet weer sprak. 'Zeg dat ik een gesloten kist wil... en maar één dag om afscheid te nemen, en...'

Chris bleef schrijven, maar luisterde niet meer. Ze had een manier gevonden om afscheid te nemen van haar zusje, en ze zou zich door niets en niemand laten tegenhouden.

De directeur van de begrafenisonderneming was hoffelijk en zorgzaam, en deed alles wat hij kon om het Chris naar de zin te maken. Ze vertelde hem dat ze zou blijven tot de crematie kon worden uitgevoerd. Hoewel ze bij elk telefoontje opschrok, ging de dag sneller voorbij dan ze voor mogelijk had gehouden. Op de een of andere manier had het komplot met Diane in een laatste opstandige daad de scherpe kantjes van het verdriet afgeslepen en kon ze zo normaal functioneren, dat iedereen om haar heen zich gerustgesteld voelde. Het speet haar dat haar moeder niet de kans zou krijgen voor de laatste keer afscheid te nemen, maar ze had geen manier kunnen bedenken om dat mogelijk te maken. In de stilte van de wachtkamer probeerde ze zichzelf ervan te overtuigen dat haar moeder het eens zou begrijpen en vergeven, maar de gedachte was even snel verdwenen als hij was opgekomen.

Omdat Chris erop stond dat alles zo snel mogelijk gebeurde, had ze maar een paar minuten alleen met haar zusje. Alles wat Diane was geweest, de essentie van haar – de lach, de geestigheid, het zachtmoedige temperament – was niet meer. Alleen het omhulsel dat de ontembare ziel had gehuisvest was achtergebleven.

Het deed er niet toe. Chris hield evenveel van het omhulsel als ze van de ziel had gehouden. Het waren de armen die zich duizend keer naar haar hadden uitgestrekt, in vreugde en in verdriet; de benen die achter en toen naast een oudere zus hadden gehold, altijd verlangend ergens zo snel mogelijk te komen; het prachtige dikke en glanzende haar dat Chris had geknipt en gekamd en gepermanent en waarvan ze wel honderd keer had gewenst dat het van haar was.

Chris wist dat ze de mens Diane het meest zou missen, maar dat ze haar zusje nooit meer zou zien, nooit zou weten hoe ze er zou hebben uitgezien op haar dertigste, op haar veertigste, als grootmoeder, of als een wankelend oud dametje dat een gymnastiekuurtje leidde in het bejaardentehuis, was het verlies van iets dat ze altijd vanzelfsprekend had gevonden. Uiteindelijk zou dat verlies hen beroven van hun intimiteit. Diane zou eeuwig zesentwintig blijven. Chris niet. Ze zou verder leven zonder haar kleine zusje, alleen. Wat zouden ze met elkaar gemeen hebben als en wanneer ze elkaar ooit weer terug zouden zien?

Het was niet eerlijk. Er liepen drughandelaren en moordenaars en verkrachters rond, die zich koesterden in de zon, de zoete geur van rozen inademden, de wind door de pijnbomen hoorden fluisteren, zonder iets ervan te zien of te voelen of te horen. Wat had het allemaal voor zin?

Waarom?

Waarom?

Waarom? Het woord weergalmde genadeloos door haar hoofd.

Chris streek een lok haar van Dianes voorhoofd en vroeg zich af of ze zichzelf ooit zou kunnen vergeven dat er niet meer herinneringen waren. Hoe had ze zó in haar werk kunnen opgaan?

Ze voelde zich overmand door verdriet. Het ontnam haar het laatste beetje kracht dat ze nog overhad. Ze sloeg haar handen voor haar gezicht om buiten te sluiten wat ze niet langer kon verdragen.

Haar tranen droogden toen een deur achter haar openging en een man in een bruine jas haar zachtjes vertelde dat ze gereed waren.

'Dank u,' antwoordde Chris. Ze kuste Diane vaarwel, wachtte vijftien minuten om er zeker van te zijn dat er niets ongelegens gebeurde voordat haar instructies waren uitgevoerd, en ging toen op weg naar het huis van haar moeder.

Halverwege herinnerde ze zich de baby.

Hoofdstuk drie

Chris stond tien minuten voor de deur van de neonatale intensive care, liep op en neer door de gang, pakte de deurknop en draaide zich weer om, terwijl ze probeerde uit te puzzelen waarom ze er zo tegen opzag om naar binnen te gaan. Het was niets voor haar om voor iets terug te deinzen. Ze ging er prat op dat ze haar problemen altijd onder ogen zag.

Tegenover de babykamer hing een prikbord met foto's, een vóór-en-na-galerij van te vroeg geboren baby's. Zich afvragend of haar aarzeling in feite angst was voor hetgeen ze daarbinnen zou aantreffen, hield Chris op met ijsberen en bekeek de foto's wat aandachtiger. Ze bleef steeds weer terugkomen bij een foto van een man en een vrouw met drie oplopende kinderen. De baby, klein maar kennelijk gezond, zat op de schoot van de vrouw. De man had twee kleuters op zijn knieën.

Langzaam begon Chris de emotie te herkennen die de foto bij haar wekte. Woede. De vrouw op de foto had Diane kunnen zijn, had ze móeten zijn – als die baby van twee pond niet in die andere kamer had gelegen. Ze wist dat het onredelijk was, maar ze kon het niet laten te denken dat Diane, als ze een eind had gemaakt aan haar zwangerschap en de kanker agressiever had behandeld, later andere kinderen had kunnen krijgen. In plaats daarvan had ze haar leven gegeven, een leven vol oneindige beloften, om dit kind ter wereld te brengen.

Het onderkennen van haar probleem, haar schaamte over haar onredelijke woede, deden niets om die te laten verdwijnen. Ze wist dat de baby er niets aan kon doen. Hij had zijn moeder niet gevraagd haar leven te offeren voor het zijne. Maar Chris' hart weigerde naar rede te luisteren. Al redeneerde ze nog zo hard, ze bleef terugkomen op de essentie: als hij nooit verwekt was, zou Diane nog leven. Ze zou de nodige operaties en behandelingen hebben ondergaan, bestraling of chemotherapie, al het andere hebben gedaan dat noodzakelijk was, en zijn blijven leven om de moeder van andere kinderen te worden – misschien geen kinderen die ze zelf ter wereld zou hebben gebracht, maar wat deed dat ertoe?

Chris draaide zich om en wilde weggaan. Ze besloot dat de vrees voor wat haar te wachten stond als ze terugkwam in het huis van haar moeder, alle emotionele bagage was die ze die dag kon torsen. De baby kon wachten. Hij ging nergens heen.

Toen ze aan het eind van de gang kwam, werd het rolgordijn opgetrokken voor een van de ramen van de zaal voor normaal geboren kinderen. Tegenover het raam ging de deur van een kraamkamer open. Een man, kennelijk de vader, nog in chirurgische kleding, met papieren laarzen en muts, kwam met een stralend gezicht naar buiten. Hij werd snel gevolgd door vijf andere mensen, die hem feliciteerden en van enthousiasme over elkaar heen vielen.

Ze verdrongen zich voor het raam en tuurden lachend naar binnen. Chris keek ook. Een verpleegster in een lichtbruine broek met een gebloemd bovenstukje hield een baby omhoog om te laten bewonderen. In de gang werd gezucht en geroepen, gevolgd door omarmingen en zoenen.

De vreugde van de onbekenden maakte Chris' verdriet nog intenser, maar het deed ook nog iets anders, iets volkomen onverwachts. Het beschermende instinct in haar ten opzichte van Diane breidde zich uit tot dc baby van haar zusje. Er heerste dan misschien geen feestvreugde bij zijn geboorte, maar ze zou ervoor zorgen dat hij niet genegeerd werd.

Ze liep terug naar de deur met de kartonnen muis in het raam die een bordje vasthield waarop stond NICU, Neonatal Intensive Care Unit. Ze haalde diep adem en ging naar binnen. Toen Chris had verteld wie ze was, haar handen had gewassen met desinfecterende zeep en een doktersjas had aangetrokken, nam een verpleegster haar mee naar baby Taylor.

Hij lag in een couveuse op een halverwege haar middel reikende tafel van één bij één meter. Een tijdlang kon Chris alleen maar staren. Het prikbord dat ze had bestudeerd in de gang had haar niet voorbereid op dit broze brokje mens. Ze zag vlees en botjes, maar verder niet veel. De wangetjes waren hol, de ogen ingevallen.

'U mag hem aanraken,' zei een zachte stem.

Chris keek naar de verpleegster die aan de andere kant van de tafel stond. In de blauwe ogen zag ze medelijden en begrip. Op het naamplaatje op haar lichtbruine jak stond Alex Stoddart.

'Weet u het zeker?' vroeg Chris, die besefte dat ze bang was voor de baby.

'Het gaat goed met hem. Hij haalt zelfstandig adem, en tot nu toe lijkt alles te functioneren. Later op de dag zullen we proberen hem te voeden.'

Chris luisterde maar half, terwijl ze gespannen naar Dianes baby staarde. Het bord boven de couveuse vermeldde dat hij vijfendertig centimeter lang was. Ze dacht erover na. Zoals hij op zijn rug lag, met zijn knietjes aan beide kanten omhooggetrokken, leek hij klein genoeg om in haar tot een kom gevormde handen te passen, en dan met nog ruimte over.

'Hij lijkt wel verhongerd,' zei ze.

'Dat is ook zo. Er drukte een tumor tegen de placenta, die belette dat de baby al het voedsel kreeg dat hij nodig had.'

Chris dacht even na. 'Dus dat betekent dat hij nog kleiner is dan hij normaal met zeven maanden zou zijn.'

'Een baby van tweeëndertig weken weegt drieëneenhalf tot vier pond.'

'Lieve help,' zei Chris. 'Hij is dus maar half zo groot als hij hoort te zijn?' De verpleegster gaf geen antwoord. Dat was ook niet nodig. Een nieuwe angst ging door Chris heen. In haar eerste jaar op college had ze meegedaan aan de voorlichting van vrouwen in de armere buurten van de stad over het belang van prenatale voeding. Ze wist wat er kon gebeuren met baby's die kleiner geboren werden dan normaal – van geestelijk gehandicapt tot misvormd. 'Wat zijn de effecten op lange termijn van zo'n verhongering?' vroeg ze. Ze wilde het antwoord niet horen, maar ze kon het niet met rust laten. Ze was als een bloedhond als ze zich aan iets vastklemde, gedwongen het spoor te volgen, ook al wist ze dat het haar niet zou bevallen waar het heen leidde.

'Die hoeven er niet te zijn.'

Angst werd kwaadheid. 'Probeer niet het mooier te maken dan het is. Ik heb niet de tijd of de energie dit zelf te onderzoeken.'

Ze had niet het recht haar frustratie bot te vieren op de verpleegster. Er lag een excuus op het puntje van haar tong toen ze opkeek en zag dat het niet verwacht werd en niet nodig was.

'Dat zou ik nooit doen,' zei de verpleegster vriendelijk. 'In het geval van deze baby heeft de natuur duidelijk haar werk gedaan.' Ze draaide de baby naar Chris toe. 'Zie je hoe onevenredig groot zijn hoofd is in vergelijking met zijn lichaam?'

'Ik dacht dat dat zo hoorde.'

'Ja, maar het hoofd van deze baby is ruim een derde van de totale lengte. Dat betekent dat zijn lijfje wel te kort kwam, maar zijn hersens niet.'

Langzaam, aarzelend, verzamelde Chris al haar moed en reikte over de twintig centimeter hoge glaswand van de couveuse heen en legde de top van haar vinger tegen het uitgestrekte handje van de baby.

In een reflex of met opzet sloot het handje zich om haar vinger.

De ogen gingen open, en Chris zag een paar droevig kijkende blauw-grijze ogen. De baby knipperde tegen het licht, fronste, draaide zijn hoofdje om en knipperde weer. Toen hij Chris zag, verdween de frons. Seconden lang staarde hij haar aan, alsof hij haar beeld in zijn hoofd wilde prenten. Haar nuchtere verstand zei haar dat het onmogelijk was, dat hij nog te jong was om zijn ogen zelfs maar op haar te focussen, laat staan zich haar te herinneren, maar logica had niets van doen met een magisch ogenblik.

Met één blik, één aanraking, was een verschrompeld klein babytje van twee pond erin geslaagd iets tot stand te brengen waarvan Chris zou hebben gezworen dat onmogelijk was: hij had een handje zo groot als een stuiver uitgestoken en haar hart gevangen.

Hoofdstuk vier

De lucht was helder oranje gekleurd toen Chris het ziekenhuis verliet. Nog een halfuur en het zou een sterrenhemel zijn. De tijd was ongemerkt verstreken naast de couveuse van de baby. Na de eerste aarzelende vragen was Chris niet te stuiten geweest in haar verlangen naar informatie. Ze wilde alles weten: Hoe snel zou hij groeien? Hoe lang moest hij in het ziekenhuis blijven? Kon hij horen? Zou hij altijd klein blijven? Zou hij speciale verzorging nodig hebben als hij thuiskwam? In wezen kwam het neer op dezelfde vraag in honderd verschillende vermommingen: Zou hij in leven blijven?

Alex Stoddart had de laatste vraag met evenveel geduld en begrip beantwoord als de eerste. Na zes uur kon Chris hoopvol vertrekken. Ze legde zich erbij neer dat zij en de baby een lange weg hadden af te leggen, maar ze was ervan overtuigd dat er niets was wat zij samen niet zouden kunnen overwinnen.

Haar eerste glimlach: zij samen – dat klonk goed.

De gedachte was nog niet bij haar opgekomen, of de zeepbel barstte. Wat haalde ze zich in haar hoofd? Hoe moest ze in vredesnaam ooit een baby in haar leven inpassen? Ze was even vaak onderweg als thuis. Haar baan als produktmanager voor de light beer-afdeling van Wainswright hing af van het feit dat ze elk moment weg kon, laat kon blijven en vroeg komen, voor gastvrouw spelen bij sociale gelegenheden, en werk mee naar huis nemen als ze op kantoor geen tijd had. Hoewel niemand het ooit openlijk had gezegd, was het feit dat ze ongetrouwd was en duidelijk had gemaakt dat ze van plan was dat te blijven, een van de voornaamste redenen waarom ze deze baan gekregen had en zeker de reden waarom ze promotie had gemaakt.

Ze hield van haar werk. Meer nog, ze had het nodig. Tenminste, als ze een dak boven haar hoofd en eten op tafel wilde hebben. Ze was nog heel ver verwijderd van het vakantiehuis in Aspen en de winters in Mexico, waarvan haar moeder aannam dat ze die bezat, en de auto die voor de deur stond was een Toyota, en geen BMW.

Chris schoof haar twijfels naar de achtergrond, terwijl ze over het door de hitte zacht geworden asfalt van de parkeerplaats naar haar gehuurde auto liep. Niet elke vraag hoefde op hetzelfde moment te worden beantwoord. Ze had nog tijd om de dingen op een rijtje te zetten.

Terwijl ze binnen bij de baby was, was de wind opgestoken en de temperatuur gedaald. De meeste mensen die in de zomerse smeltoven in Sacramento Valley leefden wisten het verschil niet tussen zesendertig en zesenveertig graden; het zweet droop even hard bij de ene temperatuur als bij de andere. Maar door een speling van de natuur was Chris geboren met een ingebouwde thermostaat die onveranderlijk alarm begon te slaan bij veertig graden. Na al die jaren dat ze uit Sacramento weg was, verbaasde het haar dat hij nog steeds functioneerde.

In plaats van de airconditioning aan te zetten, draaide ze de ramen van haar auto omlaag en liet de droge, hete lucht over zich heen waaien, terwijl ze naar het huis van haar moeder reed. Het had een merkwaardig sussend effect en wekte meer gevoelens op dan herinneringen, felle emoties die beelden schilderden voor haar geestesoog. Ze zag zichzelf en Diane uitgestrekt op badlakens in de achtertuin, glimmend van de zonnebrandolie, bijna bewusteloos van de hitte, maar bereid om alles te doorstaan om de winterwitte benen te bruinen. Gezicht en armen waren nooit een probleem. Die bleven bruin op de skihellingen.

Zes jaar verschil had een onoverkomelijke barrière moeten zijn toen ze opgroeiden, maar op de een of andere manier had het nooit een beletsel gevormd. Bijna vanaf de dag waarop ze was geboren was Diane vroegwijs geweest, oud voor haar leeftijd; zij was gereserveerd, waar Chris levendig en wispelturig was; las het liefst romantische boeken, waar Chris thrillers en science fiction las; en liet zich snel afleiden, waar Chris vastberaden op haar doel afging. Ze vonden hun verschillen even plezierig als hun overeenkomsten.

Wat was er dan mis gegaan?

Waarom had Diane haar niet verteld dat ze zwanger was?

En waarom had ze zoveel tijd laten verstrijken tussen haar eigen telefoontjes aan Diane?

Het gemakkelijke, voor de hand liggende antwoord was ook het pijnlijkste. Ze was zo opgegaan in haar werk, dat elke brief, elk telefoontje was uitgesteld tot 'een geschikter moment'. Maar onveranderlijk kwam er weer wat anders tussen, en dat geschiktere moment kwam nooit.

Hetzelfde gold voor Diane. Er was nooit een gesprek tussen hen dat niet begon met een excuus dat ze niet eerder gebeld hadden. Zelfs de vakantie waarover ze bleven praten en die ze een keer samen zouden nemen, was nooit verder gekomen dan het uitwisselen van reisbrochures.

Nu zou Chris een jaar van 'morgen' hebben geruild voor één dag van 'gisteren'.

Maar niemand gaf haar de kans.

Een verdovende vermoeidheid maakte zich van Chris meester toen ze bij het huis van haar moeder stopte. In ieder geval had ze vannacht nog om iets van haar energie terug te krijgen. Ze zou elke gram nodig hebben voor de explosie die morgen zou volgen als haar moeder erachter kwam wat ze bij de begrafenisonderneming had gedaan. Chris maakte zichzelf niet wijs dat er ook maar één manier zou zijn om de dingen glad te strijken.

Een leeuw met een doorn in zijn poot was niet meer dan een slechtgehumeurd katje vergeleken met Harriet als aan haar gezag werd getornd.

Chris bleef een paar seconden achter het stuur zitten, vechtend tegen een uitputting die het uitstappen even moeilijk leek te maken als het beklimmen van de Mount Everest. Eindelijk hees ze zich omhoog van de voorbank en liep de trap op van de veranda aan de achterkant.

Het eerste wat ze hoorde toen ze de deur opendeed was het zachte gezoem van een rolstoelmotor toen haar moeder door de gang naar haar toekwam. Chris keek op en zag onmiddellijk dat het weer een slapeloze nacht zou worden.

'Hoe kòn je?' tierde Harriet. Haar woede was bijna tastbaar. 'Ik voelde me een idioot toen ik belde om zeker te weten dat je een gesloten kist had besteld. Die idiote secretaressse dacht dat ik zo overstelpt was door verdriet dat het niet tot me doordrong wat er gebeurd was. Dit zal ik je nooit vergeven, Christine. Deze keer heb je niet alleen op mijn hart getrapt. Heb je er wel één moment bij stilgestaan wat onze vrienden hiervan zullen denken?'

'Nee,' antwoordde Chris simpel. 'Ik heb gedaan wat me juist leek.'

'Dat verbaast me niets. Je denkt altijd alleen maar aan jezelf. Maar deze keer ben je te ver gegaan. Je hebt de familie onteerd, en dat duld ik niet.'

Vermoeid legde Chris haar tas naast zich neer. 'Hou op, moeder. Je lijkt een slechte imitatie van Don Corleone.'

'Welke afgrijselijke zonde kan ik hebben bedreven dat ik jou als straf op de wereld heb gezet?'

Het was een oude uitroep, waar haar moeder mee aankwam als al het andere faalde. Meestal negeerde Chris het. Maar vanavond niet. 'Dat weet je net zo goed als ik, moeder – je neukte met papa voor je met hem trouwde.'

Harriet viel achterover in haar rolstoel alsof ze een klap had gekregen. 'Hoe dúrf je!'

'Het is geen geheim dat ik zeven maanden na het huwelijk ben geboren.'

'Het was een te vroege geboorte.'

'Als dat zo was, dan was het acht minuten en niet acht weken. Na vandaag weet ik hoe te vroeg geboren baby's eruitzien. Heel wat anders dan ik op mijn babyfoto's.'

De felle woede in Harriets ogen verkoelde tot een ijzige, berekende kalmte. 'Op een dag – dat verzeker ik je, Christine – zal jouw kind je net zoveel verdriet doen als jij mij.'

'Je hebt me nooit verteld dat je aan waarzeggerij bent gaan doen. Wat leuk dat je iets gevonden heb om je bezig te houden nadat je geliefde dochters je hebben verlaten.' Terwijl ze het zei, had Chris al spijt van haar woorden. Ze kon niet meer op haar benen staan van vermoeidheid, haalde haar tas van de stoel en plofte neer.

'Wat is er toch met ons, moeder?' vroeg ze zachtjes. 'Waarom doen we dit altijd? We hebben alleen elkaar nog. Kunnen we niet een manier vinden om met elkaar om te gaan?'

'Nu je je zin hebt gekregen wil je vrede sluiten. Net iets voor jou.'

Chris liet zich niet langer uit haar tent lokken. Het laatste spoortje vechtlust was verdwenen. 'Ik zou alles, alles wat ik heb of ooit hoop te hebben, ruilen voor één uur met Diane.'

Harriet wendde haar gezicht af. 'Hoe moeten we verder leven zonder haar?' vroeg ze. Ze opende een venster van haar ziel, ze wilde eindelijk de troost binnenlaten die ze zo wanhopig nodig had.

Chris liet zich op haar knieën vallen en legde zacht haar hoofd in de schoot van haar moeder. 'Ik weet het niet, mama,' zei ze met een gesmoord gefluister. 'Ik weet het niet.'

Teneinde de broze vrede tussen haar en haar moeder te bewaren, besloot Chris dat het beter was als ze die nacht niet bleef slapen. Ze was bezig telefonisch een hotelkamer te reserveren, toen Madeline haar een sleutel in de hand drukte.

'Van Dianes appartement,' zei ze. 'Ga daar maar slapen. Dat zou ze gewild hebben.'

Chris zei tegen de vrouw aan de andere kant van de lijn dat ze later terug zou bellen en hing op. Ze keek naar Madeline. 'Ik weet niet of dat wel zo'n goed idee is.'

'Ik begrijp hoe je je voelt, maar je zult er vroeg of laat toch naartoe moeten om de flat leeg te ruimen. Je moeder heeft er één middag alleen doorgebracht, en ze was zo uitgeput toen ik haar kwam halen, dat ik ervan schrok. Ik geloof echt niet dat ze er nog een keer toe in staat is.' Ze haalde haar schouders op. 'Ik zou er zelf wel heen gaan, maar ik heb daar niets te maken.'

Chris keek naar de sleutel. Ze voelde zich aangetrokken en tegelijkertijd afgestoten door het idee. Ze had haar capaciteit voor verdriet overschreden, en haar instinct zei haar dat ze, om alles te doen wat nog gedaan moest worden, zichzelf moest beschermen. Tegelijk hunkerde ze naar alles wat van Diane was geweest.

Ze klemde haar hand om de sleutel. 'Hoe kom ik daar?' vroeg ze.

Madeline veegde een traan van Chris' wang. 'Kom mee,' zei ze. 'Ik zal het voor je uittekenen.'

Zodra Chris de deur van Dianes appartement opendeed, was ze blij dat ze was gekomen. Het was vreemd, gezien de dwangmatige netheid van haar moeder, dat er geen teken was dat zij of iemand anders hier geweest was. Met het lege glas melk en het half opgegeten koekje op het lage tafeltje en de achteloos op bed gegooide badjas, was het mogelijk te geloven dat Diane maar even was weggegaan en elk moment kon terugkomen.

Chris ging van de ene kamer naar de andere in het kleine appartement, keek naar de spulletjes van haar zus, raakte ze aan, glimlachte bij de dingen die ze herkende en verbaasde zich over alles wat ze nooit had gezien. Ze bracht niets in wanorde, deed geen laden of kasten open, verstoorde niets van de tere fantasie dat Diane terug zou komen.

Daar zou ze morgen voldoende tijd voor hebben.

Toen ze niet meer op haar benen kon staan, liep Chris naar de slaapkamer en ging op bed liggen. Ze trok Dianes badjas over zich heen en snoof de vage geur op van Dianes bloemenparfum dat nog in de jas hing. Ze probeerde haar adem in te houden, zelfs het geringste van Diane in zich vast te houden, maar uiteindelijk werd zelfs dat haar door de slaap ontnomen.

Hoofdstuk vijf

De rest van de week was soms een droom, soms een nachtmerrie. Chris vond een vreemde, onverwachte rust tijdens haar reis naar Monterey om Dianes as te verstrooien. Ze verliet Sacramento midden in de nacht om er zeker van te zijn dat ze drie mijl op zee was als de zon opkwam. Alleen op het achterdek van de gecharterde boot telde ze de golven, wachtend op de zevende golf die hoger zou rijzen dan alle andere, haar uitgestrekte hand zou bereiken en haar zusje zou meenemen op reizen die ze tijdens haar leven niet had kunnen maken.

De golf naderde en Chris maakte de urn open en liet Diane door de zachte ochtendbries meevoeren. De as viel op het water en vermengde zich langzaam ermee. Ze sloeg het proces gade, als verlamd door verdriet toen de mooie jonge vrouw met de lachende ogen minder, en toch op etherische wijze méér werd dan ze ooit geweest was. Ten slotte volgden de bloemen, een van elke soort die Chris in Sacramento had kunnen vinden.

Ze bleef op het dek van de boot staan tot de laatste bloem uit het gezicht verdwenen was, en stelde zich voor hoe een vreemde, misschien een visser, later een van die bloemen zou zien en zich verbazen, en in zijn nieuwsgierigheid een laatste keer worden ontroerd door een lieve, hartelijke vrouw, die er niet meer was.

Toen de boot Chris terugbracht naar Monterey, reed ze langs de kust in plaats van rechtstreeks naar huis te gaan, langs Carmel naar het Point Lobos State Park. Daar bracht ze de rest van de ochtend en het grootste deel van de middag door op een helling, wachtend op otters en zeeleeuwen, luisterend naar de vogels aan de kust, en nam in alle eenzaamheid een definitief afscheid.

Op weg naar Sacramento die avond, liep ze een Burger King binnen voor een kop koffie. Toen ze terugliep naar haar auto, zag ze een telefoon en belde Paul Michaels, een oude vriend van de familie.

'Christine,' zei hij, zijn bariton warm en verwelkomend, vol sympathie. 'Het spijt me dat we geen kans hebben gehad om tijdens de dienst met elkaar te praten. Ik had je willen zeggen...'

Ze liet de woorden langs zich heen gaan, schakelde het medeleven, verdriet, de condoleanties uit, om zichzelf te beschermen. Haar eigen intense verdriet had het haar tijdelijk onmogelijk gemaakt het verdriet van anderen te horen en erop te reageren. Alle kracht die ze nog had bewaarde ze angstvallig voor de kleine jongen die Diane, zoals ze van Madeline hoorde, Kevin had willen noemen.

'En als er iets is dat ik kan doen, wat dan ook, laat het me dan alsjeblieft weten,' ging Paul verder.

'Eerlijk gezegd, is er iets,' zei Chris. 'Ik zou graag willen dat jij de adoptie regelt.' Behalve een oude vriend van de familie, was Paul Michaels ook compagnon in een van de grootste en meest vooraanstaande advocatenkantoren in Noord-Californië.

'Adoptie?' herhaalde hij. 'Ik dacht... eh, ik verkeerde in de veronderstelling dat de vader...'

Chris haalde diep adem, vechtend tegen haar woede, die verdringend door te trachten zich op iets constructiefs te richten. Ze was opgevoed door een vrouw die bezeten was van een machteloze woede, iemand die met evenveel woede en effect tekeerging tegen personeel van de supermarkt als tegen het defensiebudget. Woede was voor Harriet Taylor even vanzelfsprekend als linnen voor beddelakens. Het was een erfenis die ze had doorgegeven aan haar oudste dochter, een die Chris vastbesloten was niet te accepteren. 'De vader wil niets te maken hebben met de baby.'

'Dat wist ik niet,' zei hij ten overvloede.

'Ik weet hoe druk je het hebt, Paul, en onder normale omstandigheden zou ik er niet over piekeren je lastig te vallen –'

'Ik moet vanmorgen op de rechtbank zijn, maar de rest van de dag houd ik vrij voor jou.'

'Dank je,' zei ze, wetend hoe moeilijk het voor hem zou zijn om zijn afspraken af te zeggen en hoe heftig hij dat zou ontkennen. 'Je bent een heel bijzondere vriend.'

'Niet snotterig worden, jongedame,' zei hij vriendelijk. 'We hebben een hoop te doen.'

'Ik weet het.'

'Chris...'

'Ja?'

'Ik neem aan dat je hierover nagedacht hebt?'

Ze wreef over de achterkant van haar hals. 'Wat valt er na te denken?'

'Dat klinkt een beetje alsof je denkt dat je geen keus hebt in deze kwestie.'

Ze legde haar hand tegen haar voorhoofd. 'Zo is het helemaal niet,' protesteerde ze zwakjes.

'We zullen er morgen over praten.'

'Er valt niets te bepraten. Diane wilde dat ik Kevin zou nemen, en ik wil hem hebben. Ik wil alleen dat jij ervoor zorgt dat het wettig gebeurt.'

De volgende ochtend ging Chris op weg naar het ziekenhuis bij haar moeder langs, in de hoop dat ze door haar een verslag te geven van de dag die ze aan de kust had doorgebracht, zou kunnen beginnen een brug te slaan over de kloof tussen hen, die steeds groter was geworden.

Harriet weigerde uit haar kamer te komen. Ze zei dat ze migraine had en dat haar dokter had gezegd dat ze alles en iedereen moest vermijden die haar stress kon bezorgen. Dus in plaats daarvan vertelde Chris Madeline over de boot en de bloemen en de zeeotters die ze had gezien. Ze besefte dat ze het niet alleen voor haar moeder deed, maar ook voor zichzelf. Ze moest praten met iemand die van Diane gehouden had, iemand die zich ontroerd zou voelen omdat Chris die middag een regenboog had gezien in een wolkeloze lucht, en dat de kapitein van de charterboot, een grijze, oude, maar ongelooflijk taaie kerel, haar had omhelsd toen ze wegging.

De rest van de ochtend bracht ze bij Kevin door, verwonderde zich over zijn kleine gestalte, het wonder van zijn geboorte, en hoe ontoereikend ze zich voelde toen ze probeerde zijn miniatuurluier te verschonen. Alles wat hij deed fascineerde haar en beangstigde haar tegelijkertijd.

Voor ze Paul Michaels ontmoette, ging ze langs Dianes appartement en belde haar kantoor. Wat geacht werd een routinetelefoontje te zijn, werd een crisis. De nieuwe reclamecampagne die de maatschappij had gekozen voor het Midden-Westen was op felle en onverwachte tegenstand gestuit van een nationale anti-alcoholorganisatie. Ze beweerden dat de reclame rechtstreeks gericht was op achttien- tot vijfentwintigjarigen, iets wat de firma moeilijk kon ontkennen, omdat er een rapport was uitgelekt dat aantoonde dat een groot percentage van het reclamebudget was gereserveerd voor de campus van colleges en universiteiten.

De filosofie die erachter school was simpel en traditioneel: begin vroeg met de opbouw van identificatie met en trouw aan een bepaald produkt, en de klant zal later waarschijnlijk trouw blijven aan dat merk. Wainswright Brewing Company had dat niet uitgevonden. Voor alles wat waar ook in het land op een campus plaatsvond, wat door een brouwerij kon worden gesponsord, stonden de brouwerijen in de rij. Als het om atletiek ging, verdrongen de brouwers zich voor het voorrecht om hun geld uit te geven. Het was een ongelukkig toeval dat Wainswright zich deze keer op het verkeerde moment op de juiste plaats bevond.

Hoewel alle collega's met wie ze die dag sprak sympathie en begrip toonden, probeerde niemand het feit te verbergen dat ze nodig was in Denver en zo gauw mogelijk terug moest komen. Zoals een van haar assistentes het kort en bondig uitdrukte: 'Het schip zinkt en de reddingsboten raken snel vol. Je springt erin of je verdrinkt.'

Toen ze op het kantoor van Paul Michaels kwam, gingen Chris' gedachten tien verschillende richtingen uit. Zijn secretaresse liet haar in een kamer met mahoniehouten betimmering, die uitzicht bood op het Capitool. Paul stond op achter zijn bureau en kwam naar haar toe om haar te begroeten.

'Je ziet er doodmoe uit,' zei hij, terwijl hij haar naar een zachtleren bank bracht. 'Maar dat verbaast me niets. Nu Harriet zulke problemen heeft met haar gezondheid, neem ik aan dat alles op jouw schouders terechtkomt.'

'Het is niet het werk dat me heeft uitgeput,' zei ze. 'Moeder geeft de teugels niet zo gemakkelijk uit handen.'

Paul knikte wijs. 'Haar wilskracht is fenomenaal. Ik ben ervan overtuigd dat die haar al die jaren in leven heeft gehouden.'

Een van de redenen waarom Chris had besloten Paul Michaels om bemiddeling te vragen bij de adoptie, was dat hij een intieme vriend van de familie was. Ze zou geen tijd hoeven te verspillen met het beschrijven van de dynamiek van een niet-functionele familie of het verduidelijken van motivaties. Het zou ongecompliceerd zijn. Duidelijk.

Ze boog zich naar voren. 'Ik zou graag de hele middag op bezoek blijven, Paul, maar ik heb vanmorgen ontdekt dat ik niet zoveel tijd zal hebben om de zaken hier in Sacramento af te handelen zoals ik dacht. De hel is losgebroken bij Wainswright, en ze willen dat ik zo gauw mogelijk terugkom op kantoor.'

Hij keek haar onderzoekend en vragend aan. 'Ik geloof dat we eerst eens over die adoptie moeten praten voor we iets op papier zetten.'

'Er valt niets te praten.'

'Heb geduld met me. Misschien ben ik iets voorzichtiger dan ik zou moeten zijn, omdat adoptie niet mijn specialiteit is, of misschien omdat mijn gevoelens gewoon een gevolg zijn van onze vriendschap.' Hij haalde zijn schouders op. 'Hoe dan ook, ik ben absoluut niet van plan overhaast op een adoptie aan te sturen. Dit moet goed gedaan worden, zowel voor jou als voor de baby. Al wil je nog zo graag geloven dat je Kevins moeder wordt door domweg een handtekening te zetten op de stippellijn, toch vergis je je daarin.'

'Het was Dianes laatste wens, en omdat ze geen testament heeft nagelaten dat in tegenspraak is met haar verklaring op het sterfbed, begrijp ik niet dat er enige twijfel kan bestaan. Er is zelfs een getuige. Wat zou in vredesnaam –'

'Zoals ik je gisteren heb gezegd, moeten we rekening houden met de vader.'

'En zoals ik jou heb gezegd, wil hij niets met Kevin te maken hebben.'

'Maar je hebt me niet weten te overtuigen. Ik moet méér weten.'

'De omstandigheden spreken voor zichzelf, Paul. Als de vader ook maar iets om Diane of de baby had gegeven, zou hij bij haar zijn geweest.' Toen hij niet onmiddellijk antwoord gaf, ging ze verder. 'Ben je het niet met me eens?'

'Zo ziet het ernaar uit, ja.'

'Ik wilde het ook niet geloven,' gaf ze toe. 'Maar het is de enige verklaring. Ik heb al Dianes bezittingen nagekeken, en er is geen spoor van hem te vinden – geen foto, geen brief, niets. Hij moet haar verschrikkelijk veel verdriet hebben gedaan, anders zou ze niet alles hebben vernietigd.'

'Heeft ze het met jou of Harriet nooit over hem gehad?'

Chris vond het pijnlijk om hardop te moeten bekennen hoe weinig contact ze het afgelopen jaar met Diane had gehad. 'Het enige dat ik zeker weet is dat ze met Kerstmis dol was op een of andere man, en acht maanden later alleen en zwanger. Je hoeft geen genie te zijn om dat uit te puzzelen.'

'Oppervlakkig gezien lijkt het dat hij getrouwd was of wilde dat ze abortus zou plegen.'

'Precies.'

'De dingen zijn niet altijd zo ongecompliceerd,' zei hij.

'Dat doet er niet toe. We kunnen alleen maar afgaan op wat we weten. Diane heeft Kevin aan mijn hoede toevertrouwd. Ik ben er, de vader is er niet.'

'Dat jij er bent, wil nog niet zeggen dat jij daarom ook het meest geschikt bent om Kevin op te voeden,' zei Paul. Zijn zachte stem was in tegenspraak met de explosieve gedachte.

'Wat wil je daarmee zeggen?' vroeg Chris.

'Het spijt me, Chris,' antwoordde hij. 'Maar het moest gezegd worden. Je denkt niet zo helder als je zou doen onder minder emotionele omstandigheden.' Hij boog zich naar voren in zijn stoel. 'Hoor eens, ik weet zeker dat je het in je hebt om een fantastische moeder te worden, maar iets als dit leidt zelden tot een gunstig resultaat als het iemand opgedrongen wordt. Er moet een reden zijn dat je zo lang ongetrouwd bent gebleven. Ik neem aan dat het een bewuste keus was?'

Chris stond op, liep naar het raam en staarde naar buiten. 'Ik hou van mijn werk. Ik ben er goed in,' zei ze defensief.
'En je denkt dat een huwelijk je dat zou ontnemen?'
'Ik moet veel reizen voor mijn baan – conventies, vergaderingen,' zei ze. 'Ik heb een hoop mannen ontmoet, maar niet één die bereid was dat van een vrouw te verdragen. Tenminste geen man die belangstelling voor me had.'
'Denk je dat een kind meer begrip zou hebben?'
Ze draaide zich met een ruk om. 'Wat verlang je van me? Moet ik soms mijn baan opgeven en van de bijstand gaan leven om te bewijzen wat een goede moeder ik ben? Dat kan ik niet, Paul. Dat zit gewoon niet in mijn karakter.'
Zijn stem klonk overredend. 'En als jij in Colorado bent om geld te verdienen, wie zorgt er dan voor Kevin terwijl hij in het ziekenhuis ligt?'
Ze knipperde verbijsterd met haar ogen. Hoe kon zoiets belangrijks haar zijn ontgaan? 'Er is zoveel gebeurd, dat ik daar eigenlijk niet aan gedacht heb.'
'Vertelde je me niet dat het een paar maanden zal duren voor hij thuis kan komen?'
'Ik kan er in de weekends naartoe vliegen. En ik heb nog vakantie te goed.' Ze klonk even wanhopig als onpraktisch.
'Ik wil het niet nog moeilijker voor je maken dan het al is, Christine. Het enige dat ik vraag is dat je Diane en ook jezelf even vergeet en je op Kevin concentreert.'
'Hoe weet je zo zeker dat ik dat niet doe?'
'Ik weet het niet zeker. Ik speel voor advocaat van de duivel en geef hardop uiting aan je eigen angsten. Als je kinderen had willen hebben, had je die nu gehad. Een kind moet een vreugde zijn voor de ouders, geen verplichting. Je kunt Kevin niet nemen uit plichtsbesef, Chris. Dat is niet goed voor jou, en verdraaid oneerlijk tegenover hem.'
Ze sloeg haar armen over elkaar en ondersteunde haar ellebogen met haar handen, alsof ze bang was dat ze uit elkaar zou vallen. 'Maar hoe kan ik hem opgeven? Ik hou van hem, Paul. En hoe zou ik het mezelf ooit kunnen vergeven als ik Dianes laatste wens niet vervulde?'
'Laat je leiden door je liefde voor Kevin. Dat is alles wat Diane zou verlangen.' Hij stond op en liep naar haar toe. Hij sloeg zijn armen om haar heen alsof hij probeerde haar te beschermen tegen de klap die hij haar had toegebracht. 'Neem nu nog geen besluit,' zei hij. 'Denk er een paar dagen over na. Ik help je, wat je ook beslist.'
Ze had geen paar dagen. Ze had beloofd meteen weer terug te komen op haar werk. 'Goed,' zei ze, 'dat ben ik Kevin verschuldigd.'

De rest van de middag en avond was ze in het ziekenhuis. De nacht bracht ze door in Dianes appartement met een fles rum, die ze de volgende ochtend er weer uitkotste. Het was al laat in de ochtend toen ze geen traan meer overhad en eindelijk in een uitgeputte slaap viel.

In het begin van de middag werd ze wakker, nam een douche en keerde terug naar het ziekenhuis. Toen ze die avond wegging had ze een besluit genomen. Terwijl alles in haar het uitschreeuwde dat ze hem moest houden, was het uiteindelijk haar liefde voor hem die haar deed beseffen dat ze hem los moest laten.

Het was het moeilijkste besluit dat ze ooit had genomen, en het was ook het onbaatzuchtigste. Het deed er niet toe dat het haar intens en onredelijk verdriet deed hem te moeten opgeven. Het enige waar het op aankwam was dat dit het beste was dat ze voor hem kon doen.

Elk kind had recht op twee ouders. In het begin had ze zich met statistieken langs dat schijnbaar ouderwetse ideaal weten te manoeuvreren. Er waren gewoon te veel kinderen die in een gezin met één ouder leefden om zich daardoor te laten ontmoedigen. Maar dan herinnerde ze zich alle artikelen in kranten en tijdschriften en de televisieprogramma's die ze had gezien over scheuring in het gezin en de rampzalige uitwerking daarvan op de kinderen, en was ze niet langer zo zeker van zichzelf.

Ze kon er niet omheen dat als er maar één ouder was, die wel heel bijzonder moest zijn. Midden in de nacht, toen ze zich nergens kon verstoppen en ze de waarheid onder ogen moest zien, was ze gedwongen toe te geven dat ze nooit bijzonder genoeg zou zijn om het kind op te voeden waarvoor Diane was gestorven om het op de wereld te brengen. Als iemand het beste verdiende, was het Kevin.

Chris trad de zakenwereld met een enorm zelfvertrouwen tegemoet. Het was geen eigenwaan; het was de overtuiging dat ze erg goed was in haar werk. Wat ze deed was niet bezielend of belangrijk in het grote geheel, maar elke dag dat ze naar haar werk ging presteerde ze iets dat de firma draaiende hield. Het was de enige plaats ter wereld waar ze nodig was en waar ze ertoe deed.

Maar ondanks haar hartstocht voor haar werk en de behoefte die ze had aan het gevoel van eigenwaarde dat het haar gaf, zou ze het onmiddellijk opgeven als ze daardoor de ouder zou kunnen worden die Kevin nodig had. Maar dat kon niet. Het enige dat ze Dianes kind te bieden had was liefde, en hoe ze ook haar best deed, ze kon zichzelf er niet van overtuigen dat dat voldoende was.

Toen ze voelde dat ze aarzelde, dacht ze aan haar eigen moeder. Op haar eigen, vreemdsoortige manier had Harriet Taylor van haar dochters gehouden. Ze had het beste voor hen gewild – althans Harriets idee van wat het beste was. Door Harriet had Chris geleerd dat liefde niet altijd heilzaam was; soms werd je erdoor verstikt en vernietigd en gekweld, en uiteindelijk kon je er zelfs bang voor worden.

Dat wilde ze Kevin niet aandoen.

Hij verdiende het beste dat het leven kon bieden, geen babysitters en een paar momenten tijd van een werkende vrouw die geen idee had hoe ze een moeder moest zijn. Hij was nog geen twee weken oud en nu al had het leven hem zulke slechte kaarten gegeven. Nu was het haar taak ervoor te zorgen dat hij een paar azen kreeg.

Ze belde Paul Michaels thuis, want ze wilde hem spreken voordat ze zich bedacht. Pas toen hij haar had aangehoord en het eens was met haar redenering, besefte ze dat ze gebeld had omdat ze in haar hart had gehoopt dat hij haar ervan zou overtuigen dat ze er verkeerd aan deed Kevin aan te bieden voor adoptie.

'Het spijt me, Chris,' zei hij. 'Ik weet hoe moeilijk dit voor je is. Ik ben altijd onder de indruk geweest van je lef en je vastberadenheid en je gevoel voor *fair play*, maar ik heb je nog nooit zo bewonderd als nu.'

Ze drukte haar vingers tegen haar slapen toen de hoofdpijn die de hele dag gedreigd had, zich eindelijk deed voelen. 'Ik blijf zoeken naar redenen om van gedachten te veranderen.'

'Dat komt omdat je het geaccepteerd hebt met je verstand, maar niet met je gevoel.'

'Ik kan de gedachte niet van me afzetten dat ik Diane in de steek laat.'

'Dat gaat mettertijd wel over. Waarom denk je dat ze de toekomst van haar baby in jouw handen heeft gelegd? Omdat ze wist dat, al was het nog zo moeilijk voor je, Kevin altijd op de eerste plaats zou komen.'

Er schoot een brok in Chris' keel. 'Maar ze dacht dat ik het zou doen als zijn moeder.'

'Wat zegt Harriet over dit alles?' vroeg Paul.

Ze draaide eromheen. 'Ik weet dat het haar spijt dat ze me in bijzijn van zoveel getuigen verteld heeft dat Dianes laatste wens was dat ik de volledige verantwoordelijkheid voor Kevin op me zou nemen.'

'Vast wel. Het is niets voor haar om de leiding uit handen te geven. Maar ik weet zeker dat ze beseft dat geen rechter in het land het kind aan haar zou toewijzen, met haar slechte gezondheid. Dus in dit geval kwam de waarheid haar goed van pas. Tenminste, totdat jij van mening veranderde.' Hij zweeg even. 'Niet dat het reëel verschil zou maken, maar ik wil toch wel graag weten wat ze te zeggen had over de adoptie.'

'Niet veel eigenlijk,' zei Chris met een vreugdeloos lachje. 'Behalve dat ze het me nooit zal vergeven en nooit meer tegen me zal spreken zolang ze leeft.'

'Ze draait wel bij.'
'Ik denk niet dat ik mijn adem zo lang zal kunnen inhouden.'
Paul Michaels belde Chris de volgende middag terug om haar te vertellen dat hij, via een bevriende advocaat, een echtpaar had gevonden dat hem perfect leek. Ze wilden graag kennis met haar maken om over de adoptie te spreken.

Ze zei dat hij maar een afspraak moest maken voor de volgende dag.

Hoewel er paniek heerste bij Wainswright Brewing Company en er zware druk op haar werd uitgeoefend om terug te keren, weigerde Chris zich te laten overhaasten. Dat was wel het minste dat ze Kevin schuldig was.

Er waren drie gesprekken voor nodig om Chris ervan te overtuigen dat Barbara en Tom Crowell de juiste ouders waren voor Kevin, en dat ze in de adoptie moest toestemmen. Niet dat ze tijdens de eerste twee gesprekken iets negatiefs had opgemerkt, maar er kwamen steeds meer vragen bij haar op. Ze waren geduldig en vol begrip en kwamen met alle goede antwoorden, wat haar tegelijk blij en bedroefd maakte.

Hoe meer tijd ze doorbracht met de Crowells, hoe aardiger ze hen vond. Ze waren begin dertig, hadden een eigen huis in een van de buitenwijken en hadden het financieel goed. En wat het belangrijkste was, het was liefde op het eerste gezicht geweest toen ze hen had meegenomen naar Kevin.

Hoewel hij in twee weken honderdveertig gram was aangekomen, woog hij nog steeds dertig gram minder dan tweeëneenhalf pond. Heel minieme zakjes vet, zo groot als een erwt, vormden zich op zijn wangetjes, maar hij zag er nog lang niet uit als een blozende baby.

De afgelopen week had Chris het grootste deel van elke dag in het ziekenhuis doorgebracht, en heimelijk was ze er zeker van dat Kevin haar begon te herkennen. Toen hij geelzucht kreeg en uit de couveuse werd gehaald en naar de isoleerkamer gebracht, kreeg hij een maskertje voor om zijn ogen te beschermen tegen het intense licht dat werd gebruikt om zijn kwaal te behandelen. Maar hij reageerde op haar stem als ze sprak. Ze praatte met niemand over haar gevoelens; ze waren te bijzonder, en te broos om ze met iemand te delen.

Terwijl ze naast de couveuse in de isoleerkamer zat en naar de slapende Kevin keek, vertelde ze hem steeds opnieuw hoeveel ze van hem hield. Soms zei ze de woorden hardop, soms bracht zij ze in gedachten op hem over. Ze wist dat haar liefde nooit beantwoord zou worden. Niet alleen zou hij zich haar niet herinneren, hij zou waarschijnlijk niet eens weten dat ze bestaan had, maar dat deed er niet toe. Dit ene moment zou ze hem alles van zichzelf geven, en als hij in reactie daarop één dag eerder glimlachte dan hij anders zou hebben gedaan, was dat voldoende beloning voor haar.

Chris bracht de ochtend van haar laatste dag in Sacramento door in het ziekenhuis. Ze was er nog geen vijftien minuten toen ze opkeek en Brittany, Kevins dagzuster, naar zich toe zag komen met een schommelstoel.

'Ga zitten,' beval ze.

Chris keek haar achterdochtig aan, maar deed wat haar gezegd werd. De veteraan met haar twintigjarige diensttijd op de neonatale intensive care was niet iemand om tegen te spreken. Door haar zelfvertrouwen, dat voortkwam uit ervaring en een intuïtieve intelligentie, klopten de andere dagzusters altijd bij haar aan als ze hulp nodig hadden. Hetzij door goddelijke interventie of door een schrijnende behoefte, had Kevin dag en nacht uitzonderlijke verpleegsters. Chris verliet Sacramento in de overtuiging dat ze hem in goede handen achterliet.

Zonder een woord te zeggen maakte Brittany de zijkant van de couveuse open, zette Kevin een blauwe muts op, en wikkelde hem in een witte deken. Toen ze de monitorkabels had gecontroleerd of ze nog werkten, gaf ze hem aan Chris.

'Weet je zeker dat het goed is?' vroeg Chris, terwijl ze het bijna gewichtloze bundeltje in haar armen wiegde.

'Een paar minuten. Maar hij moet warm gehouden worden, dus druk hem dicht tegen je aan.'

'Dit is het mooiste cadeau dat iemand me ooit heeft gegeven,' zei Chris.

'Ik kon je niet laten weggaan zonder hem ten minste één keer te hebben vastgehouden.'

'Dank je.' Meer kon ze niet uitbrengen.

'Als je iets nodig hebt, gil je maar. Ik ben in de buurt.'

Alsof hij op dit moment gewacht had, opende Kevin zijn ogen en keek Chris aan. Ze voelde haar hart tegelijk smelten en breken.

Ze hoorde de stem van haar vader. 'Hoeveel hou je van me, Chrissy?' vroeg hij in het spelletje dat ze altijd speelden als hij haar 's avonds naar bed bracht. En zij antwoordde: 'Hopen en bossen en stapels, papa.' Hij trok een verbaasd gezicht en vroeg: 'En hoeveel is dat?' Dat was het ogenblik waarop ze haar armen om hem heen sloeg en hem stevig knuffelde. 'Zoveel,' zei ze giechelend. Hij lachte nooit terug. Als hij zei: 'Dan ben ik de gelukkigste man ter wereld,' was het altijd op een toon die haar het gevoel gaf dat ze hem een cadeau had gegeven.

'Ik hou van je, Kevin,' fluisterde ze gesmoord, 'hopen en bossen en stapels.'

Hoofdstuk zes

Toen ze terug was in Denver, verviel Chris weer gemakkelijk in haar oude routine. Ze stond op, ging aan het werk, bleef laat doorwerken om te proberen al het achterstallige werk in te halen, ging naar huis en naar bed. Ze ging zelfs eten met een vroeger vriendje en maakte een afspraak om de zaterdag daarop te gaan winkelen met een vriendin. Degenen die haar kenden zeiden dat ze gedeprimeerd was. Hoe maakte je iemand duidelijk dat de vreugde uit je leven verdwenen was?

Elke avond beloofde ze zichzelf dat het de volgende ochtend beter zou gaan. Als het ochtend werd, stak ze automatisch haar hand uit naar de telefoon om het ziekenhuis te bellen en te vragen hoe het met Kevin ging.

Maar ze beheerste zich altijd weer en hing op voordat de verbinding tot stand was gekomen. Falen in haar besluit om zich buiten zijn leven te houden, zou betekenen dat ze toegaf dat ze zich vergist had, en dat was ondenkbaar. De enige manier waarop ze kon overleven was de wetenschap dat ze had gedaan wat voor Kevin het beste was.

Ze was alweer drie weken in Denver en kwam op een avond na haar werk thuis in haar flat toen ze de telefoon hoorde gaan. Ze maakte haastig de deur open, holde de zitkamer door en pakte de telefoon voor haar antwoordapparaat het overnam.

'Hallo,' zei ze buiten adem.

'Chris, met Paul Michaels.'

Paul was niet de man ernaar om te bellen voor een gezellig babbeltje. Haar hart klopte in haar keel. 'Wat is er?' vroeg ze, de beleefdheden overslaand.

'Ik vrees dat ik slecht nieuws heb. De Crowells hebben besloten Kevin toch niet te nemen.'

'Dat begrijp ik niet. Waarom zouden ze zich nu, na al die tijd, terugtrekken?'

'Ze zeiden dat ze emotioneel en financieel niet in staat zijn zo'n zieke baby te verzorgen.'

'Kevin is niet ziek, alleen maar te vroeg geboren,' zei ze verward. 'En dat hebben ze van begin af aan geweten. Waarom –'

'O, verdraaid,' zei hij. 'Je weet het niet.'

Haar nekharen gingen overeind staan. 'Wàt weet ik niet?'

'Het spijt me, Chris. Ik zou je nooit zomaar hebben gebeld, maar ik dacht dat je het wist. Ik was ervan overtuigd dat het ziekenhuis had gebeld.'

'Vertel me wat er gebeurd is.' Ze deed haar uiterste best haar stem in bedwang te houden.

'Ze hebben Kevin vanmorgen moeten opereren.'

Ze zocht steun bij de muur. 'Waarom?' vroeg ze.

'Iets met zijn maag – nee, niet zijn maag, zijn ingewanden. Ze hebben een deel eruit moeten halen.'

Het kwam allemaal te snel op haar af. Tientallen vragen flitsten door haar hoofd, medische vragen waarvan ze besefte dat Paul ze niet zou kunnen beantwoorden. Ze beperkte zich tot de vraag waarop hij wèl een antwoord wist. 'Hoe gaat het nu met hem?'

'Niet zo best, vrees ik.'

Ze had het gevoel dat hij haar had geslagen. 'Wat wil je daarmee zeggen?' bracht ze er met moeite uit.

'De verpleegster met wie ik heb gesproken vertelde me dat de infectie zich heeft voortgeplant in zijn bloed en dat de toestand kritiek is.'

Dit kon niet waar zijn. Niet nog eens. 'Ik kom zo gauw ik kan.'

'Je kunt niets voor hem doen, Chris.'

'Ik kan bij hem zijn,' snauwde ze.

'Laat me weten of ik iets voor je kan doen.'

'Goed.' Ze wilde ophangen, maar zei toen: 'Paul?'

'Ja?'

'Zeg tegen de Crowells dat ze er verstandig aan doen uit mijn buurt te blijven.'

Toen Chris deze keer in Sacramento kwam nam ze niet de moeite een auto te huren, maar nam meteen een taxi naar het ziekenhuis. Het was vier uur in de ochtend. De lange, bochtige gangen naar de neonatale intensive care waren verlaten. Zelfs de wachtkamer voor de familie van vrouwen die moesten bevallen was leeg.

Vroeger had ze in haar verlangen om Kevin te zien, in het voorbijgaan altijd langs de rand van de rolgordijnen getuurd die voor de ramen van de babyzaal hingen, in de hoop een glimp van hem op te vangen, wetend dat haar voetstap verender zou worden en haar hart sneller zou kloppen van blijdschap en verwachting. Deze keer hield ze haar ogen neergeslagen om nog twintig seconden hoop te kunnen houden.

Maar toen ze eenmaal in de lange, smalle kamer was die de intensive care scheidde van de zaal met baby's die een normale verzorging kregen, kon ze zich niet meer verbergen. Ze tuurde door het raam, terwijl haar blik automatisch naar de plek ging waar de ziekste baby's altijd in de speciale couveuses lagen. Haar speurtocht eindigde in de verste hoek. Er stond te veel apparatuur rond de couveuse om de baby te kunnen zien die erin lag, maar ze zag de verpleegster die voor hem zorgde. Het was Trudy Walker, een vrouw die vanaf de dag waarop Kevin was geboren voor hem gezorgd had. Ze was een bescheiden vrouw met een zachte stem, een soort oermoeder, die je gemakkelijk kon onderschatten – tot je de stalen glinstering in haar ogen zag. Chris voelde een enorme opluchting toen ze haar zag.

Chris' handen beefden zo hevig dat ze het pakje niet kon openmaken waarin zich de borstel en zeep bevonden die ze moest gebruiken voordat ze de zaal betrad. Ten slotte moest ze een verpleegster om hulp vragen. Nog nooit was een minuut zo langzaam verstreken als toen ze bij de wasbak haar handen stond te wassen. Eindelijk was ze klaar en kon ze een ziekenhuisjas aantrekken en naar binnen gaan.

Het ritmische gezoem van ventilators accentueerde de stilte toen Chris naar Kevin toeging. Trudy keek verbaasd op toen ze Chris zag, maar zonder een geruststellende glimlach. Ergens klonk een monitor. De hoge, aanhoudende toon waarschuwde de verpleegsters dat een baby in moeilijkheden verkeerde.

Chris was bijna bij het bed toen ze een glimp opving van Kevin. Tijdens de eindeloze uren die het haar had gekost om hier te komen, had ze geprobeerd zich voor te stellen wat ze zou aantreffen.

Haar ergste verwachtingen werden bewaarheid.

Hij lag op zijn zij, zijn hoofdje achterover voor de ademhalingsbuis. Om één armpje was een bloeddrukmanchet gebonden, de andere bevatte een IV. Zijn rug, borst en linkervoetje waren met monitorkabels verbonden. Het zachte hoofdhaar was afgeschoren. Vijf puncties waren een stil bewijs van gesprongen aderen voordat de tweede IV-slang aan zijn hoofdje kon worden aangebracht. Een gazen vierkant lag op zijn maag. Verder was hij naakt.

'Wat is er gebeurd?' vroeg Chris, die zich aan de zijkant van de couveuse vasthield om steun te zoeken. 'Het ging zo goed.'

'Wij waren even verbaasd als jij,' zei Trudy. 'Toen ik hier wegging was alles in orde. Toen ik terugkwam voor de nachtdienst, had de infectie zich al uitgebreid en was in zijn bloed gedrongen. Toen hij in de operatiekamer kwam was hij... verschrikkelijk ziek.'

Chris was al vaak genoeg op de intensive care geweest om te weten dat 'verschrikkelijk ziek' een eufemisme was voor 'op sterven na dood'.

Ze legde de top van haar vinger op Kevins handje. Geen reactie. 'Wat zei de chirurg?'

'Misschien is het beter als je zelf met hem praat.'

'Alsjeblieft,' zei Chris. 'Laat me niet in spanning.'

Ergens in de kamer riep een van de andere verpleegsters zachtjes: 'IV's.' Trudy controleerde de nummers op de machines die bij Kevin stonden, schreef ze op de kaart, en wendde zich toen weer tot Chris. 'Hij zei dat hij goed nieuws en slecht nieuws had. Het goede nieuws was dat hij maar twee heel kleine stukjes van Kevins darm heeft weggenomen.'

'En het slechte nieuws?'

'De hele darm is geïnfecteerd.'

'Wat wil dat zeggen?'

'Na de tweede operatie weten we pas hoeveel weefsel er vernietigd is.'

Chris keek van Trudy naar Kevin en toen weer naar Trudy. Het begon haar langzaam te dagen. 'Maar hij kan niet leven zonder...' Ze kon de zin niet afmaken.

'Waar zijn zijn nieuwe ouders?' vroeg Trudy vriendelijk.

'Ze hebben besloten hem niet te nemen.'

'O, ik begrijp het.'

'Het geeft niet,' zei Chris. 'We hebben ze niet nodig, hè, Kevin?' Tranen omfloersten haar ogen en verzachtten de harde werkelijkheid toen ze zich over de rand van de couveuse boog en hem een kus op zijn slaap gaf. 'Het is Chr – Nee, Kevin,' zei ze, terwijl ze voelde dat haar wereld eindelijk in evenwicht kwam. 'Het is mama.'

Hoofdstuk zeven

Chris plaatste het vijfde verjaardagskaarsje in de ronde patrijspoort van de taart die de vorm had van een zeilboot, en die ze die ochtend voor Kevin had gebakken. Ze had hem de vorige week meegenomen op een zakenreis naar San Francisco, en hij was gefascineerd door alle boten in de baai, vooral die met de 'grote witte koppen'. Toen ze door het keukenraam naar de tuin keek, zag ze dat de tuinslangen niet langer gebruikt werden om de twee grote rubber zwembadjes te vullen. Bijna voorspelbaar was het feest ontaard in een algemeen watergevecht, met Kevin en Tracy tegen alle anderen. Twee tegen vier. Een geweldige overmacht, zou je zeggen. Chris glimlachte. Ze hoopte dat Kevin en Tracy mededogen zouden hebben met hun tegenstanders.

Een weinig kinderlijke schreeuw werd hoorbaar. 'Nu is het uit!' brulde een vrouwenstem. 'Afgelopen, jongen!'

Haar dreigement werd beantwoord met een luid gejuich.

Chris wijdde zich weer aan haar taart. Ze hoefde niet te kijken om te weten wat er gebeurd was. Zoals gewoonlijk had Mary Hendrickson zich halsoverkop in het gewoel gestort.

Mary was uniek. Ze had de deftige manieren van een vrouw die, zoals Mary, was grootgebracht in het herenhuis van een gouverneur; de zelfverzekerdheid om een brandweerkazerne binnen te lopen en zich volkomen op haar gemak te voelen met mannen die ze nog nooit had gezien, zoals haar gewoonte was telkens als haar man, de brandweercommandant, van standplaats veranderde; en het vermogen om vijfentwintig jaar in de tijd terug te gaan, op haar knieën te vallen en verstoppertje te spelen met het eerste het beste kind.

Ze was nauwelijks één meter zestig lang, had lang zwart haar, dat ze meestal in een paardestaart droeg, en was zo lenig als een hardloopster. Een aangeboren optimisme had haar door moeilijke tijden heen geholpen. Eén daarvan had Chris meegemaakt – de dood van haar twee maanden oude dochtertje, de tweeling van Kevins beste vriendinnetje, Tracy.

In zekere zin was de viering van Kevins verjaardag ook de viering van Chris en Mary's vriendschap. Na elkaar vijf jaar geleden een week lang te zijn gepasseerd bij het in- en uitlopen van de intensive care, had Mary Chris op een dag staande gehouden en gevraagd of ze zin had koffie met haar te gaan drinken, omdat ze iemand nodig had om mee te praten, iemand die doormaakte wat zij doormaakte en die begreep wat het betekende. Chris had geaccepteerd, denkend dat ze de helpende hand bood. Pas veel later had ze zich gerealiseerd dat ze niet had gegeven, maar ontvangen.

Mary was een geschenk uit de hemel geweest tijdens de schijnbaar eindeloze maanden dat Kevin in het ziekenhuis had gelegen; ze had haar moed ingesproken als Chris het eind van de tunnel niet meer zag, erop gestaan dat ze met haar mee naar huis ging om behoorlijk te eten toen Chris' kleren om haar heen begonnen te hangen, en vond zelfs een gemeubileerde flat voor Chris toen het duidelijk werd dat ze niet meer naar haar huis en haar baan in Denver zou terugkeren en de kloof tussen haar en Harriet nooit zou worden overbrugd.

De achterdeur viel dicht en Chris schrok op uit haar dagdromen. 'Hoe lang heb je nodig om vijf kaarsjes in een taart te prikken?' vroeg Mary, terwijl ze haar haar afdroogde.

'Heb je al zo gauw versterking nodig?'

'Had je gedroomd! Ik wil alleen niet dat je alle pret mist.'

'Dank je, maar ik denk dat ik pas. Iemand moet hier voor volwassene spelen.'

Mary deed de diepvrieskast open en haalde het ijs eruit. 'Gelukkig dat ik dat niet ben,' zei ze grijnzend. De bel van de voordeur ging. 'Verwacht je nog iemand?'

Chris schudde haar hoofd. 'Ik had Patty Gotwalt uitgenodigd, maar ze werd vanmorgen met koorts wakker en kon niet komen.'

'Zal ik opendoen?'

'Graag, als je wilt.' Ze stond met de taart in haar handen. 'Nee, wacht, ik herinner me net dat Linda zei dat als ze de informatie binnenkreeg over de nieuwe klant die ze aan mij overdraagt, ze die vanmiddag per koerier naar me toe zou sturen. Dat zal hem zijn.' Ze zette de taart weer op het aanrecht. 'Wil jij de handdoeken ronddelen en iedereen aan tafel zetten? Ik wil een heleboel bewonderende o's en a's als ik met de taart kom.'

'Altijd een show weggeven!'

Chris zuchtte overdreven. 'Ach, wat wil je? Het zit me in het bloed.'

'Mocht wat – een overgrootmoeder die de cancan danste voor een stel geile mijnwerkers.'

Chris liep naar de zitkamer. 'Niet iedereen kan afstammen van de

Mayflower,' en ging lachend verder. 'Maar God weet dat ze het proberen!' Ze was bij de deur op hetzelfde moment dat de bel weer ging.

In de verwachting iemand in uniform voor zich te zien, keek ze verbaasd op toen er een ernstig kijkende man in een duur pak voor haar stond, die haar vaag bekend voorkwam. Al waren haar short en haltertop meer in overeenstemming met de verstikkende hitte, toch voelde ze zich plotseling pijnlijk tekortschieten in haar kleding. In de fractie van een seconde die ze nodig had om zich te beheersen, identificeerde en classificeerde ze de man die haar nu openlijk bestudeerde.

Mason Winters foto had in de afgelopen drie jaar zo vaak op de voorpagina van het financiële katern van de *Sacramento Bee* gestaan, dat het Chris een beetje verbaasde dat ze hem niet onmiddellijk herkend had. Maar ook al stuitte het haar tegen de borst, ze moest toegeven dat zijn foto's hem geen recht deden. Jammer, maar typerend. Moeder Natuur scheen het nooit helemaal goed voor elkaar te kunnen krijgen bij de produktie van knappe mannen. Het was onvermijdelijk, hoe knapper ze waren, hoe gewetenlozer.

Chris stak haar handen in haar zakken en leunde tegen de deurpost. 'Kan ik u ergens mee van dienst zijn?' vroeg ze.

'Ik zoek Christine Taylor.'

Dus hij was niet verdwaald. Kon dit de nieuwe klant zijn die Linda had genoemd? Chris dacht even na. Onmogelijk. De Chapman and Jones Public Relations Agency begon een goede reputatie te krijgen, maar was nog te klein voor een account als de Winter Construction Company. En het was nog belachelijker dat ze zo'n klant zouden overdragen aan een free-lancer, zoals zij was.

Ze hield van haar werk, maar ze had geen illusies wat betreft haar positie bij de firma. Werken voor Chapman en Jones was de perfecte oplossing geweest voor wat indertijd een overweldigend probleem had geleken. Het had haar in staat gesteld de rekeningen te betalen en thuis te blijven bij Kevin. Ze zou nooit rijk worden, en ze zou nooit CEO (Chief Executive Officer – president-directeur) achter haar naam zien staan, maar in ruil daarvoor had ze Kevin zijn eerste stap zien doen en zijn eerste woordje horen zeggen, en dat was elke promotie waard die ze was misgelopen en elke extra cent die ze had kunnen verdienen.

'Ik ben Christine Taylor.' Haar stem werd zachter, maar haar houding niet. Met de minimale kans dat hij inderdaad de nieuwe klant was, leek het verstandig althans te doen of ze hem tegemoetkwam.

'Mason Winter.' Hij kneep zijn ogen samen toen hij haar uitgestoken hand aannam. 'U bent heel anders dan ik verwacht had,' zei hij.

'Hoor eens, ik neem het u niet kwalijk dat u aarzelt.' Ze had Linda wel kunnen wurgen dat ze haar niet voor zijn komst gewaarschuwd had. 'Dat zou ik waarschijnlijk ook doen onder deze omstandigheden.' Ze kreeg niet de reactie die ze wilde. 'Wilt u niet even binnenkomen? Dan kan ik u het werk laten zien dat ik voor andere klanten heb gedaan. Als u dan nog steeds weifelt of ik uw account aankan, zal het bureau een ander aanwijzen.'

Hij aarzelde, wilde iets zeggen, maar bedacht zich blijkbaar. 'Goed,' zei hij ten slotte.

Chris deed een stap opzij en liet hem binnenkomen. Ze keek op toen hij langs haar liep, maar haar geruststellende glimlach bestierf haar op de lippen. Hij had iets bijna griezelig bekends, iets dat verder ging dan het zien van zijn foto. Het maakte haar onrustig. Eerst dacht ze dat het zijn ogen waren, toen dacht ze dat het de manier was waarop hij zich bewoog. Toen hij binnen was en zich omdraaide om te zien of ze hem gevolgd was, veranderde ze weer van mening en besloot dat het zijn houding was die haar het gevoel gaf dat ze hem al eerder had ontmoet.

'Maak het u gemakkelijk,' zei ze, wijzend naar een stoel. 'Ik kom –' Een luid geschreeuw onderbrak haar. Ze keek naar de achterkant van het huis. Toen ze tot de conclusie kwam dat het een kreet van verontwaardiging was en niet van pijn, keek ze weer naar Mason en haalde haar schouders op. 'Ik vrees dat het met dat tumult in de tuin erg moeilijk voor me zal zijn om op zakelijke manier over zaken te spreken. Ik bied u mijn excuses aan, meneer Winter, maar ik denk dat we beter een andere afspraak kunnen maken.'

Ze had de blik herkend waarmee hij naar haar keek en vond het zinloos om de rest van Kevins feest te missen ter wille van een verloren zaak. Zodra hij weg was, zou ze Linda bellen en haar vertellen wat er gebeurd was. Met een beetje geluk zou ze hem tot bedaren kunnen brengen als hij op haar kantoor terugkwam, en zou het account niet verloren zijn. En dan zouden zij en Linda heel gauw een lang gesprek moeten hebben over het sturen van onaangekondigde klanten.

'Wat gebeurt er precies in de tuin?' vroeg hij.

'Een verjaardagspartij. Van mijn zoon. Hij is vandaag vijf geworden.' Ze maakte een nadrukkelijke beweging naar de voordeur. 'Als u me nu wilt excuseren, ik denk dat het tijd is om er weer heen te gaan.'

Hij verroerde zich niet. 'Je lijkt niets op Diane,' zei hij effen.

Ze hield verbaasd haar adem in en voelde zich verkillen. 'Wie bent u?'

'Dat heb ik al gezegd – Mason Winter.' Hij wachtte.

'Hoort dat een speciale betekenis voor me te hebben?'

Hij kneep zijn ogen samen. 'Je bent òf verrekte goed, òf je weet echt niet wie ik ben. Wat is het?'

'Waarom zou ik –'

De deur van de keuken viel dicht. 'Mam, waar ben je?' klonk de stem van een kind.

Een onredelijke, onverklaarbare angst ging door haar heen. Om een reden die ze niet begreep was het van het grootste belang dat ze Kevin hiervandaan hield. 'Ga terug naar buiten, Kevin. *Nu.*'

Het verbaasde haar niets dat hij in plaats daarvan op de drempel verscheen. 'Waarom?'

'Doet er niet toe,' zei ze vastberaden. 'Doe wat ik zeg.' Het waren woorden van haar moeder. Woorden die ze had gezworen nooit te zullen herhalen. Ze keek even naar Mason Winter en zag dat hij naar Kevin staarde met een gespannen, raadselachtige blik in zijn ogen. Het was of zij plotseling niet meer bestond, alsof de wereld was gekrompen tot de man en de jongen.

'Maar iedereen wacht op de taart,' protesteerde Kevin, en frommelde aan de hals van zijn T-shirt dat hij achterstevoren en binnenstebuiten had aangetrokken. Hij gaf het op en trok het uit.

'Neem de taart maar mee. Zeg tegen tante Mary dat ze hem vast moet aansnijden en dat ik zo gauw mogelijk kom.' Toen Kevin weer veilig buiten was, keek ze naar Mason Winter. 'Het kan me niet schelen waarom u hier gekomen bent, ik wil dat u nu weggaat.'

'Dat heeft bij mij evenmin succes als bij hem,' zei hij toonloos Hij staarde haar aan. 'Jij bent niet degene die me die brief heeft gestuurd, hè?'

Zijn vraag verbluftte haar. 'Ik weet niet wat u bedoelt. Welke brief?'

'Van Diane.'

De hele omgeving leek te vervagen tot ze alleen nog maar de man zag die dreigde haar vredige bestaan te verstoren. 'Wat weet u van Diane?'

'Hemel,' zei hij, 'is het mogelijk dat je echt niets weet van die brief?'

'Welke *brief*?' schreeuwde ze bijna.

Hij tastte in de borstzak van zijn jasje, haalde er een envelop uit en gaf die aan Chris.

Ze staarde naar het papier, zag de ongestempelde postzegel, maar concentreerde zich op het handschrift. Ze keek naar de sierlijke lussen die zo typerend waren geweest voor Dianes unieke schrijfstijl en voelde hetzelfde intense verdriet van vijf jaar geleden. 'Hoe komt u daaraan?'

'Hij is me toegestuurd.'

Ze wilde de envelop oppakken, maar deinsde terug. Iets zei haar dat ze liever niet wilde weten wat erin stond. 'Waarom brengt u me die nu, na al die tijd?'

'Ik hoopte dat u me daar antwoord op zou kunnen geven.' Hij tilde haar hand op en stopte de brief erin.

Ze slikte. 'Ik begrijp niet waarom u denkt –'
'Lees hem,' drong hij aan.
Haar instinct zei haar dat ze Mason Winter met zijn brief de deur uit moest gooien. Wat Diane ook had geschreven, de brief stamde uit een andere tijd. Het had nu geen zin meer. Er waren vijf jaar voorbijgegaan. Er was een nieuwe president gekozen. Er vloog een space shuttle door de ruimte. Er waren nieuwe songs die de top hadden bereikt en oude songs die uit de radio verdwenen waren. Wat kon een vijf jaar oude brief bevatten dat nu nog enig verschil zou kunnen maken?
Met redeneren kon ze haar angst niet onderdrukken. Ze maakte de envelop open en haalde er een enkel velletje papier uit. Rechtsboven stond de datum – een week voordat Diane gestorven was. Een herinnering ging door Chris heen. Op het tafeltje waarop het half opgegeten koekje lag, had ze ook een doos postpapier gezien – geel briefpapier met een boeketje narcissen in de hoek, net als het velletje dat ze in haar hand hield. Ze liet haar blik over de pagina glijden.

Liefste Mason,
Ik heb zoveel te zeggen en zo weinig tijd. Ik heb geprobeerd je op je werk te bereiken, maar je secretaresse zei dat je in het buitenland was en pas over twee weken terug zou komen. Ik ben bang dat ik dat niet meer haal, lieveling. Het is moeilijk voor me om te accepteren dat ik het mis had, vooral wat dit betreft, maar ik kan de waarheid niet langer voor je verbergen. Ik ben stervende. De 'happy ending' dat ik had gepland zal er nooit komen. Ik zal nooit op je drempel staan, met de baby in mijn armen, vrij van kanker, en je vertellen dat ik nooit, maar dan ook nooit, al was het maar één minuut, niet van je heb gehouden.
Mijn vertrek was een leugen. Het spijt me zo dat het gebeurd is – voor ons allebei. Het doet zo'n pijn om te denken aan de kostbare tijd die verspild is, tijd die we samen hadden kunnen zijn. Maar toen ik wegging, zag ik geen andere oplossing. Ik dacht dat ik de Wondervrouw was, maar dat ben ik niet. Ik ben maar heel gewoon. En sterfelijk. Mijn gebeden zijn nu voor jou en de baby. Hoe langer ik kan blijven leven, des te beter worden zijn kansen.
In plaats van je verdriet te besparen, heb ik het verdubbeld door je tweemaal in de steek te laten. Maar ik wist dat als ik bleef, je me de zwangerschap nooit had laten doorzetten. Dus je ziet, ik had niet echt een keus. Hoe kon ik het leven van ons kind beëindigen om dat van mijzelf te redden, vooral als ik diep in mijn hart ervan overtuigd was dat het noodzakelijk was? Zelfs al doet het pijn om je te vertellen hoeveel ik van je houd en de bittere herinnering uit te wissen die

je hebt overgehouden van mijn vertrek, zou ik je nu niet schrijven, als het niet voor de baby was.
Je zult een fantastische vader zijn...

Chris kon niet verder lezen. Haar maag kromp ineen. Plotseling leek het of er geen ruimte meer was voor de hot dogs en cola en chips die ze net een uur geleden had geconsumeerd. Ze legde haar hand voor haar mond toen ze haar ogen opsloeg en zag dat Mason naar haar keek.
'Je wist al wat er in de brief stond, hè?' zei hij.
'Nee,' zei ze, zonder overtuiging.
'Je zag het zodra je de deur opendeed.'
'Nee,' herhaalde ze krachtiger.
'Ik ben Kevins vader.'
'Nee...' Deze keer was het woede, maar daartegenover stond het vastberaden antwoord van Mason Winter.
'Ik kom voor mijn zoon.'

Hoofdstuk acht

Mason zag het intense verdriet op Chris' gezicht en besefte dat hij waarschijnlijk medelijden met haar zou hebben gehad als hij haar niet zo haatte. Wat zij hem had afgenomen was onvervangbaar – vijf jaar van het leven van zijn zoon. Het was de schuld van deze vrouw dat hij en Kevin vreemden voor elkaar waren. Het enige dat hen verbond was het feit dat ze toevallig op elkaar leken.

Na de aanvankelijke schok toen hij Dianes brief had ontvangen, had Mason een detective in de arm genomen om zijn zoon op te sporen. De taak was verrassend gemakkelijk gebleken. Binnen een week lag er een rapport op Masons bureau. Daarin bevond zich een foto die met een telelens was genomen, van een donkerharige kleine jongen voor een geelhouten huis. Hij stond midden op een goed verzorgd grasveld en riep naar iemand of iets links van hem. De foto was vaag, maar de gelijkenis tussen vader en zoon was onmiskenbaar.

Mason had de foto dagenlang bestudeerd, overal mee naartoe genomen, tussen vergaderingen door ernaar gekeken, hem op zijn nachtkastje gezet voor hij 's avonds naar bed ging, zodat het het eerste zou zijn dat hij de volgende ochtend zag. Hij beleefde opnieuw zijn maanden met Diane, het geluk dat ze samen hadden gekend en zijn verdriet en verwarring toen ze was vertrokken. Eindelijk had hij antwoord op de vragen die hem bijna zes jaar lang gekweld hadden. Eindelijk begreep hij waarom ze was weggegaan.

Hij wilde dat het begrip het ook gemakkelijker zou maken.

Ze had natuurlijk gelijk gehad. Als hij had geweten dat ze kanker had, zou hij erop hebben gestaan dat ze alles moest doen wat nodig was om zichzelf te redden. Hij had die weg al eens afgelegd met iemand van wie hij hield. Hij kon dat niet nog een keer doormaken. Het kind zou zijn laatste overweging zijn geweest.

Maar nu hij de gezonde jongen met de stralende ogen zag, die Kevin was geworden, vervaagden die lijnen.

Hij schudde zich in gedachten door elkaar en liet de herinneringen achter waar ze thuishoorden. 'Ik had vandaag niet zo onverwcht moeten komen,' zei hij tegen Chris.

'Ik begrijp je nieuwsgierigheid naar Kevin,' zei ze, nog steeds op haar hoede, maar iets minder star. 'Ik denk dat het onder de omstandigheden niet meer dan redelijk is om te verwachten dat je hem wilt zien. Maar nu je hem gezien hebt, zul je ook beseffen dat je na al die tijd geen plaats hebt in zijn leven. Hij heeft een veilig, normaal bestaan, wat precies is wat elke vijfjarige jongen nodig heeft. Als ik je toestond na al die tijd in zijn leven te komen, zou je hem dat ontnemen, en zijn wereld op zijn kop zetten. Ik kan en wil dat niet toestaan.'

Zijn woede laaide weer op. 'Je hebt wel lef, dame. Denk je heus dat je me zo gemakkelijk het bos in kunt sturen? Even een zwaai met je hand, en ik ben weg?'

'Als het geen zwaai met de hand is, wat dan? Ik wil alles doen wat ervoor nodig is.' Chris beefde duidelijk toen ze haar hand uitstak naar de telefoon op het tafeltje naast de bank.

Mason vroeg zich af of ze bang voor hem was of kwaad omdat hij zo plotseling haar leven was binnengedrongen.

'De politie?' ging ze verder. 'Moet ik die bellen om je te laten vertrekken? Denk maar niet dat ik het niet zal doen. Luister goed naar me, meneer Winter – Kevin is van mij.' Haar stem beefde. 'Het kan me niet schelen hoe geldig je aanspraken op hem zijn, ik ben niet van plan hem ook maar een seconde af te staan aan een man die het sociale geweten heeft van een Donald Trump en de moraal van een Leona Helmsley.'

Hij pakte de telefoon van haar af en legde de hoorn weer op de haak. 'Dus nu hebben we vastgesteld dat je over me hebt gelezen in de kranten. Ik wilde alleen dat het rapport dat ik over jou heb zo grondig was. De detective heeft helaas vergeten te vermelden dat je neiging hebt tot theatraal gedrag.'

'Je hebt een rapport over mij?' vroeg ze met gerechtvaardigde verontwaardiging. 'Wat geeft je het recht –'

'Je hebt mijn kind gestolen. Kan ik een beter recht hebben?'

Verrek, ze behandelde hem als een of andere zwerver die van de straat haar huis was binnengedrongen. Besefte ze niet dat het zijn zoon was die ze de laatste vijf jaar had opgevoed?

'Vind je dat ik neiging heb tot theatraal gedrag?' antwoordde ze fel. 'Ik heb je zoon niet gestolen, Diane heeft me gevraagd voor hem te zorgen.'

'O, en wanneer was dat? Ik heb begrepen dat ze gestorven is voordat je in het ziekenhuis kwam.'

Ze deed een stap achteruit. Haar mond viel open van verbazing.

'Hoe weet jij dat? Heeft je detective ook ontdekt wat ik tegen Diane heb gezegd toen ik haar as heb verstrooid? Laat maar, ik wil het niet weten. Het doet er niet toe. Ik ben je geen enkele verklaring schuldig. Ik heb de tijd aan mijn kant. Als je werkelijk iets om Kevin had gegeven, zou je al lang geleden zijn gekomen. Wat heb je in de afgelopen vijf jaar gedaan – gewacht tot Kevin gezond genoeg was om te kunnen voetballen?'

Een seconde lang, in de flits van woede in haar ogen, in de manier waarop ze haar hoofd hield terwijl ze tegen hem schreeuwde, en in haar vastberaden houding, zag hij een gelijkenis met Diane, maar die was op hetzelfde ogenblik weer verdwenen, zodat hij zich afvroeg of hij zich niet vergist had. 'De brief is pas twee weken geleden op de post gedaan,' antwoordde hij, zich afvragend waarom hij de moeite nam het haar uit te leggen. 'Hij heeft er vijf weken over gedaan om me te bereiken.'

Ze kneep vragend haar ogen dicht. 'Ik begrijp het niet. Waar is hij al die tijd geweest?'

'Tussen de papieren van Harriet Taylor in het kantoor van haar advocaat. De nieuwe secretaresse keek een paar oude dossiers door en vond in een ervan een niet geposte brief. De begeleidende brief die ze me schreef was een excuus voor de vertraging.' Hij lachte vreugdeloos. 'Ze zei zelfs dat ze hoopte dat het uitstel geen problemen had veroorzaakt. De advocaten konden zich niet voorstellen hoe zoiets vijf jaar lang kon zijn blijven liggen.' Hij keek haar strak aan. 'Enig idee hoe dat kan zijn gebeurd?'

Chris gaf niet onmiddellijk antwoord. 'Ik heb al gezegd dat ik er niets van wist.'

Mason voelde een verandering in haar. Hij probeerde zich niet wijs te maken dat ze zich terugtrok; ze nam slechts een pauze om zich voor te bereiden op een nieuwe aanval. Zijn aanvankelijke oordeel over haar was een gevaarlijke stereotypie geweest, die gemakkelijk te verklaren was. Mooie vrouwen zonder echte ambitie waren zelden opmerkelijke tegenstanders. Hij had Chris in die categorie geschaard. Nu leek het dat wat ze blijkbaar miste aan ambitie meer dan goedmaakte met een moederinstinct.

Een straaltje zweet droop langs de achterkant van zijn nek, een gevolg van de onzalige hitte in een huis zonder airconditioning. Hij moest zich verzetten tegen de neiging zijn jasje uit te trekken en zijn boord los te maken, want hij voelde dat ze zelfs dat kleine gebaar zou kunnen beschouwen als een overwinning voor haar in hun eerste schermutseling. Als zij tegen de hitte bestand was, was hij dat ook. 'Ik neem aan dat je een bloedproef wilt,' zei hij.

'Er zal heel wat meer voor nodig zijn dan een bloedproef om me te dwingen –' Ze maakte haar zin niet af.

'Tot wat?' drong hij aan.

'Om je bij Kevin toe te laten.'

Hij kwam dichterbij en keek op haar neer. 'Op de een of andere manier schijn je de indruk te hebben dat je een keus hebt,' zei hij zachtjes. 'Die heb je niet.'

Ze bleef waar ze was en keek hem recht in de ogen. 'Waarom ben je hier gekomen? Wat wil je nu eigenlijk?'

Toen hij wist waar ze woonde, was hij haar gangen nagegaan en zelfs een paar keer langs haar huis gereden, in de hoop een glimp op te vangen van zijn zoon – allemaal dingen die zijn advocaat hem sterk had ontraden. Vanmiddag was hij op weg geweest naar een bouwterrein in Carmichael, een van de tientallen voorsteden van Sacramento waar hij bezig was te bouwen, en was impulsief hierheen gereden. Toen hij door het open hek de activiteiten in de tuin zag, was hij gestopt. Voor hij besefte wat hij deed, was hij uitgestapt en naar de voordeur gelopen. 'Ik wil alleen wat elke vader onder de gegeven omstandigheden zou willen – gezamenlijke voogdij.'

Ze slaakte een zachte kreet en deed een stap achteruit. 'Je kunt niet... ik wil niet–' stotterde ze. Toen beheerste ze zich weer en zei: 'Over mijn lijk.'

Hij haalde zijn schouders op. 'Je kunt je ertegen verzetten als je wilt, maar je weet net zo goed als ik dat ik uiteindelijk zal winnen. Ik ben in dit geval de verongelijkte partij. Je hebt me een belangrijk deel van het leven van mijn kind ontnomen. Uiteindelijk zul je boffen als je hem zelfs nog maar mag zien.' Zijn gevoel voor timing zei hem dat het tijd was om weg te gaan. Strategisch gezien zou het verkeerd zijn haar te laten merken dat hij gedreven werd door woede, niet door berekende kalmte. Ze moest maar denken dat hij een nuchtere, koele schoft was. Dat imago was hem overal elders altijd goed van pas gekomen. Er was geen enkele reden om aan te nemen dat het hem hier ook niet van pas zou komen. 'Denk er eens over na. Bereken hoeveel je je kunt permitteren te verliezen. Mijn advocaat zal zich met je in verbinding stellen.'

Hij wilde weggaan, bleef staan en kwam terug. 'Waarom heeft hij dat litteken op zijn maag? Wat is er met hem gebeurd?'

'Waarom vraag je het niet aan je detective?'

Het was dom van hem geweest om te denken dat hij een beleefd antwoord van haar zou krijgen. Daar waren ze al lichtjaren voorbij. Hij knikte en draaide zich om. Weggaan eiste elk greintje wilskracht, want wat hij wilde was nog een laatste blik werpen op zijn zoon, de zoon voor wie Diane was gestorven om hem aan Mason na te laten. Maar er stond te veel op het spel om een scène te riskeren. Zijn tijd zou komen, en dan zou hij een manier vinden om alles goed te maken wat hij en Kevin verloren hadden.

Chris keek Mason Winter na, die de straat overstak en in een gele pick-up stapte met het logo Winter Construction op het portier. In minder tijd dan ervoor nodig was om elke avond met Kevin een blokje om te lopen, was haar wereld ingestort, niet zoals toen Diane stierf, in brokstukken die ze kon oprapen en weer aan elkaar lijmen, maar in minieme fragmenten die te klein waren om ze te kunnen redden.

Het liefst zou ze zich verschuilen achter de mogelijkheid dat hij loog, dat zijn komst hier deel uitmaakte van een uitgebreid plan om iets van haar los te krijgen. Maar wat voor reden zou een man als Mason Winter hebben om zo'n onwaarschijnlijke list te bedenken?

O God, wat moest ze doen? Ze kreeg het benauwd door een plotselinge paniek. Ze had het gevoel dat ze stikte. Kevin was haar kind, haar baby. Moeders gaven hun baby's niet aan vreemden, hoe ze zichzelf ook noemden. Hoe kwam hij op het idee dat hij zomaar binnen kon wandelen en een kind opeisen dat hij nog nooit had gezien, nooit had bezocht in het ziekenhuis, waar hij nog nooit mee had gehuild?

Was Mason Winter maar iemand met wie ze kon praten, redeneren. Wat voor soort man kwam als een donderslag bij heldere hemel binnenvallen en probeerde een vrouw te dwingen haar kind af te staan? Het soort man dat een kind als een bezit beschouwde, antwoordde een angstig inwendig stemmetje.

Kevin was haar leven. Ze kon hem niet door Mason Winter van zich laten afnemen, net zo min als ze op het trottoir zou blijven staan als Kevin op het punt stond door een auto te worden overreden.

Maar wat moest ze doen?

In de vier jaar die Mason Winter in Sacramento had gewoond was hij een van de machtigste en invloedrijkste mannen in de stad geworden. De Winter Construction Company was niet stilletjes de stad binnengekomen, maar was met een geweldige klap op het toneel verschenen. Ze kwamen op een maandag en hadden aan het eind van de week iedereen overboden voor een van de belangrijkste terreinen in het centrum van de stad. Ze hadden opties weten te verkrijgen op de beste stukken land in het noordelijk deel van het district, lang nadat ieder ander had gedacht dat het land niet meer op de markt was. Elk industrieterrein stond vol pakhuizen met het Winter Construction-logo.

Mason Winter was de eerste bouwer van buiten de stad die had ingezien dat er een hausse op komst was in land en huizen in Sacramento. Slechts enkele maanden na zijn komst begonnen investeerders in Los

Angeles en San Francisco zich te realiseren dat er nog koopjes te halen waren in Californië. Toen de nieuwe goudkoorts begon, was Mason Winter gereed. Hij had alles gedaan wat hij kon om een monopolie te verwerven op de markt van pikhouwelen en schoppen. Daarna was het domweg een kwestie van het geld tellen dat binnenstroomde.

Chris had overal voorbeelden gezien van zijn werk, van de ultramoderne hoge kantoorgebouwen, die de skyline van de hoofdstad van de staat bijna van de ene dag op de andere hadden veranderd, tot de rijen en rijen pakhuizen, waarvan de betonnen muren en eindeloos herhaalde architectuur een smet vormden op zelfs het industrieterrein van de stad. Mason Winter lag overhoop met elke organisatie van milieubeheer in de omtrek. Hij had de reputatie dat hij trachtte politici die hem in de weg stonden te intimideren, en dat hij zich deed gelden in elk liefdadigheidsbestuur in de staat. Hij stond op alle Meest-Begeerde-Vrijgezellen-lijsten, en zijn naam stond minstens eens per week in het stads- of financiële nieuws van de krant.

Alles in hem stond Chris tegen. De gedachte dat ze Kevin aan hem zou moeten overdragen, al was het maar voor vijf minuten, maakte haar misselijk.

Ze bleef voor het raam staan tot hij aan het eind van het blok was en de hoek omsloeg. Toen ging ze terug naar de keuken. Een verrukkelijk vrolijk en spontaan gelach drong tot haar door toen ze ongemerkt bij de hordeur bleef staan.

Op een paar decimeter afstand leek alles zo normaal, dat ze bijna geloofde dat ze alleen maar de drempel over hoefde te stappen en de nachtmerrie zou voorbij zijn. Ze concentreerde zich op Kevin. Puur en simpel was het jongetje, dat ze als haar eigen kind beschouwde, de lucht die ze inademde. Van haar eisen dat ze hem met een ander zou delen stond gelijk met van haar eisen dat ze een deel van zichzelf opgaf. Ze kon evenmin functioneren zonder haar zoon als zonder armen en benen.

Gelijk of ongelijk had er niets mee te maken. Het kon haar totaal niets schelen hoe gerechtvaardigd Mason Winters eis was; Kevin was van haar.

Wat moest haar moeder haar gehaat hebben om vanuit haar graf nog wraak te willen nemen, hoe wanhopig moest ze verlangd hebben het laatste woord te hebben, dat ze bereid was het ogenblik van de overwinning te missen.

'Chris, wat is er?' vroeg Mary bezorgd, toen ze naar het huis liep.

'Niets,' antwoordde Chris, in een poging zichzelf en haar vriendin tegelijk te beschermen.

'Kom me niet met die flauwekul aan,' zei ze. 'Je ziet eruit zoals ik me voelde toen ik voedselvergiftiging had.'

'Ik kan er nu niet over praten. Nog niet. Ik moet nadenken.'

Mary deed de deur open en liep naar binnen. Ze keek naar Chris. 'Als ik het feest eens naar mijn huis verplaats? John is thuis. Hij wil het graag overnemen.'

'Nee. Ik wil dat Kevin in de tuin blijft.'

'Dan bel ik John en vraag of hij hier komt.'

Chris besefte dat ze haar vriendin bang maakte en probeerde te lachen. 'Zie ik er zo slecht uit?'

Mary nam niet de moeite om te antwoorden. Ze pakte de telefoon op, praatte even, draaide zich toen om naar Chris en zei: 'Hij is onderweg.'

Nog steeds starend naar het kind dat haar reden van bestaan was geworden, vroeg Chris: 'Wie heeft Kevin de Bert- en Ernie-poppen gegeven?'

'Tracy – wie anders? Ze heeft ze een week geleden uitgezocht.' Mary leunde tegen het aanrecht, haar blik strak op Chris gericht. 'Zoiets doe ik nooit meer. Een hele week een geheim bewaren was bijna te veel van haar verlangd.'

'Waar heb je ze gekocht?' vroeg ze, zich vastbijtend in de stompzinnigheid van het gesprek. 'Ik heb met Kerstmis de hele stad afgezocht, maar ze waren nergens te krijgen.'

Er werd op de voordeur geklopt, die piepend opengling, en toen riep een mannenstem: 'Ik ben er.'

'We zijn in de keuken,' zei Mary. Ze pakte Chris bij de arm. 'Kom mee, dan gaan we naar mijn huis. Daar is het rustig.'

Chris keek op toen John binnenkwam. 'Hou Kevin in het oog,' zei ze. 'Laat hem nergens naartoe gaan.'

John knikte. 'Hoe laat wil je dat ik iedereen naar huis stuur?'

'Ga maar op je gevoel af,' antwoordde Mary voor Chris. 'Laat ze maar blijven zolang jij de kinderen, en zij elkaar kunnen verdragen.'

Op weg naar de tuin bleef John staan en sloeg zijn arm om Chris heen. 'Je ziet er slecht uit, Chrissy,' zei hij. 'Leg je benen op een stoel en laat Mary een flinke borrel voor je inschenken.'

Chris keek toe terwijl John de zes vijfjarige kinderen om zich heen verzamelde. Kevin klampte zich onmiddellijk vast aan zijn ene been, Tracy aan het andere. Een intens gevoel van onrechtvaardigheid maakte zich van Chris meester. Waarom kon Kevin, na alles wat er al met hem gebeurd was, geen vader hebben als John? Het was niet eerlijk.

Hoofdstuk negen

De twaalf meter hoge iep in Mary Hendricksons voortuin beschermde de zitkamer tegen de felle middagzon en bood Chris een koel, donker toevluchtsoord. Het was niet helemaal hetzelfde als het wegkruipen in een spelonk om haar wonden te likken, maar het was op één na het beste.

Zonder Chris de kans te geven het aanbod af te slaan, ging Mary naar de keuken, pakte een fles Grand Marnier en schonk twee royale glazen in. Toen ze terugkwam gaf ze een ervan aan Chris. 'We hoeven niet te praten,' zei ze. 'Maar misschien helpt het. Ik weet dat ik er altijd van opknap.'

Chris hield het cognacglas onder haar neus en snoof de geur op van de sinaasappellikeur. Haar handen beefden, zodat het vocht tegen de binnenkant van het glas spatte. De dampen van de alcohol prikten in haar ogen. Ze knipperde even en besefte dat ze op het punt van huilen stond. 'O, verdraaid,' mompelde ze, vastbesloten niet te huilen. Het laatste waar ze behoefte aan had was een loopneus en bloeddoorlopen ogen.

'Ik neem de keus terug en sta erop dat we praten.' Mary sloeg haar arm om Chris heen en bracht haar naar de bank. 'Je kijkt alsof je net je beste vriendin hebt verloren,' plaagde ze vriendelijk. 'Maar dat kan niet, want ik ben hier.'

'Het is niet mijn beste vriendin die ik bang ben te verliezen,' zei Chris, die op de met chintz overtrokken bank ging zitten. 'Het is mijn zoon.'

May bleef abrupt staan. 'Kevin?'

'Het was geen koerier die aan de deur kwam. Het was Kevins vader.'

'Maar ik dacht...' Verbijsterd ging Mary in de stoel tegenover Chris zitten. 'Hoe?' vroeg ze. 'Beter nog, waarom? Na al die tijd.'

Chris zette de Grand Marnier op het tafeltje en boog zich naar voren, met haar ellebogen op haar knieën. 'Ik probeer zelf nog steeds eruit wijs te worden. Het schijnt dat Diane hem een brief had geschreven om hem te vertellen dat ze zijn kind kreeg, maar de brief is pas kort geleden op de post gedaan. Hij wist niets van Kevin, niet eens dat hij bestond, tot een paar weken geleden.'

'Waarom niet eerder?'

'Mijn moeder kennende, zou ik zeggen dat het was omdat de informatie in de brief niet in haar plannen paste.'

'Hé – wacht eens even. Wat heeft je moeder hiermee te maken?'

'De brief lag in haar dossier op het kantoor van de advocaat.' Ze haalde hulpeloos haar schouders op. 'Ze hielden een voorjaarsschoonmaak en dachten dat het een vergissing was dat de brief nooit op de post was gedaan.'

Mary kreunde hardop. 'Waarom heeft die secretaresse niet eerst jou gebeld? Ik dacht dat je advocaat een oude vriend van de familie was?'

'Dit was een nieuwe advocaat, iemand die ik nooit ontmoet heb. Moeder verbrak haar contact met Paul Michaels toen ze ontdekte dat hij me hielp iemand te vinden om Kevin te adopteren.'

'Ik begrijp nog steeds niet waarom die brief nu eigenlijk in dat dossier lag,' zei Mary verbluft.

'Ik kan er alleen maar naar raden, maar ik denk dat Diane al te ziek was om hem zelf te posten, en hem daarom aan moeder had gegeven om op de post te doen, en haar vertelde wat erin stond, zodat ze doordrongen zou zijn van het belang van die brief. En toen Diane stierf voordat ik in het ziekenhuis was, zag moeder haar kans schoon om de dingen naar haar hand te zetten.' Chris kon niet langer blijven zitten. Ze stond op en begon door de kamer te ijsberen. 'Het is zo logisch allemaal. Het verlies van Diane was een ramp voor moeder.'

'Dus toen ze een kans zag om het kleine beetje vast te houden dat er nog van haar dochter overbleef, sprong ze erop af,' zei Mary.

'Ze wist dat ze met haar slechte gezondheid nooit de voogdij zou krijgen...'

'Dus vertelde ze jou dat Dianes laatste wens was dat jij Kevin zou nemen.'

Chris bleef staan, pakte het glas en nam een slok. 'O, wat zou ik er niet voor overhebben om vijf minuten met mijn moeder samen te zijn. Niet dat het iets zou veranderen, maar ik zou heel graag willen weten waarom ze die brief heeft bewaard.' Ze keek met een verlegen glimlach naar Mary. 'Het verbaast me hoe paranoïde ik soms kan zijn. Wil je wel geloven dat mijn eerste reactie was dat ze dit al die tijd van plan was geweest, dat het in feite haar bedoeling was Kevins vader op een dag die brief te sturen, om mijn leven te verstoren? Gelukkig was het maar een vluchtige gedachte. Moeder mag me gehaat hebben, ze was dol op Kevin. Dit had ze hem nooit kunnen aandoen.'

'Misschien was ze die brief gewoon vergeten,' opperde Mary.

'Of ze kon het niet opbrengen iets weg te gooien dat Diane had geschreven.'

'Of misschien was ze van plan geweest hem aan Kevin te geven als hij ouder was, zodat hij zijn vader kon opsporen als hij dat wilde.'

Langzaam, bedachtzaam zette Chris het glas weer op tafel. 'Wat de reden ook was, ik weet zeker dat dit nooit haar bedoeling is geweest.'

'Misschien weet Madeline iets meer over de denkwijze van je moeder.'

Chris schudde haar hoofd. 'Als moeder zoiets deed, deed ze het in het geheim.'

Mary zag dat het glas een kring had achtergelaten op de tafel. Ze veegde hem af en pakte een onderzettertje. 'Hoe is hij?' vroeg ze, eindelijk de vraag stellend die tussen hen in hing.

Chris haalde diep adem. 'Hij is een smerige kerel. Het soort man dat een hond zou overrijden en klagen dat de weg zo hobbelig was. Voor zover ik weet is het enige goede dat van hem gezegd kan worden dat hij nooit in de gevangenis heeft gezeten.'

'Hoe weet je dat allemaal? Je hebt hem net ontmoet.'

Chris wreef over de achterkant van haar hals. 'Ik heb blijkbaar een belangrijk detail achterwege gelaten. Het is Mason Winter.'

Mary slaakte een zachte kreet. '*De* Mason Winter?' Ze aarzelde. Aan haar gezicht was te zien hoe snel de radertjes van haar hersens draaiden. 'O God, Chris,' zei ze met wijd opengesperde ogen. 'Nu ik erover nadenk, Kevin lijkt precies op hem.'

'Ik kan me niet voorstellen hoe Diane ooit verslingerd is geraakt aan die man. Ze hebben niets met elkaar gemeen. Diane was lief en gevoelig. Haar karakter had niets hards. Ze zou niet geweten hebben wat ze moest beginnen met iemand als Mason Winter.'

'Je klinkt of je een hele studie van hem hebt gemaakt.'

'In zekere zin heb ik dat ook. Hij haalde de financiële pagina's van de kranten in ongeveer dezelfde tijd dat ik ze elke dag begon uit te kammen om op de hoogte te blijven voor mijn werk.' Ze zweeg, liet een verstikt geluid horen en sloeg haar armen stevig om zich heen, alsof ze de pijn wilde wegdrukken. 'Hij vertegenwoordigt alles waar ik tegen ben. Wat moet ik doen, Mary? Ik kan de gedachte niet verdragen dat ik Kevin ook maar een minuut aan hem zou moeten overdragen, laat staan een heel weekend.'

Mary stond op en sloeg haar armen om haar vriendin heen. 'Misschien hoeft dat niet. Je kunt je ertegen verzetten.'

'Hij zou het winnen,' zei ze effen. 'Ik zie de koppen in de kranten al voor me – Wanhopige Vader Verlangt Voogdij over Kind Hem Ontnomen door Manipulaties Grootmoeder. Elke vereniging die opkomt voor de rechten van de vader zou zich acher hem scharen. Samen met Winters invloed in deze stad, heb ik geen schijn van kans.'

Mary keek zwijgend en peinzend voor zich uit. De uitdrukking op haar gezicht veranderde van verbijstering in woede. Eindelijk volgde er explosief: 'Het was een rotstreek – hier zomaar te komen binnenvallen, zonder een woord van waarschuwing, alsof je een gehuurde babysitter bent in plaats van Kevins moeder. Wat verwachtte hij dat je zou doen, je verontschuldigen voor het misverstand en opzij gaan zodat hij zijn langverloren zoon mee kon nemen? Hemel, hoe kan iemand zo ongevoelig zijn. Ik neem het je niet kwalijk dat je bang bent.'

'Ik ben meer dan bang,' gaf Chris toe. 'Ik ben als de dood voor hem. O, Mary, een vreemde, die gewoon komt binnenlopen en verwacht dat ik hem mijn kind geef.'

'Liet hij op enige manier merken dat hij besefte wat dit voor jou en Kevin betekent?'

Chris schudde haar hoofd. 'Zoals hij zich gedroeg, zou het me verbazen als het zelfs maar een seconde bij hem is opgekomen.'

'Het lijkt erop dat jij en Kevin ondergeschikt zijn aan het feit dat hem iets is ontnomen dat hem toekomt.'

Chris sloeg haar handen voor haar gezicht. 'Mary, wat moet ik doen? Zo'n man mag niets met Kevin te maken hebben.'

'Ik weet niet wat ik moet zeggen,' antwoordde Mary. 'Ik vind het heel erg.'

Chris keek weer op. 'Winter is een goede naam voor hem. Kouwevis zou nog beter zijn. Het is vandaag meer dan drieënveertig graden en hij loopt rond in een pak en een das, alsof hij aan de noordpool zit.'

Mary leunde verbaasd achterover. 'Wat heeft dat er nou mee te maken?'

'Ik weet dat het belachelijk lijkt, maar al die tijd dat hij in huis was – en je weet hoe snikheet het daar was nadat ik de hele ochtend de oven aan had gehad om Kevins taart te bakken – was er geen druppeltje zweet op hem te zien. Hij gedroeg zich zo koud en berekenend alsof we een zakelijke overeenkomst bespraken. Kun je je voorstellen hoe hij zou reageren als Kevin huilde omdat hij door een bij werd gestoken of zijn teen had gestoten? Ik moet er niet aan denken wat hij zou doen als hij ontdekte dat Kevins beste vriendje een meisje is en dat ze samen vader en moedertje spelen.'

'Ga je het aan Kevin vertellen?'

Chris kromp ineen. 'Nee. Nog niet tenminste.'

'Wat je ook besluit, je weet dat John en ik achter je staan.'

Chris bedankte haar glimlachend. Misschien zou er een tijd komen dat ze een beroep zou moeten doen op haar vrienden, maar ze hoopte van niet. Ze had het gevoel dat Mason Winter een gevaarlijke vijand kon zijn; hoe minder doelwitten hij had, hoe beter.

Chris kon die nacht niet slapen. Ze wist dat het onredelijk was, maar ze bleef luisteren naar het geluid van auto's. Er waren er niet veel, net genoeg om haar wakker te houden.

Na een halfuur in huis te hebben rondgelopen en een paar aspirientjes te hebben genomen tegen de dreigende hoofdpijn, probeerde ze het met een thriller waarbij ze al twee keer in slaap was gevallen, maar zelfs dat hielp niet. Ten slotte legde ze het boek opzij en liep naar Kevins kamer.

Het was zo vertrouwd om naar hem te kijken als hij sliep. Dat deed ze al vanaf zijn geboorte, en ze kreeg er nooit genoeg van. Zelfs na vijf jaar was ze nog steeds vol eerbied voor het wonder dat hij in haar leven had bewerkstelligd. Ze had het nooit voor mogelijk gehouden dat ze zoveel van iemand zou houden als ze van haar zoon hield, volledig, onbaatzuchig, gelukkig. Elke dag was zinvol dankzij hem.

Ze ging op de rand van zijn bed zitten, ervoor zorgend hem niet te storen. Ze was tevreden als ze alleen maar naast hem zat en luisterde naar zijn zachte, regelmatige ademhaling, denkend aan de keren dat zijn borstje op en neer was gegaan op het ritme van een machine. De sissende, mechanische geluiden van de beademingsapparatuur zaten in haar geheugen gegrift, evenals het beeld van Kevin als hij aan zo'n apparaat lag. Als hij wakker werd, huilde hij soms, maar omdat de buis die de zuurstof naar zijn longen voerde tegen zijn stembanden drukte, was het een geluidloos huilen. Dag in, dag uit had Chris het hartverscheurende proces gadegeslagen, verscheurd door haar wanhopige verlangen om te helpen en haar volslagen onmacht. Ook al wist ze dat de beademingsapparatuur hem in leven hield, toch had ze die machine gehaat.

Kevin was er twee keer mee verbonden geweest, na elke operatie. Ze had gedacht dat de tweede keer gemakkelijker zou zijn, omdat ze wist wat ze moest verwachten. In plaats daarvan ontdekte ze iets dat elke ouder op den duur leert: kennis betekent geen verlichting van de angst als het om je eigen kind gaat.

Gelukkig was die periode in het ziekenhuis alleen voor haar een nachtmerrie die ze nooit zou vergeten. Kevin herinnerde zich niets van de vijfeneenhalve maand dat hij op de neonatale intensive care had gelegen, al had hij in die tijd leren glimlachen en lachen en kirren en had hij zijn eerste driftbuien gehad. Hij had sindsdien nog drie keer in het ziekenhuis gelegen, maar hij had die periodes kalm doorstaan, en met een berusting gereageerd die Chris had geprobeerd te imiteren ter wille van hem en zichzelf.

De zes uur per dag die ze naast zijn bed had doorgebracht toen hij pas geboren was, werden er twintig toen ze terugkwam uit Denver. Ze was achttien kilo afgevallen. De verpleegsters brachten haar eten, en John en Mary stonden erop dat Chris haar motelkamer opgaf, waarvan ze bijna nooit gebruik maakte, en in hun huis sliep, tot Mary een gemeubileerde flat voor Chris zou hebben gevonden.

Wainswright had haar baan twee maanden voor haar open gehouden, bezorgd bellend en haar werk sturend dat ze in het ziekenhuis kon doen. Toen het ten slotte duidelijk werd dat er geen gemakkelijke of snelle oplossing voor Kevins problemen bestond, had ze haar ontslag ingediend. Er ging nog een maand voorbij voor ze erkende dat ze nooit naar Denver terug zou keren, en haar appartement te koop had aangeboden. Het was duidelijk dat Kevin jaren nodig zou hebben van voortdurende medische zorg en hulp van de artsen die hem hadden behandeld en op de hoogte waren van zijn toestand. Dat besef had effectief elke gedachte verdreven aan een vertrek uit Sacramento in de afzienbare toekomst.

Het besluit om alles te laten varen waar ze voor gewerkt had was minder traumatisch dan ze had gedacht. Het verblijf elke dag in een intensive care-zaal waar situaties van leven-en-dood aan de orde van de dag waren, maakte het Chris onmogelijk aan haar carrière te denken in dezelfde termen van 'eind-van-alles'. Promoties en succesvolle campagnes en ogenblikken van triomf over goed verricht werk verbleekten bij de emotie die ze voelde als Kevin naar haar keek en als hij lachte. Niet een van haar triomfen was zo intens of zo moeizaam verdiend als de dag waarop hij, toen hij zes maanden was, thuiskwam uit het ziekenhuis, al woog hij nauwelijks een pond voor elke maand die hij geleefd had.

Harriet en Madeline kwamen een paar keer per week naar het ziekenhuis, maar bleven nooit langer dan een halfuur. Chris was zo geconcentreerd op Kevin dat het haar niet was opgevallen hoe snel de gezondheid van haar moeder achteruitging. Het was drie dagen voor Thanksgiving dat Chris, toen ze besefte dat ze haar moeder langer dan een week niet had gezien, probeerde haar te bellen.

Madeline nam de telefoon aan en vertelde Chris dat Harriet de vorige week met hevige pijn in het ziekenhuis was opgenomen. Uit de röntgenfoto's bleek dat ze drie gebroken rugwervels had, als gevolg van degenererende botten door de steeds erger wordende gewrichtsreumatiek. Ze had Madeline opdracht gegeven Chris niet te vertellen wat er gebeurd was, tenzij het absoluut noodzakelijk was. Chris had niet geweten of het een daad van edelmoedigheid of van boosaardigheid was, en voelde zich door beide mogelijkheden bedroefd.

Ze probeerde haar moeder elke dag op te zoeken, maar de tijd die ze samen waren, was voor beiden een kwelling. In een zeldzaam moment van openhartigheid bekenden ze dat ze zich niet op hun gemak voelden en kwamen overeen de bezoeken te beperken tot één per week, met dagelijkse telefoontjes om haar op de hoogte te houden van Kevins toestand. Chris hing altijd op voordat het gesprek de kans kreeg uit de hand te lopen, waardoor beiden de illusie kregen dat ze beter met elkaar overweg konden.

Harriet was beetje bij beetje gestorven in de loop van de volgende twee jaar, was van het ene herstellingsoord naar het andere verhuisd, tot haar geld op was. In haar wanhopige pogingen om zich aan het leven vast te klampen, werd ze steeds moeilijker in de omgang, zelfs voor de artsen en verpleegsters. Ten slotte vervreemdde ze iedereen van zich die haar wilde helpen, zelfs de altijd trouwe Madeline. Ze stootte hen af met haar woede en frustratie. Met haar dood wist ze te bereiken wat ze tijdens haar leven niet gekund had – de bijeenkomst van bijna honderd vrienden die hun respect kwamen betuigen. Het was de eerste keer in jaren dat ze Harriet konden benaderen zonder angst voor haar scherpe tong.

Behalve een klein legaat voor Madeline had Harriet haar hele vermogen aan Kevin nagelaten, dat moest worden belegd in een trust, waaruit hij wat geld kon opnemen als hij naar college ging, maar pas in zijn geheel in handen zou krijgen als hij vijfendertig was. De bedoeling was liefdevol en edelmoedig, maar, zoals bleek, ook volstrekt zinloos. Toen al Harriets rekeningen betaald waren, bleef er minder dan zevenhonderd dollar over.

Na de begrafenis was Madeline naar Michigan verhuisd, om dicht bij haar broer te kunnen zijn. Zij en Chris hadden contact gehouden en sloegen nooit een verjaardag of Kerstmis over. Soms wenste Chris dat Madeline niet was weggegaan, maar haar redenen waren egoïstisch, en ze vroeg Madeline nooit om terug te komen, behalve een open uitnodiging voor een bezoek en zo lang te blijven als ze maar wilde.

Koplampen flitsten langs het raam en wekten Chris uit haar overpeinzingen. Ze hield haar adem in toen ze luisterde naar geluiden die erop zouden wijzen dat de auto stopte. Pas toen ze hem voorbij hoorde rijden besefte ze hoe hevig haar hart bonsde.

Ze keek naar Kevin, een broos silhouet tegen Sesamstraatlakens en legde ze haar hand luchtig op zijn rug. Ze liet de warmte in zich stromen, stelde zichzelf gerust door het contact.

Zonder hem zou ze geen reden hebben om 's morgens op te staan; er zou niet worden gelachen, de zon zou niet schijnen. Ze ging zachtjes met haar hand door zijn zijdeachtige haar en veegde de lok boven zijn linkerslaap naar achteren. Nog geen vierentwintig uur geleden was haar leven precies zoals ze dat wilde. Nou ja, bijna tenminste. Soms voelde ze bij het zien van John en Mary iets van jaloezie over hun intimiteit. Wetend dat wat zij samen hadden even moeilijk te vinden was als een eerlijke politicus, stond ze er niet te lang bij stil dat zij het zelf miste.

Ze ging weleens uit met een man, maar ze had maar één man, Tom Miller, toegestaan Kevin te ontmoeten. Tom had haar ten huwelijk gevraagd, en een tijdje had ze erover gedacht. Hij en Kevin konden goed met elkaar opschieten, maar na zes maanden was er nog steeds een zekere afstand tussen hen. Toen Chris de relatie verbrak had ze Tom uitgelegd dat ze alleen met iemand wilde trouwen als hij evenveel van Kevin hield als van haar. Tot ze die man gevonden had zou ze alleen blijven.

Ze had het idee al opgegeven dat ze ooit iemand zou ontmoeten die aan haar ideaal beantwoordde. Maar dat was niet erg. Ze was toch nooit van plan geweest om te trouwen. Dat ze Kevin had om haar leven mee te delen was al een wonder op zich, een wonder dat ze nooit voor mogelijk had gehouden. Het was meer dan voldoende.

Ze stond op, liep naar het raam en keek naar buiten. Rijkelijk versierde lantaarnpalen verlichtten de verlaten straat. Ze was van haar huis en de buurt gaan houden. Er was weinig verkeer en toch woonden ze dicht bij het centrum. De lage bungalow, in een rustige wijk van Oost-Sacramento, was in de vijftig jaar van zijn bestaan steeds meer uitgebreid door de achtereenvolgende eigenaren. De ene aanbouw was succesvoller dan de andere, maar elke toevoeging had zijn eigen charme. Het huis had drie slaapkamers, anderhalve badkamer, een grote landelijke keuken en bijna geen kasten.

Mary en John hadden het huis voor Chris gevonden en haar ervan overtuigd dat het een koopje was, zelfs al was het tien keer zo oud en twee keer zo duur als haar appartement in Denver. In het begin was het moeilijk geweest 'bijna nieuw' te ruilen voor 'bijna stokoud', maar ze was de kleine ruiten, het gegolfde lijstwerk en de parketvloeren gaan appreciëren.

De financiën waren in het begin een probleem geweest, maar het grotere aantal opdrachten en een hogere honorering hadden geholpen de inflatie de baas te blijven. In viereneenhalf jaar was het huis driemaal zoveel waard geworden, wat een mooi spaarcentje betekende voor Kevins opleiding.

Het eerste jaar dat Chris in Sacramento woonde, had ze haar handen vol gehad aan het zorgen voor Kevin. Haar afgekochte pensioenpolis, spaargeld en opgelopen vakantie- en ziektegelden waren voldoende geweest om haar door die tijd heen te helpen. Toen haar financiën uitgeput begonnen te raken, had Kevin de leeftijd en de gezondheid die een constante zorg onnodig maakten, zodat ze kon gaan uitkijken naar een baan. Ze wilde iets dat haar in staat zou stellen thuis te werken, en free-lance public relations had een logische keus geleken. Niet alleen sloot het aan bij haar achtergrond, maar het stelde haar ook in staat zo weinig of zoveel te werken als ze wilde of moest.

In het begin hadden de opdrachten zich beperkt tot het schrijven van persberichten, nieuwsbrieven van ondernemingen, en plannen voor woningbouwprojecten, allemaal dingen die ze thuis kon doen. Geleidelijk, toen Kevin ouder werd en naar de kleuterschool ging, waardoor Chris een vastgesteld aantal uren vrij had, had ze interessantere en meer uitdagende opdrachten aangenomen – ze werkte rechtstreeks met de media, ging als troubleshooter naar kantoren om uit te puzzelen waarom een campagne geen succes had, en organiseerde publicity-evenementen, met beroemdheden die om diverse redenen in de stad waren; sommige opdrachten waren zo simpel als het openen van een supermarkt.

Ze hield voornamelijk van haar werk door de vrijheid die het haar gaf, maar de variatie maakte dat het interessant bleef. Op een dag, als Kevin ouder was, hoopte ze haar eigen bureau te kunnen openen. Tot die tijd zou ze doorgaan met haar contacten uit te breiden en te genieten van de tijd die ze met haar zoon doorbracht.

Het meest verrassende aspect van haar verhuizing naar Sacramento vond ze dat ze, na een leven waarin ze haar privacy fel had beschermd, bijna evenveel was gaan houden van de dorpachtige sfeer van de buurt als van haar huis. Ze ontdekte dat ze het een prettig idee vond dat alle buren elkaar kenden en op elkaar pasten, bijna of ze één grote familie waren. Het zou moeilijk zijn dat te verliezen, maar ze maakte zich het meest bezorgd over het feit dat Kevin Tracy en Mary en John zou verliezen. De gedachte dat ze hem bij hen vandaan zou halen was het enige dat haar had doen aarzelen in haar besluit wat ze moest doen.

De oplossing was bij haar opgekomen toen ze Kevin zijn verhaaltje voor het slapen gaan voorlas; het lag zó voor de hand dat het haar verbaasde dat ze er zo lang over gedaan had om het in te zien.

Voor de hand liggend maar pijnlijk.

Nog een reden om Mason Winter te haten.

Hoofdstuk tien

Mason Winter bladerde door de stapel curricula vitae van sollicitanten die op zijn bureau lag en probeerde zich te concentreren op iets dat een week geleden dringend was geweest, maar dat, vergeleken met het feit dat hij voor het eerst zijn zoon had gezien, een eind gezakt was op zijn lijst van prioriteiten. Het enige dat hem ertoe bracht de lopende zaken af te handelen was de wetenschap dat om het één recht te doen wedervaren, het ander moet zijn afgewerkt.

De Winter Construction Company had nu te veel tentakels om ze persoonlijk allemaal te kunnen overzien. Hij maakte zichzelf en iedereen om hem heen gek door te proberen op te veel plaatsen tegelijk te zijn. Projecten die zijn persoonlijke aandacht nodig hadden schoten erbij in, hij sloeg geregeld bestuursvergaderingen over van de liefdadigheidsinstellingen die hij sponsorde, en hij had praktisch geen privéleven. Zijn enige afspraken in de afgelopen zes maanden waren de 'zien en gezien worden'-gelegenheden die hij bijna verplicht was bij te wonen; de enige seks die hij had gehad was met een verslaggeefster, die op een middag was komen opdagen voor een verhaal en tot de volgende ochtend was gebleven.

Het voornaamste probleem waarmee Mason geconfronteerd werd bij het aannemen van iemand om de hoogbouw van de firma te leiden, was de gedachte dat hij de nauwe betrokkenheid zou moeten opgeven, die – dat was zijn vaste overtuiging – het succes had betekend van Winter Construction. Hij was naar Sacramento gegaan om iets te bewijzen – dat hij met de grote jongens mee kon doen en even goed zou blijven scoren als in Los Angeles met minder ambitieuze projecten. Dat, en nog méér, had hij bereikt in de helft van de tijd die hij gedacht had nodig te zullen hebben.

Slechts twee mensen genoten zijn onvoorwaardelijke vertrouwen in de veertien jaar waarin hij eigenaar was van zijn eigen onderneming. Een daarvan was zijn assistente, Rebecca Kirkpatrick; de andere Travis

Millikin, die meer en meer verantwoordelijkheid kreeg voor de controle van al het veldwerk. Hij had het punt bereikt waarop hij nòg iemand nodig had – iemand die eerlijk, betrouwbaar en loyaal was, die een leugen kon doorzien nog voordat de zin was afgemaakt, slordig werk kon ontdekken van een onderaannemer, en zijn mannetje kon staan in een schreeuwcompetitie met zijn baas. Hij verlangde niet veel – een padvinder met de hardnekkigheid en felheid van een hongerige haai en het cynisme van een belastinginspecteur zou voorlopig voldoende zijn.

Wetend dat hij het besluitnemende proces onmogelijk de aandacht kon geven die het op het moment nodig had, pakte Mason de overzichten bijeen en legde ze opzij. Hij keek uit het raam naar de onbewolkte lucht. Om een vrij uitzicht te hebben had hij met opzet zijn kantoor ingericht op de zevenentwintigste verdieping van dit gebouw, zijn eerste belangrijke kantoorgebouw in Sacramento. De uren die hij achter zijn bureau doorbracht waren bedoeld om hem te beschermen tegen het knagend besef van concurrentie, dat zich altijd van hem meester maakte als hij het gebouw van een ander zag. Het was een nobel, maar mislukt experiment.

Iedereen, van zijn architect tot de stadsplanner, had hem gewaarschuwd dat hij nooit de appartementen op de bovenste verdieping kon verkopen die hij per se in het ontwerp van het gebouw had willen opnemen. Steeds opnieuw werd hem verteld dat de kern van de stad een verlaten woongebied was, waar alleen een paar passanten en onvermogenden leefden: niemand die zich een van zijn torenflats kon permitteren zou daar ooit willen wonen. Drie weken na de aanvang van de bouw had hij de papieren getekend voor de laatste unit, en had het penthouse voor zichzelf gereserveerd.

Het enige waar hij spijt van had was dat hij, om zijn trouw en belangstelling voor de gemeente te bewijzen en de aandacht van de plaatselijke media te verkrijgen, een ontwerper uit Sacramento had aangenomen om zijn kantoor en penthouse in te richten. Het resultaat kwam regelrecht uit *Architectural Digest*, steriel en pretentieus. Hoewel de thema's in zijn kantoor en appartement verschillend waren, voelde hij zich in het een net zo min op zijn gemak als in het ander. Hij zocht op zijn gemak naar iemand die zowel kantoor als appartement opnieuw kon inrichten, zodra hij het kon regelen zonder een onherroepelijke beschadiging van kwetsbare ego's.

Hij was in gedachten verdiept en staarde nietsziend naar een John Baldessari aan de muur tegenover hem, toen Rebecca Kirkpatrick binnenkwam en hem weer in de werkelijkheid terugbracht. Rebecca was achtendertig, lang en mager, met bruin haar dat vroeger blond was geweest, en amberkleurige ogen die bijna schuilgingen achter een grote hoornen bril. 'Heb je Tony gevraagd naar die kostenoverschrijdingen?' vroeg hij.

Ze gooide een bruine map op zijn bureau. 'Hij zei dat je ze drie dagen geleden hebt goedgekeurd.'

'Absoluut niet.' Hij stak zijn hand uit naar de knop van de intercom. 'Janet, bel Tony Avalon voor me.'

Rebecca stak haar hand op. 'Wacht even, Mason. We moeten er even over praten voor je tegen Tony tekeergaat. Je hebt de afgelopen week een aantal dingen tegen mensen gezegd waarvan je vergeten was dat je ze had gezegd.'

Hij keek naar Rebecca met een blik van 'weet waar je over praat', drukte weer op de knop van de intercom en blafte: 'Wacht even met dat telefoontje.'

Er gingen een paar seconden voorbij, terwijl Rebecca haar baas opnam, kennelijk verbaasd over wat ze zag. 'Wat is er met je, Mason?'

'Ik dacht dat je over Tony wilde praten.' Hij leunde achterover in zijn stoel, zijn handen achter zijn hoofd gevouwen. 'Als je daarvoor hier komt, zeg het dan. Zo niet, ga dan weg. Ik heb over een halfuur een vergadering en ik wil nog een paar aantekeningen doornemen voor ik erheen ga.'

'Nou, nou, heeft de grote boze beer een doorn in zijn poot?'

'Als ik toevallig in niet zo'n goed humeur ben, gaat dat niemand iets aan behalve mijzelf.'

'Een beetje toegeeflijk voor jezelf, hè?'

Mason staarde haar een ogenblik sprakeloos aan. Rebecca wond er nooit doekjes om, maar ze was verstandig genoeg om hem de ruimte te geven als hij die nodig had. 'Geef me één goede reden waarom ik je niet zou ontslaan,' zei hij, om haar te laten weten dat ze te ver ging.

'Dat is niet moeilijk – je bent geen masochist. Ik ben de hoeksteen van deze organisatie, en dat weet je net zo goed als ik.'

Onwillekeurig moest hij even lachen. 'Waar heb ik je gevonden?'

'Dat doet er niet toe. Je kunt me niet vervangen. Ik ben uniek.'

Hij kreunde. 'Iets waar we allemaal dankbaar voor moeten zijn.'

'En wil je me nu vertellen wat je dwarszit?'

'Nee.'

'Maar je doet het toch.'

'Deze keer niet, Rebecca,' zei hij zacht. Zijn woede was gezakt.

'Goed. Denk er alleen aan dat ik er ben als je ooit –' Ze zweeg plotseling en sperde opeens begrijpend haar ogen open. 'Je hebt hem gezien, hè?' zei ze.

Mason dacht erover het te ontkennen, maar hij wist dat het geen zin had. In de veertien jaar dat Rebecca bij hem was had hij nooit de waarheid voor haar verborgen kunnen houden. Ze had hem op zijn best en op zijn slechtst gezien en had achter hem gestaan als alle anderen hard naar de deur holden. Ze was zijn vertrouwelinge, iemand op wie hij zich onvoorwaardelijk verliet. Ze was de perfecte assistente in een mannenwereld. Met haar kameleonachtige uiterlijk en onopvallende zakelijke mantelpakken kon ze op vergaderingen met de achtergrond versmelten, genegeerd door mannen die geen idee hadden dat ze hen gadesloeg en elke zet die ze deden analyseerde.

'Drie dagen geleden,' zei hij, iets toegevend dat hij eigenlijk voor zichzelf had willen houden.

Ze ging op de hoek van zijn bureau zitten. 'Ik dacht dat die slimme nieuwe advocaat die je in de arm hebt genomen, je had gezegd dat je uit de buurt moest blijven tot hij een paar antwoorden had.'

'Dat is zo.'

'Maar, zoals gewoonlijk, besloot je zijn raad in de wind te slaan.'

'Het zit wat gecompliceerder in elkaar.'

De bezorgdheid in haar ogen maakte plaats voor opwinding. 'Die advocaat kan opvliegen. Vertel eens hoe hij eruitziet?'

Mason glimlachte. 'Hij lijkt eigenlijk veel op de foto – maar toch anders. Ik kreeg een heel vreemd gevoel toen ik hem zag. Het was een beetje of ik mezelf zag vijfendertig jaar geleden. Hij heeft de bouw van de Winters – smalle heupen, korte benen en een lange rug.'

'Wiens ogen heeft hij?'

'Van Diane.'

Ze sloeg haar benen over elkaar en leunde achterover, steunend op haar handen. 'Dat moet moeilijk voor je zijn geweest.'

'Minder moeilijk dan ik gedacht had. Hij heeft veel van Diane en van mij, maar er is ook een hele hoop dat alleen maar Kevin is.'

'Ik vind het een leuke naam.'

'De naam van mijn grootvader.'

'En wat vond je van *haar*?'

Hij stond op en liep naar het buffet om een kop koffie voor hen beiden te halen. 'Daar ben ik nog niet helemaal achter,' zei hij. 'De mening waarmee ik naar binnen ging was veranderd toen ik weer naar buiten ging.'

'O?' vroeg ze nieuwsgierig. 'Waarom?'

'Ze zei dat ze niets wist van de brief.'

'En je geloofde haar?'

'Achteraf wel, ja. De manier waarop ze reageerde was erg angstig en vijandig, maar ik zag er geen schuldbesef in.' Hij gaf Rebecca haar kopje en ging zitten.

'Hoe ziet ze eruit?'

'Middelmatige lengte, niet zo mager als Diane, maar even langbenig en lenig en lummelig.'

Rebecca lachte. 'Probeer dat eens vijf keer snel achter elkaar te zeggen.'

Mason nam een slok van zijn koffie en merkte nauwelijks dat hij zijn mond brandde. 'Ze heeft ogen die dwars door je heen kijken. Ik heb zo'n idee dat Kevin haar niet makkelijk voor de gek kan houden.'

'Mag je hem zien van haar?'

'Niet vrijwillig.' Hij grinnikte. 'Om de een of andere reden mag ze me niet.'

Rebecca veinsde een ongelovige blik. 'Nee maar!'

Er gingen een paar seconden voorbij, waarin Mason zweeg. Toen hij weer sprak was het kalm, peinzend. 'Ik besefte niet hoezeer ik crop had gerekend dat ik in staat zou zijn dit alles de rug toe te keren en net te doen of het nooit gebeurd was, tot ik hem zag en me tot hem aangetrokken voelde. Nu kan ik er onmogelijk meer voor weglopen.'

'Dat heb ik je gezegd,' zei ze.

'Ja, maar ik geloofde je niet. Ik heb nooit gedacht dat het vaderschap iets voor mij zou zijn.'

'Het is meer dan alleen vader zijn,' zei ze zachtjes. 'Kevin heeft je Diane teruggegeven.'

Masons privé-telefoon ging en onderbrak hen. Hij pakte de hoorn op. 'Ja?' Hij luisterde aandachtig, schoof toen zijn stoel achteruit en stond op. 'Ik kom zo.'

'Wat is er?' vroeg Rebecca geschrokken.

'Niets dat ik niet verwacht had,' antwoordde hij. Hij pakte zijn jas en liep naar de deur. 'Christine Taylor doet slechts wat ik in haar plaats ook zou hebben gedaan. Nu ligt het aan mij om haar ervan te overtuigen dat het haar niet zal lukken.'

'Veel geluk,' zei Rebecca.

'Dank je, maar dat heb ik niet nodig.'

'Misschien niet, maar ik zou toch maar voor rugdekking zorgen als ik jou was,' zei ze, terwijl ze hem naar de gang volgde. 'Niet alleen beren beschermen hun jongen.'

'Christine Taylor is mijn minste zorg.'

Hoofdstuk elf

Chris verschoof Kevin op haar schoot, stopte haar neus in zijn haar en snoof de geur ervan op. Na haar op weg naar de luchthaven te hebben overstelpt met vragen, was hij, nu ze er waren, vreemd stil geworden, alsof hij overdacht wat ze hem allemaal verteld had.

Ze had, althans in het begin, verwacht dat hij met meer enthousiasme zou reageren. Hij hield van vliegtuigen en vroeg vaak of hij naar het vliegveld mocht om ze te zien vertrekken en landen. Maar nu hij daadwerkelijk in een van die toestellen zou gaan vliegen, leek het weinig indruk op hem te maken. In plaats van opwinding te tonen over het avontuur, bleef hij, in de een of andere vorm, steeds weer vragen wanneer ze weer naar huis gingen. Het scheen niet tot hem door te dringen dat ze verhuisden en nooit meer terugkwamen.

Ze dacht erover na en zette toen de gedachte van zich af dat Kevin het niet begreep. Er was maar weinig dat Kevin niet begreep. Waarschijnlijker was dat hij een manier zocht om haar van gedachten te doen veranderen.

Hij leunde met zijn hoofd tegen haar schouder. 'Kunnen Tracy en oom John en tante Mary ook komen?' vroeg hij, de stilte verbrekend.

'Misschien kunnen ze een keer op bezoek komen.'

'Waarom nu niet?'

'Omdat we nog geen huis hebben waar ze kunnen logeren.'

'Wordt ons nieuwe huis ook geel?'

'Anders kunnen we het toch zelf geel verven.'

'Mag Tracy helpen?'

'Als ze op bezoek komt, natuurlijk.'

'Waarom kon ik niet al mijn speelgoed meenemen?'

'Omdat er geen plaats is in het vliegtuig.'

'Kan de postbode mijn speelgoed brengen?'

'Later misschien. We zien wel.' Chris slaakte een zucht van opluchting toen hij weer zweeg. Ze voelde zijn verdriet even intens als haar eigen verdriet, maar ze prentte zich in dat ze deed wat het beste was voor hen beiden. Ze hoopte dat hij op een dag zou begrijpen dat ze moest doen wat ze deed zolang ze de kans nog had.

Ze wist dat het in de grond verkeerd was een kind zijn vader te ontzeggen. Het was zelfs mogelijk dat Kevin op een dag haar besluit zou aanvechten. Maar ze was bereid dat risico te nemen. Er stond te veel op het spel om te harrewarren over wat Kevin al dan niet in de toekomst zou kunnen denken. Misschien als hij ouder was en beter bestand tegen de invloed van een man als Mason Winter, zou ze hem over zijn vader vertellen en hem zelf laten beslissen of hij hem in zijn leven wilde.

Ze had niemand verteld over haar besluit om de stad te verlaten, zelfs Mary niet. Iets geheimhouden voor iemand wie ze altijd alles vertelde was moeilijk, maar Mary zou willen dat ze bleef en de strijd met Mason aanbond, en Chris kon het risico niet nemen dat ze die zou verliezen. Al stuitte het haar nog zo tegen de borst om het te moeten toegeven, Masons eis was gewettigd. Zij besefte dat; de rechtbank zou het ook beseffen. Uiteindelijk bleef haar maar één ding over. Als ze Kevin wilde beschermen, moest ze de stad uit zolang ze nog wettig het recht daartoe had.

De problemen van een succesvolle verdwijning leken in het begin bijna onoverkomelijk. In haar achterhoofd bleef de gedachte aan de detective die Mason in dienst had genomen. Als hij hen één keer had gevonden, kon hij dat ook een tweede keer. Ze moest niet alleen zorgen dat ze hem één stap voor bleef, ze moest zeker weten dat ze geen enkele aanwijzing achterliet. Trucjes gingen haar niet vanzelfsprekend of gemakkelijk af; zo werkte Chris' brein niet. Ze was altijd recht door zee, iemand die haar problemen onder ogen zag. Maar dit was iets anders. Er had nog nooit zoveel op het spel gestaan.

Juist als ze dacht dat ze iets had uitgepuzzeld, kwam er weer een reden bij haar op waarom het kon mislukken. Ze had er zelfs niet aan gedacht een valse naam te gebruiken voor de vliegtickets, tot ze telefonisch wilde reserveren. Ze had nog steeds geen beslissing genomen over hun uiteindelijke bestemming, want ze dacht dat ze te gemakkelijk een spoor zou kunnen achterlaten als ze wist waar ze naartoe ging.

Haar plannen gingen niet verder dan Mary te bellen als ze in Dallas was. Zolang ze het veilig kon doen, zou ze in contact blijven met de Hendricksons. Maar als Mason naar de rechter liep, zou ze weer moeten verdwijnen of John en Mary in de onhoudbare positie plaatsen hun vriendin te verraden of meineed te plegen. Met een beetje geluk zou ze de verkoop van het huis kunnen regelen vóór dat gebeurde. Als ze haar bankrekeningen leeghaalde en de paar effecten die ze bezat verkocht, zouden zij en Kevin een jaar kunnen leven, misschien iets langer als ze zuinig waren. Maar daarna zouden ze volledig afhankelijk zijn van wat ze kon verdienen.

Beslissen wat ze moest meenemen en wat ze moest achterlaten was veel gemakkelijker dan ze verwacht had, dankzij een toevallige opmerking van John Hendrickson. Tijdens hun halfwekelijkse tocht naar Original Pete's Pizza de avond ervoor, had hij haar en Mary verteld over een brand in een woonhuis waar hij heen was gegaan en de dingen die de brandweerlieden hadden getracht voor de eigenaars te redden. Ze probeerde zich in te denken dat ze in dezelfde positie verkeerde en vroeg zich af wat ze zou meenemen als ze maar vijf minuten tijd had om haar keus te bepalen. Het was verbazingwekkend hoe gemakkelijk het daarna was. Alleen dingen die niet vervangen konden worden – foto's en erfstukken – waren belangrijk genoeg om zich om te bekommeren. Die pakte ze die nacht in, en de volgende ochtend liet ze de dozen opslaan, met de bedoeling ze te laten opsturen als zij en Kevin zich ergens gevestigd hadden en ze zeker wist dat Mason hen niet langer zocht.

Ze was met de auto naar de luchthaven gereden en had die in de garage voor lang parkeren achtergelaten, om te voorkomen dat iemand haar en Kevin met hun bagage in een taxi zag stappen. Als zij en Kevin eenmaal veilig waren, zou ze het parkeerticket en de sleutels en het kentekenbewijs naar Mary sturen, met de opdracht de auto te verkopen en met het geld de rekening van de opslag te betalen.

Toen ze naar de monitor keek om de aankomsttijd te controleren van het toestel dat hen naar Dallas zou brengen, zag ze uit haar ooghoek een lange man in een krijtstreeppak naar hen toekomen. Ze keek strak naar het scherm, zonder iets te zien.

Wat deed Mason Winter hier? Had een krankzinnig toeval hen op hetzelfde moment op hetzelfde vliegveld gebracht? Belangrijker nog, had hij haar gezien of had ze nog tijd in de menigte te verdwijnen?

Met kloppend hart keek ze even in zijn richting. Elke gedachte aan een vlucht verdween. Hij keek haar recht in de ogen.

Kevin kronkelde onrustig op haar schoot, om een gemakkelijkere houding te vinden. Hij zag haar bezorgde gezicht. 'Wat is er, mam?'

'Niets,' bracht ze er met moeite uit. 'Ik dacht alleen even dat ik iemand zag die ik kende.'

'Wie?'

Ze probeerde geruststellend te lachen. 'Hij is al weg,' zei ze. Ze wilde opstaan, maar voelde toen een hand op haar schouder. Hij was niet verdwenen, hij stond achter haar.

'Blijf alsjeblieft,' zei Mason kalm, bijna kameraadschappelijk. 'Ik wil graag met je praten.'

Kevin draaide zich om naar de man die had gesproken. 'Hé, ik ken jou,' zei hij, voor het eerst die dag geanimeerd. 'Je bent bij mij thuis geweest.'

'Op je verjaardag,' vulde Mason aan.

'Ja,' antwoordde Kevin, blijkbaar tevreden dat hij niet de enige was die het zich herinnerde.

'Misschien wil je moeder ons deze keer voorstellen,' zei Mason, met een nadrukkelijke blik van Kevin naar Chris.

De schoft had haar in een hoek gedreven. Er zat niets anders op dan te doen wat hij vroeg. 'Kevin, dit is Mason Winter...' Het natuurlijke en eerlijke eind van de zin bleef in de lucht hangen.

Mason liet de gelegenheid voorbijgaan, en negeerde Chris volkomen toen zijn hand zich om die van zijn zoon sloot. 'Ik ben heel erg blij je te leren kennen, Kevin.'

'Ben je een vriend van mama of een van haar zakenmensen?' vroeg hij.

'Op het ogenblik ben ik geen van beiden. Maar ik hoop dat dat geen beletsel is dat jij en ik vrienden worden.'

Kevin keek naar Chris, alsof hij haar goedkeuring wilde vragen. Voor ze kon antwoorden, taxiede een toestel van de United Airlines langs het raam en trok zijn aandacht. 'Is dat ons vliegtuig, mam?'

Mason keek Chris strak aan. 'Ga je ergens naartoe?' vroeg hij zachtjes.

'Dit is geen toevallige ontmoeting, hè?' antwoordde ze even zacht. 'Je hebt me laten volgen.'

'Ik had zo'n idee dat je iets dergelijks zou proberen.'

'Heel slim van je. Nu –'

'Au,' zei Kevin. 'Laat mijn arm los, mama. Je doet me pijn.'

Mason richtte zijn aandacht op Kevin. 'Als je uit het raam daar kijkt, zie je een man op de grond die de mensen op het vliegveld vertelt wat ze moeten doen.'

'Mag ik, mam?' vroeg Kevin, al halverwege van haar schoot.

Ze vond het niet leuk om in iets toe te stemmen dat Mason had voorgesteld, maar het was belangrijk dat Kevin geen getuige was van het gesprek dat zou volgen. 'Goed. Maar ga nergens anders heen.' Toen hij weg was, keek ze naar Mason. 'Hoe dúrf je?'

De glimlach om zijn mond weerspiegelde zich niet in zijn ogen. 'Het is het voorrecht van een vader om zijn zoon nieuwe dingen te leren.'

'Schoft. Waarom doe je zo je best om de schijn te wekken dat je ook maar iets om Kevin geeft, terwijl de hele stad weet dat het enige dat je echt interesseert het bouwen van lelijke pakhuizen is en een nieuwe naam toevoegen aan je lijst van veroveringen? Je speelt een spelletje.'

'Waarom zou ik?'
'Dat weet ik niet, maar daar kom ik wel achter.'
'Mag ik daaruit opmaken dat je toch maar van plan bent om te blijven?'
Ze keek hem woedend aan. 'Je kunt me niet beletten om te vertrekken.'
'Als je een gerechtelijk bevel wilt, kan ik er een krijgen. Er zijn verscheidene rechters in de stad die me graag ter wille zullen zijn. Ik hoef er maar om te vragen. En denk maar niet dat ik je niet hier kan houden terwijl de papieren worden opgesteld. Zoals je net hebt opgemerkt, ben ik goed bekend in deze stad. Ik hoef maar tegen de mensen van de veiligheidsdienst te zeggen dat je probeerde er met mijn zoon vandoor te gaan en ze zouden je meenemen voor je je mond kunt openen om te protesteren.' Hij kneep zijn ogen samen. 'Ik zou er maar eens goed over nadenken voor je me daartoe dwingt. Een poging tot ontvoering zou niet zo'n goede indruk maken als de zaak voor de rechter komt.'
'Je bluft.'
'Je kent me blijkbaar niet zo goed als je denkt.'
'Je wint het nooit,' zei Chris met meer overtuiging in haar stem dan ze voelde.
Hij grinnikte. 'Als je dat echt geloofde, zou je niet hier zijn.'
Bravoure werd gevolgd door wanhoop. 'Waarom doe je dit? Wat hoop je erbij te winnen?'
Hij keek haar ongelovig aan. 'Allemachtig, juffrouw Taylor, ik geloof dat het tijd wordt dat je eens goed beseft dat, al wil je nog zo graag dat het niet zo was, dat kind dat daar staat van mij is. Denk je dat je een monopolie hebt op het gebied van ouderschap? Is het niet bij je opgekomen dat de mogelijkheid bestaat dat ik zelf ook een paar van die gevoelens heb, dat ik door het recht van geboorte en elk ander recht dat maar bestaat misschien verlang naar datgene waarvan je zo achteloos aanneemt dat het alleen van jou is?' Hij haalde diep adem en stond op. 'Zal ik je nu dan maar naar je auto brengen?'
'Loop naar de hel.'
'Op een zekere dag misschien, maar beslist niet wanneer het jou uitkomt.' Toen ze geen aanstalten maakte om op te staan, ging hij verder. 'Ik ga hier niet weg voordat jij weggaat, dus kun je maar beter met je gat uit die stoel komen en in beweging komen.'
'Mijn bagage –'
'Is al op weg naar je huis.'
'Hoe –' Ze zweeg. Ze wilde hem niet de genoegdoening geven te weten dat het haar iets kon schelen op wat voor manier hij voor elkaar kreeg wat voor normale mensen onmogelijk was. 'Laat maar,' zei ze, en hing haar tas om haar schouder terwijl ze opstond.

'Zal ik Kevin halen?'
'Blijf uit zijn buurt.'
'Je weet dat je hem vroeg of laat over mij zult moeten vertellen.' Hij zweeg even. Zijn stem kreeg een zachtere, vriendelijkere klank. 'Of heb je liever dat ik het hem vertel?'
'Nee. Als hij ooit van je bestaan moet weten, zal hij het van mij horen.'
'Je gelooft toch niet echt dat je de keus hebt of je het hem zult vertellen of niet?' Hij pakte haar bij haar arm en dwong haar hem aan te kijken. 'Ik ben geen boze droom. Je wordt niet morgenochtend wakker om te ontdekken dat ik verdwenen ben. De enige keus die je hebt is onder welke omstandigheden je Kevin wilt vertellen dat hij een vader heeft.'
'Als je zoveel om hem gaf als je beweert, zou je hem dit niet aandoen.'
Hij liet haar arm los. 'Wat niet? Van hem houden? Zijn wereld een beetje uitbreiden? Wat denk je dat ik voor verschrikkelijks met hem zal doen?'
'Je zult zijn wereld op zijn kop zetten.'
'Is het jouw wereld of zijn wereld waar je je zorgen over maakt?'
'Die zijn hetzelfde,' zei ze fluisterend.
Mason keek naar Kevin. Secondenlang bleef hij naar zijn zoon staren. 'Wat heb je hem over mij verteld?'
'Ik wist niet wie je was. Hoe had ik hem iets kunnen vertellen?'
'Je moet iets tegen hem hebben gezegd toen hij vroeg waarom alle andere kinderen een vader hadden en hij niet.'
'Ik heb gezegd dat je een geheim was waarover zijn mama Diane me nooit iets verteld heeft. Dat het enige dat ik over je wist –' Ze aarzelde, niet zeker of ze hem de rest moest vertellen.
'Ga door.'
Ze zag dat hij naar Kevin staarde, en opnieuw viel het haar op hoeveel ze op elkaar leken. Ze probeerde zich Mason en haar zus samen voor te stellen, vol liefde voor elkaar, lachend, intiem. Wat had Diane in hem gezien dat Chris niet zag? 'Ik heb hem verteld dat het enige dat ik over je wist was dat zijn mama Diane heel veel van je heeft gehouden.'
Mason kneep zijn ogen samen terwijl hij haar aandachtig opnam. 'Daarvoor moet ik je in ieder geval dankbaar zijn.'
'Het is het enige dat je krijgt.'
Hij schudde zijn hoofd. 'Waarom maak je het moeilijker dan het hoeft te zijn?'
'Als je ook maar íets had wat ervoor nodig is om een vader te zijn, zou je begrijpen waarom ik je op alle manieren zal bestrijden. Een zaadje

planten en dan zes jaar later komen opdagen om te zien hoe het gegroeid is, is een beetje al te gemakkelijk. De tijd die aan het karwei is besteed is het enige dat werkelijk telt in het leven van een kind. En omdat ik degene ben die die tijd met Kevin heeft doorgebracht, ben ik degene die beslist wat het beste voor hem is. En dat ben jij niet, meneer Winter, bij lange na niet.'

'Een heel overtuigende toespraak. Maar er is één klein hiaat in je redenering. Als ik had geweten dat Kevin bestond, zou ík degene zijn geweest die die tijd aan hem besteed had.'

'Dat kun je nu gemakkelijk zeggen.'

'Niet alleen gemakkelijk, onweerlegbaar. Niemand zal er immers aan twijfelen wat ik indertijd zou hebben gedaan, nu ik zo onmiddellijk gereageerd heb toen ik Dianes brief kreeg?'

Chris voelde de grond onder haar voeten wegzakken. 'Je kunt zeggen wat je wilt tegen wie je wilt, maar je kunt mij er nooit van overtuigen dat je het oprecht meent. Als je echt om Kevin gaf, zou je hem met rust laten.'

'Dus zijn we weer terug bij af. Ik zie dat het geen zin heeft om erop door te gaan. Er ligt werk op me te wachten, en ik weet zeker dat jij ook de nodige dingen te doen hebt.' Hij wenkte naar de uitgang. 'Zullen we gaan?'

'Ga je gang. Ik wacht tot Kevin genoeg heeft van de vliegtuigen. Het heeft geen zin ons uitstapje hier naartoe te bederven.'

Hij grinnikte. 'Aardig geprobeerd.'

'Wat is er? Vertrouw je je spion niet dat hij ons in het oog zal houden?'

'Dit is iets dat ik liever zelf opknap. Nou, ben je klaar?'

'Ik heb even tijd nodig om het Kevin uit te leggen.'

'Je hebt tijd genoeg als je met hem naar huis rijdt.'

'Ongelooflijk. Juist als ik denk dat ik zo intens de pest aan je heb als ik maar aan iemand kan hebben, zeg je iets dat het nog erger maakt.'

Hij negeerde haar poging hem uit te dagen. 'Wil je dat ik Kevin ga halen?'

In plaats van antwoord te geven, liep ze naar het raam. Ze bleef een paar seconden naast hem staan en hurkte toen op de grond. 'Raad eens?' zei ze.

'Wat?' antwoordde hij, zijn aandacht nog steeds op het vliegtuig gericht.

'Ik heb besloten toch maar in Sacramento te blijven.'

Hij keek haar met stralende ogen aan. 'Echt waar?'

Ze knikte, want ze vertrouwde haar stem niet.

De opwinding verdween even snel als hij was opgekomen. 'Dus we gaan niet met een vliegtuig?'

Ze had kunnen lachen en huilen tegelijk. Typisch Kevin om iets te willen hebben op het moment dat het hem werd afgenomen. 'Vandaag niet,' zei ze. 'Maar we zullen het echt een andere keer doen.'

'Beloofd?'

'Met de hand op mijn hart.' Ze stond op en pakte zijn hand.

'Mag ik het Tracy vertellen?'

Met opzet liep ze met Kevin langs Mason heen, het gebouw uit, zonder hem een blik waardig te keuren. 'Natuurlijk.'

'Mag ze ook mee?' vroeg Kevin.

'Hangt ervan af waar we naartoe gaan.' Bij elke stap die ze deed leken haar voeten zwaarder te wegen.

'Ik vertel het haar zodra we thuis zijn.'

Heimelijk veegde ze een traan uit haar ooghoek. 'Denk eraan,' zei ze, 'dat je voorzichtig moet zijn met beloften. Soms kunnen die mensen verdriet doen.'

Hij keek haar aan. 'Jij had beloofd dat we in een andere plaats zouden gaan wonen.'

'Ik weet het,' zei ze.

'Het geeft niet, mam,' zei hij. 'Het was toch niet zo'n fijne belofte.'

Ze woelde door zijn haar. 'Misschien niet, maar zo leek het toen wel.'

Chris en Kevin stopten op weg naar huis bij Safeway om boodschappen te doen en een brood van een dag oud te kopen voor de eenden in het MacKinley Park. Toen ze in het park waren, ging Chris op het gras zitten en keek naar Kevin, die zorgvuldig het brood verdeelde en ervoor zorgde dat zelfs de schuwste vogels hun deel kregen.

Ze deed alles wat ze kon om de zachtaardigheid en vriendelijkheid te bevorderen die ze in Kevin tot ontwikkeling zag komen. De wereld die hij op een dag zou erven, zou mannen nodig hebben die zorgzame oplossingen konden vinden voor wanhopige problemen, hetzij op grote politieke schaal of domweg in het dagelijks leven.

Wat vroeger zinloze abstracties waren geweest voor Chris – vrede en broederschap en begrip tussen de landen, behoud van de bronnen van de aarde door recycling, bescherming van bedreigde diersoorten omdat één verlies door allen werd gevoeld – waren een levensbeschouwing geworden sinds ze Kevin had. Ze wilde alles doen wat ze kon om ervoor te zorgen dat de aarde die hij en zijn generatie op een dag zouden erven beter was dan de wereld die zij had gekend. Het was een simpele maar diepzinnige gedachte. En door haar daden meende ze Kevin het best te kunnen vertellen hoeveel ze van hem hield.

Toen het brood op was, liepen ze door de rozentuin naar de tennisbanen, en keken naar twee vrouwen van middelbare leeftijd die de bal vaker missloegen dan raakten.

Ten slotte, toen Chris hun terugkeer naar huis niet langer kon uitstellen, stapten zij en Kevin in de auto en reden de paar blokken naar Forty-second Street. Zodra ze binnen waren, belde ze Mary en vroeg of Kevin die middag bij haar kon blijven.

Als ze enige hoop had haar strijd met Mason Winter te winnen, moest ze alles doen wat ze kon om haar positie te versterken. Ze bracht Kevin naar de Hendricksons en wachtte tot hij veilig en wel binnen was. Ze beloofde Mary dat ze haar alles zou uitleggen als ze Kevin kwam halen, ging terug naar huis en maakte voor de volgende dag een afspraak met Paul Michaels. Al wist ze zeker dat hij zou volhouden dat hij niet de geschikte man was om haar zaak te behartigen, omdat het niet zijn specialiteit was, vond Chris de hartstocht en liefde waarmee hij haar in haar strijd tegen Mason zou bijstaan, belangrijker dan ervaring in dit soort zaken. Dat Mason Winter de wet aan zijn kant had, wilde nog niet zeggen dat het juist was wat hij deed.

De rest van de middag was ze bezig uit te pakken.

Hoofdstuk twaalf

Mason stapte van de bouwlift op wat uiteindelijk de bovenste verdieping zou worden van het Capitol Court Hotel. Het project lag drie weken achter op het schema. Gezien de vertragingen in de aflevering van materialen en in de inspecties, was dat niet zo heel erg, maar het was ook niet iets om over te juichen.

Hij was tot de conclusie gekomen dat het verstandig zou zijn om persoonlijk met de voorman te praten, om hem aan te moedigen alles in het werk te stellen om de zaak te bespoedigen. Hij had het altijd nuttig gevonden om, ook al verliep alles volgens schema, degenen die de verantwoording hadden een paar vriendelijke en soms wat minder vriendelijke aansporingen te geven. Als gevolg daarvan had Winter Construction in de veertien jaar van zijn bestaan nooit een geplande opening gemist. Zelfs al moest elke man van elk ander project erbij gehaald worden om aan het hotel te werken, het zóu op tijd opengaan. Maar als dàt nodig was, zouden er ontslagen vallen.

'Hallo, meneer Winter, hoe gaat het?' klonk een stem ergens boven hem.

Mason hield zijn helm met zijn hand vast en keek omhoog. Hij keek lachend naar de bouwvakker die door de stalen balken naar hem tuurde. 'Hoe gaat het met de tweeling, Calvin?'

'Geweldig, vooral nu ze 's nachts eindelijk eens blijven slapen. Ik had u nog willen bedanken voor de wiegen die u hebt gestuurd. Ze zijn mooi, en ze staan erg goed in de kamer.'

'Je vrouw heeft me al bedankt.'

'Ja, dat zei ze, maar ik wilde u zelf ook nog even bedanken.'

Masons vermogen om belangstelling te tonen voor het privé-leven van zijn werknemers werd voor een groot deel mogelijk gemaakt door Rebecca. Ze hield hem op de hoogte van de geboorten, het overlijden en andere belangrijke momenten in het leven van de mensen die voor hem werkten, en deed het altijd voorkomen of de reactie alleen zijn idee was geweest. 'Ze zeiden beneden dat Howard op weg was naar boven. Heb je hem gezien?'

'Howard heeft lunchpauze. Maar Travis is hier,' ging Calvin verder.

'Vraag of hij beneden wil komen.'

'Zeker, meneer Winter.'

'Ik ben al weg,' klonk een diepere, luidere stem.

Mason liep naar de geïmproviseerde trap en wachtte. Travis Millikin verscheen een paar seconden later. Hoewel hij zich zou moeten uitrekken om de één meter vijfenzestig te halen, wist Travis met zijn gedrongen gestalte en verweerde gezicht stoere bouwvakkers en fatterige stadsplanners met hetzelfde gemak te intimideren. Zijn uiterlijke verschijning werd gesteund door een encyclopedische kennis van de bouwindustrie. Niemand had Travis ooit iets gevraagd, waarvoor hij het antwoord had moeten opzoeken. Hij was achter in de vijftig, tweemaal gescheiden, nu voor de derde keer getrouwd, en even royaal als kort aangebonden.

'Is het sanitair goedgekeurd?' vroeg Mason zonder omwegen.

'De inspecteurs zijn er nog niet.'

'Verroest! Heeft niemand ze verteld dat we met tijdgebrek te kampen hebben?' vroeg hij retorisch.

Travis veegde zijn handen aan zijn spijkerbroek af. 'Ze weten het, en het kan ze geen donder schelen. Waarom zou het?'

De bouwhausse had iedereen in de stad overvallen. Elk departement had te weinig personeel, was overwerkt, en even tolerant ten opzichte van klachten als een bordeelhoudster. Mason deed om egoïstische redenen zijn uiterste best bij hen in de gunst te blijven. Soms leverde het hem iets extra's op, soms niet. 'Doe wat je kunt,' zei hij. 'En hou me op de hoogte.'

Travis porde met zijn teen tegen een los stukje beton, raapte het op en stak het in zijn zak. 'Tussen haakjes, die nieuwe man die je hebt aangenomen bevalt me goed. In het begin was het een beetje moeilijk om vat op hem te krijgen, hij is erg kalm en rustig, maar ik denk dat hij zich gauw zal inwerken.' Hij keek van terzijde naar Mason. 'Vat het niet verkeerd op, maar hij doet me een beetje aan je broer denken.'

Mason dacht daar even over na. 'Goeie God, je hebt gelijk!'

'Laat je er niet door beïnvloeden. Ik ben er alleen over begonnen omdat ik wist dat je er vandaag of morgen zelf op zou komen, en in dit geval is vandaag beter dan morgen.'

'Hoe kan ik in vredesnaam zoiets over het hoofd hebben gezien?' zei Mason verstrooid. Travis' commentaar haalde bittere herinneringen naar boven, zo scherp alsof het veertien dagen in plaats van veertien jaar geleden was gebeurd.

'Naar ik heb gehoord, had je de laatste tijd belangrijkere dingen aan je hoofd,' zei Travis. Zijn gewoonlijk bars klinkende stem kreeg een onkarakteristiek zachte klank.

'Hoe wist je dat? Ik heb je niet gezien sinds je terug bent uit Los Angeles.' Travis maakte nog steeds periodieke reizen naar het zuiden om de nog onafgewerkte zaken af te handelen die waren blijven liggen toen ze het hoofdkantoor van Winter Construction naar Sacramento hadden verhuisd.

'Je hoort langzamerhand te weten dat hier niet veel gebeurt waarvan ik niet op de hoogte ben.' Hij zag weer een stukje beton en raapte het op.

'Schooier,' mopperde Mason. 'Dat betekent dat iedereen het weet.'

Travis haalde zijn schouders op. 'Nou, van mij hebben ze het niet gehoord. Ik neem wel alles in me op, maar ik geef het niet door.'

'Hemel, Travis, dat weet ik. Het maakt trouwens toch geen verschil wie het weet en wie het niet weet. Het kan nu elk moment een publiek geheim worden. Ik had het je alleen zelf willen vertellen, dat is alles.'

'Dus wanneer kom je met de kleine jongen?'

Mason maakte zijn das los. Ze bevonden zich midden in een nieuwe, alle records brekende hittegolf, de tweede sinds hij naar Sacramento was verhuisd. Zelfs tweeëntwintig verdiepingen hoog was er geen briesje om het zweet te drogen. 'Er zijn een paar obstakels, die eerst uit de weg geruimd moeten worden. Dianes zus was niet bepaald enthousiast toen ik bij haar op de drempel stond. Het zal wel even duren voor we die kwestie hebben opgelost.'

'Weet je familie het?'

Travis was de enige die Mason kende, die het lef en de achtergrond had om naar zijn familie te informeren. Ongetwijfeld waren er meer die nieuwsgierig waren, maar alleen Travis had het recht verworven om commentaar te geven.

Veertien jaar geleden, toen Mason door zijn vader en broer uit het familiebedrijf, Southwest Construction, werd gewerkt en een proces moest voeren om betaald te krijgen voor het deel van het bedrijf dat hij met zijn eigen geld had opgebouwd, had Travis zich opgewonden over de onrechtvaardigheid. Als topman van Southwest had hij een hoop te verliezen door de partij van Mason te kiezen, maar dat had hem er niet van weerhouden. Hij was de eerste die zich had aangesloten bij de pas opgerichte Winter Construction Company, zelfs nog voordat er een kantoor of vergunning was.

In het begin, toen Mason om arbeidsloon te sparen achttien uur per dag, zeven dagen per week, werkte, offertes berekende, het kantoor beheerde, probeerde tijd te vinden voor het verplichte sociale leven, en zich op de hoogte stelde van het veldwerk, had Travis erin toegestemd genoegen te nemen met een percentage van de winst in plaats van een salaris. In die tijd, toen zelfs een doos potloden als een verkwisting gold, was die regeling een geschenk uit de hemel. Travis' gebaar hielp niet alleen om het bedrijfskapitaal bijeen te krijgen dat ze nodig hadden, maar was ook een emotionele oppepper voor de andere werknemers. Binnen vijf jaar was de regeling pijnlijk winstgevend geworden voor Travis, en had hij verzocht weer een betaalde employé te worden. Mason had geweigerd.

In het begin had Mason met het idee gespeeld de firma Phoenix Construction te noemen. Travis had gesuggereerd dat het gebruik van de naam Winter voor een zaak die op een dag Southwest Construction zou overschaduwen, een meer passende en bevredigende doorn in het vlees van Masons familie zou zijn.

Rebecca Kirkpatrick was gearriveerd op de dag toen ze de nieuwe naam aanbrachten op de bouwtrailer, die toen dubbel dienst deed als hoofdkantoor van de firma en Masons appartement. Ze kwam onaangekondigd het kantoor binnen, legde haar geschreven levensloop van één pagina op het bureau en meldde dat ze een in opkomst zijnd bedrijf zocht waarmee ze zich kon vereenzelvigen en dat ze meende dat nu gevonden te hebben.

Daarna waren zij drieën verenigd in het streven naar een gemeenschappelijk doel, veel hechter dan de familie die Mason had achtergelaten. Rebecca en Travis waren erbij geweest toen hij en Susan trouwden, en ze hadden vijf jaar later naast hem aan haar graf gestaan. In de donkere dagen die volgden, toen zijn hele wereld leek in te storten, waren zij de steunpilaren geweest die hem staande hielden. Ze waren blij geweest toen Diane in zijn leven kwam, en hadden zich bijna even verraden gevoeld als hijzelf toen ze wegging. Zij waren de enige leden van Masons familie die Kevin ooit zou leren kennen.

'Nee,' zei Mason, in antwoord op Travis' vraag. 'Ik heb het ze niet verteld, en dat zal ik niet doen ook.'

'En je moeder?' hield Travis vol.

Woede, zo onverbrekelijk verbonden met verdriet, dat hij ze niet van elkaar kon scheiden, ging door Mason heen. 'Wat is er met mijn moeder?' snauwde hij.

'Denk je niet –'

'Niet, als ik er iets aan kan doen,' zei hij. 'Na wat er gebeurd is, komt ze in mijn boekje niet in aanmerking voor de privileges van een grootmoeder.'

'Ik dacht alleen dat je er misschien nog eens over na zou willen denken. Ik kan me niet aan de gedachte onttrekken dat ze klem zat, dat wàt ze ook deed, alles verkeerd was.'

'Dus deed ze helemaal niets en viel ze op door stilzwijgen.'

'Misschien zul je nu je zelf een kind hebt, wat meer begrip krijgen voor sommige dingen.'

'Je wordt weekhartig op je oude dag, Travis.'

'Je weet heel goed dat dat er niets mee te maken heeft.'

Mason draaide zich om en staarde naar de rivier. Zoals altijd richtte hij zijn blik op de individuele grondstukken die hij, bijna zo lang als hij in Sacramento woonde, geprobeerd had te verenigen tot één groot terrein. Hij overwoog of hij iets tegen Travis zou zeggen over de vooruitgang die Rebecca boekte bij een van de boeren die ze bijna als onvermurwbaar hadden opgegeven, maar besloot het niet te doen. Hoewel de boer geweigerd had een document te tekenen waarin hij beloofde zijn land te verkopen aan Winter Construction als en wanneer Mason de rest van het project kon ontwikkelen, liet hij nu eindelijk doorschemeren dat hij voor een passende aanmoediging in overweging zou nemen Mason een optie te geven. Travis vond het een roekeloze onderneming; hij was ervan overtuigd dat zo'n omvangrijk en riskant project de ondergang van Winter Construction zou betekenen. Maar in dit geval was zelfs Travis' afkeuring niet voldoende om Mason ervan af te brengen.

Hij was vastbesloten voor toekomstige generaties zijn stempel op dat land te drukken. Twee maanden geleden had hij het voor zichzelf gewild. Nu zou het een geschenk worden voor zijn zoon.

Hij snoof minachtend toen hij zijn helm afzette en het zweet van zijn voorhoofd veegde. Het was niet Travis die weekhartig werd op zijn oude dag, hij was het zelf. 'Ik weet niet hoe het met jou gesteld is,' zei hij tegen zijn vriend. 'Maar ik heb geen tijd om hier te staan kletsen. Ik moet mensen spreken.'

'Als één ervan Tony Avalon is, zeg hem dan uit mijn naam dat hij morgenochtend terug moet zijn bij dat pakhuis.'

Mason was dankbaar dat Travis bereid was het onderwerp van Masons pas gevonden zoon te laten vallen, al was het duidelijk dat hij meer op zijn hart had. 'Ik zal Rebecca vragen het door te geven. Als ik met hem praat in de stemming waarin ik nu ben, zal hij nooit meer zaken met ons willen doen.'

'Ik weet niet of dat zo'n groot verlies zou zijn.'

'Misschien moeten we het daar eens over hebben. Hij maakt een offerte gereed voor het Watt Avenue-project. Als we hem laten vallen, wil ik heel zeker weten dat we daar een paar andere mensen hebben op wie we kunnen rekenen.' Mason liep naar de zijkant van het gebouw en wenkte om de lift.

'Ik zie je bij Pava voor het ontbijt.'

'Op mijn kosten zeker, hè?'

Travis lachte. 'Je bent een arme vrek, Mason.'

'En jij een rijke, Travis.'

Travis lachte. 'Ik zal de fooi geven.'

Mason deed de deur van de lift open, ging naar binnen en draaide zich toen weer om naar Travis. 'Trek maar iets ouds aan. Als ik me goed herinner morste de serveerster koffie over je toen jij de laatste keer de fooi gaf.'

Mason hield die avond vroeg op met werken om zijn smoking aan te trekken voor het Galafeest van de Schone Kunsten in het Hyatt Hotel. Hij was van plan geweest een auto te sturen voor de vrouw die zijn partner die avond zou zijn, Kelly Whitefield, maar had zich op het laatste moment bedacht en besloten haar zelf af te halen.

Het diner dansant was een verplichte avond, maar had toch een interessant aspect. Zoals de zaken nu stonden was het Hyatt de enige chique accommodatie in het centrum van de stad. Zodra Winter Construction de laatste hand had gelegd aan het Capital Court Hotel zou dat veranderen. Een tijdje zou er een hevige touwtrekkerij zijn tussen de beide hotels om klanten aan te trekken – zo'n drie of vier jaar, schatte Mason. Daarna zouden de zaken voldoende zijn aangetrokken om ruimte te bieden voor twee luxehotels. Intussen rekende Mason erop dat het nieuwe Capitol Court voldoende gasten uit het Hyatt weg zou kunnen lokken om hem redelijk, zij het niet overdreven, in de zwarte cijfers te houden.

Het zou een tactische fout van hem zijn om vanavond weg te blijven. Zijn afwezigheid zou worden opgemerkt en de mensen zouden zich afvragen wat de reden was. Zijn aanwezigheid zou worden genegeerd. Bovendien had hij recht op een avondje uit, en niemand was een betere afleiding van zijn werk dan Kelly Whitefield.

Hij was vroeg, en besloot de buitenwegen te nemen in plaats van de snelweg naar Kelly's duplexwoning. Er was eindelijk wat wind gekomen, en de temperatuur was tien graden gezakt, zodat de lucht weer in te ademen viel, en een open zonnedak in zijn auto niet het werk van een krankzinnige was.

De Porsche 911 reed door het staartje van het vrijdagavondverkeer met een soepele gratie die het rijden tot een puur genot maakte. Mason had de auto nu acht jaar, en had niet meer dan zestigduizend kilometer gereden, meestal in de winter, als hij het minder druk had in zijn werk, en hij zijn ski's kon inladen en naar de bergen rijden. In Noord-Californië wonen zonder te skiën, was alsof je een moestuin aanlegde zonder de groenten te eten.

Hij vroeg zich af of Kevin van skiën zou houden, en moest stilletjes lachen bij de gedachte. Jarenlang had hij kinderen, die niet verder dan zijn knie reikten, met adembenemende overgave van de hellingen zien glijden en cristiana's zien uitvoeren alsof hun benen van rubber waren, hardnekkig weigerend naar binnen te gaan tot hun lippen blauw zagen van de kou. De gedachte dat hij omhoog zou kijken naar de top van een skihelling met de wetenschap dat een van de kinderen die naar beneden zouden suizen zijn eigen zoon was, veroorzaakte een stroom van gecompliceerde en intense emoties.

Toen hij in de buurt van Forty-second Street kwam, stak Mason gedachteloos zijn hand uit naar de richtingaanwijzer. Pas toen hij gestopt was voor het huis van Chris en Kevin, besefte hij wat hij deed – precies hetzelfde dat hij al eerder had gedaan en waarvan zijn advocaat had gezegd dat hij het nooit meer mocht doen. Het kon hem niet schelen. De kalme, berekenende houding die hij in zaken aan de dag legde, scheen als sneeuw voor de zon te verdwijnen als het om zijn zoon ging.

Hij keek door het raam terwijl hij naar de voordeur liep en zag Chris in de keuken met iemand staan praten. In ieder geval zou ze niet net kunnen doen of ze niet thuis was. Hij belde aan.

'Ik doe wel open, mam,' riep Kevin.

'Laat maar, Kevin, ik zal –'

Chris zei het niet luid genoeg of was niet snel genoeg om hem tegen te houden. Met een zwaai deed Kevin open. 'Hoi,' zei hij toen hij Mason herkende.

'Hoi,' antwoordde Mason, een beetje verbluft over het gevoel van blijdschap dat zich van hem meester maakte.

'Zal ik mama halen?' vroeg Kevin.

Het was het laatste wat Mason wilde, maar hij wist dat hij geen keus had. Als er ook maar een geringe mogelijkheid was dat hij en Chris de zaak samen konden oplossen zonder naar de rechter te stappen, wilde hij die niet in gevaar brengen door haar kwaad te maken voor ze nog maar een woord gewisseld hadden. Hij wist maar al te goed – en hij was ervan overtuigd dat zij dat ook wist – dat ze met een behoorlijke advocaat zijn verzoek om gezamenlijke voogdij jarenlang zou kunnen tegenhouden. 'Als ze het niet te druk heeft,' zei hij met tegenzin.

Een ander hoofd verscheen naast dat van Kevin. 'Dat is de man over wie ik je verteld heb,' zei Kevin tegen het meisje. 'Die mam en ik op het vliegveld hebben ontmoet.'

'Hij heeft mooie kleren aan,' zei het meisje, dat over Mason sprak alsof hij er niet bij was.

Tegen Mason zei Kevin: 'Mam is in de keuken met tante Mary. Ze maakt pindakoekjes. Maar ze kan wel even stoppen.'

'Ik ben hier, Kevin,' zei Chris, terwijl ze haar handen afveegde aan een handdoek en naar de deur liep. Ze keek met een ijzige blik naar Mason voor ze haar aandacht aan Kevin wijdde. 'Ga jij maar met Tracy in de tuin spelen terwijl ik met meneer Winter praat.'

'Maar we speelden met Lego in de slaapkamer,' protesteerde hij.

Ze legde haar hand op zijn schouder en duwde hem naar achteren. 'Dat kun je later afmaken.'

'Mogen we de Lego mee naar buiten nemen?'

'Mag je die ooit mee naar buiten nemen?'

'Nee,' antwoordde hij.

'Nou dan! Er is niets veranderd, jongen.'

'Mogen we een koekje?'

'Vraag maar aan tante Mary of ze jullie er een geeft.'

'Mogen we er twee?'

'*Kevin*,' zei ze, op een toon, die hem zei dat hij ver genoeg was gegaan. Hij zwichtte, pakte het handje van zijn vriendin en liep naar de keuken. Toen hij weg was keek Chris met een nijdige blik in haar ogen naar Mason. 'Wat doe jij hier?'

'Ik wilde Kevin zien,' antwoordde hij naar waarheid.

'Je weet hoe ik daarover denk.'

'Ik dacht dat je er inmiddels misschien wat meer over nagedacht had,' zei Mason, die zijn best deed verzoenend en redelijk over te komen, al stikte hij er bijna in. Het intens gevoel van rechtvaardigheid, dat hem zei te nemen wat hem rechtens toekwam, was hetzelfde gevoel dat hem belette dat ten uitvoer te brengen. Al wilde hij het nog zo graag, hij kon Chris' recht op Kevin niet ontkennen. Zij was evenzeer de moeder van Kevin, als hij de vader was – misschien had ze geen geboorterecht, maar wel een recht dat door de tijd was verkregen.

'Ik kan aan bijna niets anders denken,' zei ze.

'Ik neem aan dat het dom van me zou zijn om te hopen dat je van gedachten veranderd bent.'

'Zo zou ik het niet hebben uitgedrukt, maar het vat het wel samen, ja.'

'Ik heb een paar ongelooflijk koppige mensen meegemaakt in mijn leven, maar nog niemand als –' Hij zweeg. Hij schoot er niets mee op als hij haar beledigde. 'Luister, ik wil alleen maar het beste voor Kevin. Hij heeft niet alleen een moeder, maar ook een vader nodig. Ik ben niet van plan hem van je af te nemen. Ik wil alleen deel uitmaken van zijn leven, hem een deel van mijn leven laten worden.'

'Als je werkelijk het beste wilde voor Kevin, zou je hier niet zijn. Het zal zijn leven niet verbeteren als er plotseling een vader in verschijnt; het zal hem alleen maar in de war brengen. Vooral een vader als jij.'

Hij kon zijn woede niet langer bedwingen. 'Waarom denk je dat jij zo goed weet wat voor soort vader ik zal zijn?'

Ze leunde tegen de deurpost en sloeg haar armen over elkaar. 'Iedere bewoner van deze stad die de kranten leest weet wat voor soort man je bent. Je woont in een glazen huisje, meneer Winter, en per ongeluk of met opzet laat je de gordijnen open zodat iedereen naar binnen kan kijken.'

Hij hief zijn handen op en kreunde zachtjes van afkeer. 'Geweldig. Mijn zoon wordt opgevoed door een partijlid van de morele meerderheid. Christus, mens, laat je altijd anderen voor je denken? Ben je niet in staat je eigen oordeel te vormen, op grond van wat je ziet en meemaakt, in plaats van wat je leest?'

Ze bleef onbewogen. 'Jij staat voor alles waar ik tegen ben,' zei ze effen, toen hij uitgesproken was.

Om de neiging te bedwingen zijn handen om haar keel te slaan, stopte hij ze in zijn zak. 'Zoals?' vroeg hij.

'De Auburn Dam, een nieuwe jachthaven in de Sacramento-rivier; belastingvoordelen voor de rijken; het kopen van politieke invloed, en als dat geen succes heeft, het gebruik van intimiderende tactieken om je zin te krijgen; je bij opbod verkopen als een stuk vlees – moet ik nog doorgaan?'

'Ik veronderstel dat het niet veel uitmaakt dat die veiling voor een liefdadig doel was,' zei hij. Hij kon het niet laten haar uit te dagen.

'Voor jou waarschijnlijk wel,' zei ze. 'Maar probeer dat maar eens uit te leggen aan een kleine jongen, die zijn vader heupwiegend over een podium ziet lopen voor een publiek van stomme wijven.'

'Ik neem aan dat je een van die gelegenheden weleens hebt bijgewoond?'

'Ik heb erover gelezen.'

'Aha, we zijn weer terug bij de kranten.' Hij sloeg zijn ogen neer, en dacht na over hetgeen ze gezegd had. 'En die intimiderende tactieken waarvan je zegt dat ik ze gebruik, daarover heb je zeker ook in de krant gelezen?'

'Ja.'

'En mijn anti-milieuhouding?'

'Ja.'

'Dat is het?'

'Is dat niet genoeg?'

Toen hij weer opkeek, zorgde hij ervoor dat er geen spoor van woede op zijn gezicht te zien was. 'Ik dacht alleen dat je het beste voor het laatst had bewaard. Maar waarschijnlijk heb je het artikel gemist waarin stond dat ik elke vrouw tussen de eenentwintig en vijftig die het aanzien waard is in deze staat heb geneukt.'

Ze staarde hem een paar seconden geshockeerd aan voor ze liefjes antwoordde: 'Maar we weten dat dat niet waar is, hè, meneer Winter?'

Hij was zo verbaasd door haar antwoord dat hij een seconde lang sprakeloos was. Hij had verwacht dat ze tegen hem op zou kunnen, niet dat ze hem zou overtroeven. 'Je weet net zo goed als ik dat je het geld niet hebt voor een lange strijd in de rechtszaal. Wat is er voor nodig om je de feiten onder ogen te laten zien?'

'Als je verder kon kijken dan je eigen egocentrische wereld, zou je beseffen dat waar ik voor vecht niets te maken heeft met geld of feiten of het rechtzetten van een oud onrecht. Ik hou meer van Kevin dan van mijn eigen leven. Ik zal alles doen wat nodig is om hem te beschermen.'

Hij kon niet langer met haar argumenteren. Ze had haar eigen kleine wereld geschapen en haar eigen soort fanatisme om die te beschermen. Zij was de beschermengel en hij de duivel. 'Het spijt me dat ik je lastig heb gevallen,' zei hij, zijn nederlaag erkennend. Hij wierp een laatste blik op haar en zag tot zijn verbazing een verblufte uitdrukking op haar gezicht.

Hij draaide zich om en liep terug naar zijn auto. Hij hoorde de deur achter zich dichtvallen. 'Binnenkort, Kevin,' beloofde hij. 'Heel gauw.'

Hoofdstuk dertien

Mason knikte toen Walt Bianchi aan de eettafel plaats nam. Rebecca had volgehouden dat niet zij, maar de directeur van Winter Construction aanwezig hoorde te zijn op de liefdadigheidsavond, waar de mensen kwamen die het in de society van Sacramento voor het zeggen hadden, en had erop gestaan dat Walt haar ticket kreeg. Ze had natuurlijk gelijk, maar ze was ook irritant zelfingenomen geweest met het feit dat ze eindelijk een excuus had om thuis te blijven met een van de tientallen ongelezen thrillers die ze in de loop der jaren had verzameld.

Mason hield zijn hand op om de kelner te beletten een nieuw glas wijn in te schenken. Hij had die avond al te veel gedronken, in een poging zijn woede op Chris Taylor af te reageren. Toen het duidelijk werd dat alcohol niet de oplossing was, en dat als hij nog meer dronk Kelly hem naar huis zou moeten rijden of hij een taxi zou moeten nemen, schakelde hij over op koffie.

Eén aspect van de avond was tenminste een aangename verrassing: Walt Bianchi was een meester in het manipuleren van een menigte. In nauwelijks drie uur had hij iedereen voor zich in weten te nemen, van de burgemeester tot de vrouw van Travis Millikin. Toen Mason hem vroeg wat hij vond van Linda Ronstadt, die die avond als entertainer zou optreden, had Walt gezegd dat hij het niet wist. Met een volkomen serieus gezicht had hij opgemerkt dat, als ze niets te maken had met de bouwwereld, hij geen tijd voor haar had.

Als Mason zich niet ongerust had gemaakt over Walts griezelige gelijkenis met zijn broer, zou hij zich meer hebben verheugd over zijn optreden. Nu betrapte hij zich erop dat hij twijfelde aan het gedrag van zijn jongste employé en zich achterdochtig afvroeg hoe de man zich zo gemakkelijk bij anderen in de gunst had weten te dringen. Hij vroeg zich zelfs af in hoeverre Bianchi hem zelf had gemanipuleerd, toen hij hem interviewde voor de baan.

Hij vond het afschuwelijk om aan de man te twijfelen, vooral om zo'n dubieuze reden. Mensen verdienden het om te worden beoordeeld naar wat ze deden, niet naar hun uiterlijk of naar wat anderen over hen zeiden.

Jammer dat Chris Taylor niet dezelfde theorie aanhing.

Verdraaid, hij was weer terug bij het punt waarop hij de avond was begonnen. Het ergerde hem dat ze niet in het hoekje van zijn brein wilde blijven waar hij haar had weggestopt. In plaats daarvan drong ze zich in elke gedachte, elke handeling.

'Hé, iemand thuis?' kirde Kelly in zijn oor. Ze gaf hem een arm en drukte haar borst tegen hem aan.

Hij boog zich lachend naar haar toe. 'Ik verwaarloos de mooiste vrouw die hier aanwezig is. Mijn excuses.'

'Excuus aanvaard.' Ze leunde met haar kin op zijn schouder en verwarmde zijn oor met haar adem. 'Hoe komt het dat ik het gevoel heb dat je je niet amuseert?'

'Omdat je niet alleen mooi, maar ook intelligent bent.'

'Hou op,' fluisterde ze lachend. 'Je maakt me geil.'

Er waren slechtere manieren om een avond te beëindigen.

Ze lachte verleidelijk. 'Geef me een paar minuten om afscheid te nemen, dan gaan we.'

Toen ze weg was, keek Mason naar Walt. 'Iets te weten gekomen?' vroeg hij.

Walt lachte. 'Dat is een van de dingen die me het meest in jou bevallen, Mason. Je gaat recht op je doel af.' Hij ging wat verzitten, zodat buitenstaanders hun gesprek niet konden volgen. 'Interessant is dat ik heb ontdekt dat je nog meer gevreesd en gehaat wordt door bepaalde mensen dan ik verwacht had. En dat zegt me dat ik de juiste keus heb gemaakt toen ik besloot waar ik wilde werken en voor wie ik wilde werken.'

'Dat is een interessante opmerking.' Het was precies de manier waarop hij zelf in een soortgelijke situatie zou hebben gereageerd.

'Tussen haakjes, wat is dat voor waterkantproject waarover ik de mensen hoor fluisteren? Ik herinner me niet dat je er iets over gezegd hebt toen je me aannam. Is me iets ontgaan?'

'Welke mensen?' vroeg Mason gespannen. Tot de afgelopen paar maanden waren zijn pogingen om het land langs de Sacramento-rivier te kopen door de andere bouwers als een grap beschouwd: Winter Wonderland noemden ze het project, ervan overtuigd dat als hij ooit toestemming kreeg zijn miniatuurstad binnen een stad te bouwen, hij failliet zou gaan of krankzinnig zou worden of – beter nog, wat hen betrof – allebei, voordat een van de gebouwen bewoond werd.

De problemen die verbonden waren aan het bouwen op de ecologisch gevoelige grond waren monumentaal. Het land werd beheerst door de bouwwetten van een stad en twee staten, en er was toestemming nodig zowel van een stadsbestuur, als van twee toeziende staatscommissies. Verder moest er onderhandeld worden met het State Flood Control Agency (het staatsbureau voor het voorkomen van overtromingen) en de Water Quality Control Board (de commissie voor controle op de kwaliteit van het water), om maar een paar te noemen. Het was niet zo verbazingwekkend dat iedereen, behalve Mason, het project het toppunt van waanzin leek te vinden, iets dat geen bouwer die bij zijn verstand was, zelfs maar in overweging zou nemen. En geen bank of spaar- of hypotheekbank zou er zelfs maar over denken zijn project te financieren, tenzij ze zich de federatie op hun hals wilden halen met vragen over hun leningspolitiek.

Toch had Mason volgehouden, ervan overtuigd dat hij het laatst zou lachen, met de zekerheid dat hij de vrije hand had wat het project betrof, omdat hij de enige was die het lef had ermee in zee te gaan – dat wil zeggen, tot zes weken geleden. Toen was hem langzamerhand informatie ter ore gekomen, die hem deed geloven dat nòg iemand de potentiële winst had onderkend van een projectontwikkeling van een terrein aan de rivier dat Mason als het zijne was gaan beschouwen.

Walt bracht zijn hand aan zijn gezicht alsof hij over zijn kin wreef, maar in werkelijkheid verborg hij zijn lippen, voor het geval iemand zou proberen hun gesprek af te luisteren. 'Ik geloof dat twee mensen in die groep op de een of andere manier met de gemeenteraad te maken hebben. Ik weet hun namen niet, maar ik kan je wel vertellen hoe ze eruitzagen. En ik hoorde wel dat een van hen de man met wie hij sprak Al Lowenstein noemde, en een ander Bart of Bert, of zoiets. Ik deed net of ik hen niet kon horen, maar zodra Lowenstein me herkende, ging hij op een ander onderwerp over.'

Mason knikte. De groep verbaasde hem niet, het onderwerp wel. Al en Bart konden samen nog niet de bouw van een winkelcentrum financieren; zij vormden geen bedreiging. Maar dat ze er genoeg over hadden gehoord om erover te praten, betekende dat de dreiging reëel was. 'Laat het me weten als je nog iemand anders hoort praten over dat project,' zei hij tegen Walt. 'En let goed op wàt er gezegd wordt.'

'Iets specifieks?'

De zorgvuldig verwoorde vraag was een hint om informatie, iets waartoe Mason nog niet bereid was. Hij wist niet zeker waarom hij Walt liever niet in vertrouwen nam; hij wist alleen dat als hij dat gevoel bleef houden, hij Walt beslist niet in vertrouwen zou nemen. 'Nee,' zei hij na een paar seconden. 'Vertel me alleen alles wat je hoort.'

Mason rook de geur van Kelly's parfum een halve seconde voor ze arriveerde. 'Klaar?' vroeg hij.

Ze streek met de punt van haar tong langs haar lip. 'O, ja...' fluisterde ze, zodat alleen hij het kon horen. Glimlachend leunde ze tegen hem aan en gaf hem een snelle zoen op zijn wang. 'Meer dan,' ging ze op hese toon verder.

Mason keek naar Walt. 'Ik zie je maandag op kantoor,' zei hij.

'En als de rest van de avond interessant zou blijken te zijn?'

Mason besefte dat Walt, om zich te bewijzen, zou blijven tot er alleen nog maar dronken mannen en kelners over waren. Alweer, het was precies wat hij in Walts plaats zou hebben gedaan; dat beviel hem. 'Bel Rebecca. Zij weet hoe ze me moet bereiken.'

Hij wijdde zijn aandacht weer aan Kelly en gaf haar een arm, terwijl ze door de eetzaal liepen. Hij knikte naar degenen die hij kende, glimlachte naar bekende gezichten, en bleef twee keer staan om informatie door te geven aan mensen die hij een tijd niet gezien had.

Toen ze uit de airconditioned hal in de warme buitenlucht kwamen, viel alles wat er van de partysfeer was blijven hangen van hen af. De hitte omgaf hen op sensuele wijze, maakte hen erop attent dat ze te goed gekleed waren voor de avondlucht. Het was een moment om de autoramen te openen en hun zinnen te laten strelen door de wind.

'Heb je nog steeds dat kuuroord?' vroeg Mason, terwijl ze wachtten tot hun auto werd voorgereden.

'En de perfecte cabernet sauvignon. Persoonlijk door ondergetekende uit Frankrijk meegebracht.'

Kelly had een reisbureau en was even vaak buiten als in de stad. Hoewel hij normaal de voorkeur gaf aan Californische wijnen, wist hij dat hem iets bijzonders te wachten stond als Kelly de moeite nam iets mee naar huis te nemen.

Zijn blik ging naar haar volle borsten die opzwollen boven de smaragdgroene jurk. De moeite die Kelly deed om haar lichaam even fit en slank te houden als het was toen ze als studente kampioene rugzwemmen was, zorgde niet alleen voor een strakke, stevige huid, het gaf een sensuele, atletische gratie aan haar bewegingen. Hij vond dat soort zelfvertrouwen ongelooflijk sexy.

Maar het was niet het prachtige lichaam of het mooie gezicht alleen dat Mason tot Kelly aantrok. Het was zelfs niet de seks, die tot de beste behoorde die hij ooit had gehad met een vrouw die hij niet liefhad. Het was het feit dat het samenzijn met haar ongecompliceerd was. Als deze avond net zo verliep als alle andere die ze samen hadden doorgebracht, zouden ze een paar uur ongeremde, soms ongelooflijke, wilde seks met elkaar hebben en de volgende ochtend als vrienden scheiden. Het liet beiden onverschillig als ze elkaar maanden niet zagen. Geen banden, geen gekwetste gevoelens.

Het was precies de relatie die Mason nodig had, en de enige soort die hij ooit nog wilde. Hij had liefde gekend in het huwelijk en erbuiten, en hij had het verdriet gekend toen beide relaties eindigden. De toppunten waren fantastisch, maar de dieptepunten hadden bijna zijn dood betekend.

Hij sloeg zijn arm om Kelly heen, trok haar tegen zich aan en voelde haar hitte door zijn smoking heen. Het wekte een begeerte bij hem op, die zo plotseling en zo intens was dat het hem bijna overweldigde. Als hij niet de motor van zijn Porsche had gehoord, die werd voorgereden, zou hij de rit naar huis hebben vergeten en haar hebben meegenomen het hotel in.

Ze keek lachend naar hem op. 'De goede dingen komen voor degenen die geduld hebben, Mason.'

'Er ontgaat je niets, hè?'

Ze keek naar de bobbel in zijn broek. 'Sommige dingen zijn vrij duidelijk.'

Hij grinnikte. 'Ik heb je gemist,' zei hij, en gaf haar een zoen op haar voorhoofd.

'Niet lang meer,' antwoordde ze, en trok zijn hoofd omlaag naar haar opgeheven lippen. Ze duwde haar tong in zijn mond in een lange, innige kus.

Mason wenste zichzelf geluk met de schijnbaar ongedwongen manier waarop hij Kelly hielp instappen, de sleutels aannam van de parkeerwacht en het parkeerterrein afreed. Hij was verbaasd toen hij de plagende uitdrukking op Kelly's gezicht zag, toen ze voor het eerste rode licht stopten.

'Je denkt zeker dat je het hem geflikt hebt, hè?' zei ze.

'De parkeerwachter vermoedde niets.'

'Waarom veronderstel je dat hij dacht dat hij geen fooi kreeg? Omdat je zo'n haast had thuis te komen om Johnny Carson te zien?'

Mason dacht even na en lachte toen. 'Ik zal het de volgende keer goedmaken.'

Kelly trok haar rok op, pakte Masons hand en legde die op de binnenkant van haar dij. 'Leugenaar,' zei ze. 'Je hebt geen idee hoe hij eruitzag.'

Tegen de tijd dat ze in Kelly's duplexwoning waren, stonden ze op het punt om klaar te komen door het uitvoerige voorspel in de auto. Ze gooiden hun kleren bij de voordeur op de grond, lieten zich op het Perzische kleed voor de open haard vallen en maakten af waarmee ze in de auto begonnen waren. Ze stopten alleen lang genoeg voor het condoom dat Mason uit zijn broekzak haalde.

Toen de eerste storm van hartstocht bedaard was, ging Kelly schrijlings op hem zitten voor de laatste krampachtige schokken, terwijl ze tegen zijn erectie bewoog. 'Dat was goed,' zei ze, en spreidde haar vingers op zijn borst. 'Maar het was nog maar de hors-d'oeuvre.'

'Krijg je weleens een volledige maaltijd?' vroeg hij.

'Alleen met jou.' Ze pakte zijn tepels tussen haar vingers en wreef erover met cirkelvormige bewegingen. 'Als ik je kan overhalen me te vertellen hoe je erin slaagt de hele nacht stijf te blijven, zou ik er patent op nemen en voor de rest van mijn leven binnen zijn.'

Hij gleed met zijn handen langs haar dijen tot zijn duimen tegen haar vochtige plekje drukten. 'Jij maakt dat ik een stijve blijf houden,' zei hij.

Ze lachte. 'Als ik het ben, hoe komt het dan dat mijn magie bij anderen niet werkt?'

Hij kwam abrupt overeind en trok haar tegen zich aan. 'Ik kan het me niet voorstellen,' zei hij, en welfde zijn rug om haar borsten tegen zich aan te voelen.

'Wil je de wijn en even douchen? Ik voel me vanbuiten en vanbinnen nat en glibberig.' Ze zweeg alsof er plotseling een gedachte bij haar opkwam. 'Je blijft vannacht toch, hè?'

Het lag op het puntje van zijn tong om ja te zeggen, maar toen hij zijn mond opende, kwam er 'nee' uit. Hij was even verbaasd als zij.

'Het spijt me,' stotterde ze. 'Ik had aangenomen...'

Omdat hij geen idee had waarom hij had gezegd dat hij niet kon blijven, wist hij niet zo gauw een vlotte en logische reden te verzinnen. 'Het is mijn zoon,' zei hij ten slotte, en deed hen beiden opnieuw verbaasd staan.

'Welke zoon?' vroeg ze, achteroverleunend, zodat ze hem kon aankijken.

Hij aarzelde, onwillig om haar de bijzonderheden te vertellen. 'Het is een lang verhaal,' antwoordde hij ten slotte, terwijl er een glimp van begrip in hem opkwam die even onlogisch als voor de hand liggend was. Hij was nu vader, en in zijn gedachtengang ging een vader nu eenmaal niet naar het huis van een vrouw met de opzet de hele nacht te neuken. Hij keek naar Kelly en haalde hulpeloos zijn schouders op. 'Ik begrijp het zelf niet. Als ik het begrijp, zal ik het je vertellen.'

Ze staarde hem aan. Ten slotte maakte haar ergernis plaats voor frustratie, en toen voor berusting. 'Goed, wil je er nog één voor je vertrekt?'

Hij grinnikte. 'Je bedoelt toch een glas wijn, hè?'

'Verduiveld, nee!'

Hij nam haar in zijn armen. 'Goed.'

'Als het alles is wat ik krijg, zal dat wel móeten,' zei ze, en strengelde haar benen steviger om zijn middel.

Hij kuste haar, innig en vochtig en langdurig, zoekend naar vergetelheid. In plaats daarvan zag hij het beeld van Chris Taylor voor zich, zoals ze in haar voordeur stond en hem vertelde wat een immorele schoft hij was.

En dat was dan het einde van zijn prettige avond.

Hoofdstuk veertien

Chris leunde achterover in haar stoel en keek uit het raam. Na een hele ochtend achter de computer te hebben gezeten, was ze uitgeput, verveeld, en had ze geen enkel idee meer. Er was maar een beperkt aantal manieren waarop een accountantsfirma kon aankondigen dat ze een 'opwindende' nieuwe compagnon hadden aangenomen, die in werkelijkheid even saai was als alle andere accountants die voor Norman Johnston and Associates werkten. Het was Chris' taak om het te laten klinken of een nieuwe, avontuurlijke kruisvaarder zich in de strijd had geworpen tegen de duivelse fiscus. Het was een egotrip van de firma, telkens als er weer iemand bijkwam, meer ten bate van de oude employés wier namen en kwalificaties eveneens in het pamflet werden opgenomen, vermoedde Chris, dan voor de nieuwe associé.

Maar niemand had haar gevraagd om kritiek. Haar werk was het om de kopij te leveren. En omdat deze opdracht beter betaalde dan de meeste, en ze wanhopig verlegen zat om geld, paste het haar niet om te klagen.

Ze gaf zichzelf een paar minuten om de spinnewebben uit haar hoofd te verjagen voor ze weer aan het werk ging, en keek naar buiten, naar de overkant van de straat, waar de herfstwind de bladeren van de iep rukte en op het grasveld verspreidde. Oktober was een mooie maand in Sacramento. Het was een minder mooie maand geweest toen zij nog klein was, maar in de loop der jaren hadden de mensen geplant voor het seizoen, en nu waren de straten versierd met bomen in vurig rood en oranje en geel.

Kevin vond het heerlijk om door de knisperige, pas gevallen bladeren te hollen. Het geritsel onder zijn voeten ontlokte hem altijd weer een luid gejuich. De buren, voor het merendeel oudere echtparen die hun eigen kleinkinderen zelden te zien kregen, lachten om Kevins ondeugende spelletjes, en vonden het zelfs goed dat hij in hun bijeengeharkte stapels sprong, en lieten hem alleen helpen de bladeren later in zakken te bergen.

De buurt verschafte hem wat Chris hem niet kon bieden. De mensen die daar woonden kwamen het dichtst bij een uitgebreide familie voor Kevin.

Chris kromp ineen. Zo was het in ieder geval geweest tot Mason Winter in hun leven was gekomen. Ze verschoof op haar stoel en maakte zich gereed om verder te gaan met haar werk. Ze had de computer net aangezet toen de telefoon ging.

'Hallo,' zei ze.

'Chris, met Paul. Ik vrees dat ik slecht nieuws heb.'

Ze verstarde. 'Wat is er?'

'Mason heeft een ex parte-aanvraag ingediend en een tijdelijk recht gekregen Kevin te bezoeken.'

'Hoe?'

'Hoe, dat doet er niet toe. Als je je goed herinnert, heb ik je van begin af aan gewaarschuwd dat dit waarschijnlijk zou gebeuren. We hebben het zo lang mogelijk uitgesteld, Chris.' Hij zweeg even. 'Er is nog iets,' ging hij met tegenzin verder.

'Wat?' vroeg ze. Ze had het gevoel of een ijskoude vinger langs haar rug gleed.

'Hij dient niet alleen een aanvraag in voor een hoorzitting in verband met het bezoekrecht; hij vraagt ook de adoptie ongeldig te verklaren.'

'Kan hij dat doen?'

'Hij heeft het al gedaan. Maar dat wil niet zeggen dat hij het ook zal winnen,' ging hij snel verder.

Chris was te verbijsterd om onmiddellijk te kunnen antwoorden. 'Ik dacht dat hij Kevin alleen in de weekends wilde zien. Dat heeft hij tenminste aldoor beweerd. Weet je waarom hij van mening is veranderd?'

'Ik vermoed dat hij àlles vraagt, om het beetje dat hij wil hebben te krijgen, maar ik kan me vergissen. Vergeet niet dat ik de man nooit ontmoet heb. Jij wel. Wat denk jij?'

Ze dacht een paar seconden na voor ze antwoord gaf. 'Ik denk dat hij gewend is zijn zin te krijgen, en het kan hem geen moer schelen wie daarbij gewond raakt. Begrijp je nu waarom ik tegen hem moet vechten? Hoe kan ik Kevin aan de invloed van die man blootstellen? Hij mag dan een wettig recht hebben om zijn zoon te zien, ik heb een morele plicht het hem te beletten.'

'Chris, ik wil even met je praten als vriend,' zei Paul aarzelend. 'Ik weet waarom je dit doet, en ik respecteer je redenen...'

'Maar?' vroeg ze argwanend.

'Je begint een beetje scherp en verbitterd te klinken, en dat zal je zaak geen goed doen.'

'Hemel, Paul, we praten over mijn zoon! Hoe moet ik dan klinken?'

'Of je het prettig vindt of niet, Mason Winter is een zeer gerespecteerd lid van deze gemeenschap. Als je wilt bewijzen dat hij een ongeschikte vader is, zul je met heel wat meer bewijzen moeten komen dan wij hebben kunnen voorleggen.'

'Hoe kun je dat zeggen? Mason Winter staat voor alles –'

'Waar jij tegen bent, ik weet het. Maar denk eraan dat niet iedereen vindt dat "conservatief" een lelijk woord is, Chris. Veel rechters die deze zaak in handen kunnen krijgen, zouden je waarschijnlijk bekijken als een relikwie uit de jaren zestig. En wat betreft het aantal vrouwen waarmee hij gezegd wordt uit te gaan: hij is ongetrouwd en voor zover bekend zijn de vrouwen dat ook. Niemand zal zich daar erg over opwinden.'

'Wat probeer je me duidelijk te maken?'

'Dat je in dit geval moet toegeven, vooral omdat je geen keus hebt. Laat Mason Kevin een paar uur per week zien. Laten we iets doen om te bewijzen dat je redelijk bent en meewerkt. Ook al heeft de rechter dat niet speciaal vermeld, ik denk dat ik Mason wel kan overhalen jou erbij te laten zijn als hij Kevin meeneemt. Op die manier kun je zelf zien of hij werkelijk zo slecht is als jij je verbeeldt.'

'Me verbeeld?' stoof Chris op. 'Denk je dat ik me de invloed verbeeld die iemand als Mason kan hebben op een kind als Kevin?'

'Sorry, dat was een slechte woordkeus, maar ik moet het toch onder je aandacht brengen, Chris. Mason is Kevins vader. We weten allebei dat hij uiteindelijk het wettige recht zal krijgen zijn zoon regelmatig te bezoeken. We kunnen het onvermijdelijke maar tot op zekere hoogte uitstellen.'

'Dat is het nu juist. Hoe langer we het kunnen uitstellen, hoe ouder Kevin zal zijn. Op het ogenblik is hij te beïnvloedbaar. Hij is als een spons. Mason zou alles kunnen ondermijnen wat ik heb gedaan. Kinderen doen niet wat je zegt, Paul, ze doen wat jij doet.'

'Het enige dat ik suggereer is dat het misschien de manier is om de overgang voor jou en voor Kevin wat gemakkelijker te maken.'

'Maak je geen zorgen over mij. Ik heb me erbij neergelegd dat ik uiteindelijk het voogdijschap over Kevin zal verliezen.'

'Als je je daarbij hebt neergelegd... Laat maar.'

'Zeg het maar, Paul.'

'Ik vind het verschrikkelijk om te moeten zien dat je al het andere zult verliezen als het niet nodig is. Waar wil je het geld vandaan halen om een proces tegen hem te voeren, Chris?'

'Als het zover is, verkoop ik het huis.'

'Goeie God, dat kun je niet doen. Dat is alles wat je hebt.'

'Kevin is het enige belangrijke dat ik heb. Het huis betekent niets.'

Ze loog. Het huis was ook voor haar belangrijk. Maar omdat er geen enkele andere manier was om aan het geld te komen dat ze nodig had voor de gerechtelijke kosten, was het huis niet onmisbaar.

Ze had gedacht aan een tweede hypotheek, maar toen ze had berekend wat dat zou kosten, ontdekte ze dat ze die nooit zou kunnen betalen. Het enige gunstige was dat huizen in haar buurt bijna onmiddellijk nadat ze op de markt kwamen verkocht werden, vaak voor meer dan de vraagprijs, dus hoefde ze de verkoop nu nog niet te regelen. Een tijdje konden zij en Kevin nog van hun huis genieten.

'Er is nog iets waaraan je goed zult moeten denken, Chris, voor je het huis te koop aanbiedt. Het zal je zaak niet veel helpen als de rechter hoort dat je van plan bent Kevin voor je rechtszaak te laten betalen door hem naar een appartement of een andere woning in een minder gewenste buurt te verhuizen. De rechter zal zich geen moer van jouw gevoelens aantrekken. Kevin is de enige om wie het gaat. De jongen heeft een vader die bereid is zijn zoon de maan en de sterren te geven als hij erom vraagt. Als jij het huis verkoopt dat Kevin als zijn thuis beschouwt, alleen om op een bepaald punt te winnen, zul je overkomen als een egocentrische, manipulerende feeks die alles zal doen om een vader te beletten zijn zoon te zien.'

'Bedankt voor je vertrouwen.'

'Je bent bij mij gekomen omdat je wist dat ik volkomen eerlijk tegen je zou zijn, hoe moeilijk en hard het ook zou zijn of welke gevoelens ook in het geding waren. Dat is de manier waarop ik werk.'

'Maar ik zou je niet ontslaan als je een beetje medelijden en begrip toonde.'

'O, Chris, ik zou me dit niet méér kunnen aantrekken als je mijn eigen dochter was en Kevin mijn kleinzoon,' zei hij zacht.

'Ik weet het,' zei ze met een zucht. 'Maar het is soms zo moeilijk. Ik denk steeds weer dat ik op een goed moment uit deze nachtmerrie wakker zal worden, maar hij blijft maar doorgaan.'

'Ik stel voor dat je Kevin vertelt dat Mason zijn vader is, voordat ze elkaar ontmoeten,' zei Paul, het gesprek terugbrengend op het oorspronkelijke onderwerp.

'Ze hebben elkaar al ontmoet, maar je hebt gelijk. Als ík het hem niet vertel, zal Mason het doen, en ik denk dat het beter is als Kevin de waarheid van mij hoort.'

'Kan ik iets doen om te helpen?'

Chris was realistisch genoeg om te weten dat het moment moest komen waarop ze Kevin zou vertellen dat zijn vader nog leefde en hem wilde zien, maar ze had dom genoeg gehoopt dat ze jaren de tijd zou hebben om zich op die dag voor te bereiden. 'Denk je heus dat je Mason kunt overhalen mij met hem en Kevin mee te laten gaan?'

'Ik kan het proberen.'
'Hoeveel tijd heb ik nog?'
'Hij wil Kevin zaterdag zien.'
De woorden troffen haar als een por in haar maag. 'Dat is over twee dagen!'
'Ik weet zeker dat Mason en zijn advocaat je wilden overrompelen. Zorgen dat je tegenstander niet op zijn hoede is, een klassieke strategie.'
'Bestaat er ook niet zoiets als bezit is negen tiende van de wet?' vroeg ze wrang.
Hij zuchtte. 'Ik wou dat ik meer voor je doen kon, Chris.'
Ze leunde achterover in haar stoel en sloot haar ogen. 'Ik ook, Paul,' zei ze zacht. Ze hoorde de claxon van Mary's auto voor de deur, om Chris te laten weten dat ze de kinderen van school had gehaald en Kevin bij de voordeur had afgezet. 'Ik moet ophangen. Kevin is thuis en de deur is dicht.'
'Ik bel je terug zodra ik Masons advocaat heb gesproken. Is twaalf uur bij jou thuis oké voor zaterdag?'
'Ja, uitstekend – als er geen manier is om het bezoek uit te stellen,' ging ze verder, heel goed wetend dat hij zou doen wat hij kon. Maar ze kon het niet laten hem eraan te herinneren hoe belangrijk dit alles voor haar was.
'Ik zal doen wat ik kan, maar reken nergens op.'
'Dank je, Paul.' Ze hing op en holde naar de deur, waar Kevin op het punt stond aan te bellen. 'Ik ben thuis,' zei ze hijgend.
'Dat weet ik,' zei hij, en overhandigde haar een nog vochtig blad papier met een pompoenveldje dat hij die ochtend geschilderd had.
'O? Hoe wist je dat?' vroeg ze, terwijl ze zich bukte en hem een snelle zoen gaf. Ze moest zich inhouden om hem niet tegen zich aan te drukken en zich aan hem vast te klampen. Ze wist dat ze hem daarmee alleen maar bang zou maken en hem zou alarmeren dat er iets aan de hand was.
'Je bent er toch altijd als ik thuiskom,' zei hij logisch.
'Prettige dag gehad?'
Hij kronkelde zich langs haar heen en liet zijn rugzak op een stoel vallen. 'Eh-eh.'
'Wat heb je gedaan?'
'Een heleboel.'
Ze had hard gewerkt om Kevin zekerheid te geven. Hij wist absoluut zeker dat ze er altijd voor hem zou zijn, dat hij erop kon rekenen dat ze hem zou beschermen en behoeden tegen pijn, en dat haar liefde onvoorwaardelijk was. 'Wat dan?' vroeg ze, zich houdend aan het dagelijkse ritueel.

'Juffrouw Abbott heeft een pompoen in stukken gesneden en wij hebben hem gekookt.'

Chris pakte zijn rugzak en borg hem in de kast. 'Heb je er iets van gegeten toen hij gekookt was?'

Hij trok een vies gezicht. 'Hij smaakte niet lekker. Juffrouw Abbott zei dat we er morgen een hoop andere dingen in doen en er dan taarten van gaan bakken. Ik heb gezegd dat jij die moest maken, want dat jij de lekkerste taarten ter wereld maakt.'

Chris lachte. 'Wat zei ze toen?'

'Dat je ons kon helpen met het Thanksgiving-feest.'

Ze kon zich niet langer weerhouden hem aan te raken, bukte zich en tilde hem op. 'Ik heb je gemist vandaag,' zei ze, en gaf hem een zoen op het puntje van zijn neus.

'Wat heb je gedaan terwijl ik op school zat?'

'Ik heb de hele ochtend gewerkt.'

Een knagend inwendig stemmetje zei dat als ze het hem wilde vertellen, ze dat zo gauw mogelijk moest doen. Hij zou honderd vragen hebben die niet allemaal tegelijk bij hem zouden opkomen. Het was belangrijk dat ze de tijd had om ze allemaal te beantwoorden. Ze haalde diep adem en zei: 'En vlak voordat je thuiskwam, belde Paul Michaels.' Ze zweeg even. 'Herinner je je meneer Michaels nog?'

'Dat is die man die jou heeft geholpen me te adopteren.'

'Ja.' Het begin was er, maar hoe moest het nu verder? 'Hij had me iets heel speciaals te vertellen, iets dat ook jou aangaat. Het gaat over meneer Winter. Herinner je je meneer Winter?'

Kevin schudde zijn hoofd.

'We hebben hem een paar weken geleden op het vliegveld ontmoet,' zei Chris. 'Hij is hier ook een paar keer geweest.'

'O, ja.'

Ze zette Kevin neer en liep met hem naar de keuken, waar ze een appel uit een rieten mand op het aanrecht pakte, waste en in vieren sneed, een routinekarweitje om tijd te winnen, om te bedenken wat ze precies moest zeggen. 'Meneer Winter wil je graag zien,' zei ze ten slotte.

Kevin nam een hap van zijn appel, kauwde en vroeg toen: 'Waarom?'

'Hij vindt dat je iets heel bijzonders bent, en hij...' Hij wat? Ze wist dat de grond onder Kevins voeten op het punt stond weg te zakken en kon de woorden niet vinden om voor een vangnet te zorgen. 'Denk je weleens aan je mama Diane?' vroeg ze. Ze besloot het vanuit een andere hoek te benaderen.

'Soms. Meestal als ik naar haar foto kijk.'

'Denk je ooit weleens aan de man van wie ze hield en die je papa was?'

Hij hield op met kauwen en keek haar aan. 'Soms praat ik met Tracy over hem.'

'Hoe zou je het vinden als je je papa kon zien?' Hemel, ze vond het vreselijk om op die manier over Mason Winter te moeten praten. Hem 'papa' te noemen tegenover Kevin gaf hem een legitimiteit die hij niet verdiend had.

Kevin dacht even na over haar vraag. 'Zou hij op oom John lijken?'

Chris schudde droevig het hoofd. 'Er is niemand op de hele wereld die op oom John lijkt. Net zo min als er iemand is die op jou lijkt,' ging ze haastig verder, toen ze zich realiseerde hoe negatief haar opmerking kon klinken. 'Maar ik weet zeker dat je papa op zijn eigen manier even aardig kan zijn.'

'Is meneer eh...' Hij deed zijn best zich de naam te herinneren. 'Is de man van de luchthaven mijn papa?'

'Ja,' gaf ze met tegenzin toe. 'Meneer Winter is je vader.'

Kevins gezicht begon te stralen. 'Wanneer komt hij hier wonen?' vroeg hij.

Chris staarde hem met open mond aan. Ze had honderd vragen verwacht, maar dit was geen moment bij haar opgekomen.

Hoofdstuk vijftien

Chris kwam de volgende ochtend net onder de douche vandaan toen Paul Michaels belde.

'Ik ben bang dat het niet doorgaat, Chris,' zei hij. 'Masons advocaat vertelde me dat je houding in het verleden elke eventuele bereidheid tot medewerking teniet heeft gedaan. Hij vindt het absoluut niet goed dat je meegaat met Mason en Kevin.'

Chris hield de hoorn tussen haar schouder en oor terwijl ze een handdoek om zich heen sloeg. Ze liet de thermostaat op zestienenεenhalve graad staan om geld te sparen, maar in een huis dat dringend behoefte had aan isolatie, leek het meer op elf graden. 'Dat waren zijn exacte woorden – dat ik elke eventuele bereidheid tot medewerking teniet had gedaan?' zei ze. 'Als hij soms denkt –'

'Kalm een beetje, Chris. Ik heb gezegd dat ik zou proberen zijn goedkeuring te krijgen. Ik heb het geprobeerd en hij zegt nee. Vergeet niet dat het maar een kleine kans was.'

'Hoeveel tijd mag hij met Kevin doorbrengen?'

'Twee uur.'

'Verdorie, in twee uur kan er van alles gebeuren.'

'Heb je het al aan Kevin verteld?'

'Gisteren.' Ze wreef over het kippevel op haar armen, om te proberen warm te worden.

'Hoe reageerde hij?'

'Al te goed, naar mijn smaak.' Ze dacht over haar verklaring na. 'Nee, dat meen ik niet. Hij is enthousiast dat hij een vader heeft en hij wil hem dolgraag ontmoeten.'

'Ik hoop dat je verstandig genoeg bent om te beseffen wat een compliment dat is voor de manier waarop je hem hebt opgevoed. Je hebt fantastisch werk gedaan, Chris. Kevin is zo ongeveer het gelukkigste en evenwichtigste kind dat ik ooit heb gezien.'

'Ik hoop alleen maar dat ik het zo kan houden. Daar zal ik alles voor doen wat nodig is.'

'Ook Mason in zijn leven toelaten?' informeerde Paul voorzichtig.

'Er zal heel wat voor nodig zijn om me ervan te overtuigen dat het één niet automatisch het ander uitsluit.'

'Bel me en laat me weten hoe het bezoek is afgelopen.'

'Dat zal ik doen,' beloofde ze. Ze hing op, holde naar de slaapkamer en wikkelde het dekbed dat op het voeteneind van het bed lag om haar bevende lijf. Het duurde even voor ze besefte dat ze niet alleen beefde van de kou. Toen stond ze op en kleedde zich aan, vastbesloten niet toe te geven aan de neiging zich op te rollen in een foetushouding en medelijden te hebben met zichzelf.

De volgende ochtend, een uur voordat Mason zou arriveren, zette Chris de thermostaat op tweeëntwintig graden. Hij mocht niets merken van haar bezuinigingen. Kevin droeg een nieuwe Oshkosh spijkerbroek en een rood-blauw gestreept T-shirt. Ze had zelfs het leren vliegjack te voorschijn gehaald dat ze afgelopen zomer in de uitverkoop had gekocht en had weggelegd als kerstgeschenk.

De zon was pas een paar uur op toen ze besefte dat ze het jack beter had kunnen bewaren. Het zou een van Sacramento's schitterende nazomerse dagen worden, geen weer voor jassen.

Voor zeker de tiende keer in de afgelopen twintig minuten stond Kevin op van de bank waarop hij naast Chris zat en tuurde door de gordijnen. 'Wat voor auto heeft hij?' vroeg hij weer.

Ze liet de krant zakken en keek hem aan. 'Hij heeft een rode sportauto en een grote gele truck,' antwoordde ze.

'Niet een groene auto met een zwart dak?'

'Nee – tenminste, die heb ik nooit gezien.'

'O,' zuchtte hij teleurgesteld, en schuifelde weer terug.

Ze trok haar voeten onder zich vandaan en nam hem op schoot. 'Hij komt heus wel, Kevin,' zei ze. Ze sloeg haar armen om hem heen en legde haar kin op zijn schouder. 'Het is nog geen tijd.'

'Vertel eens wat meer over hem,' drong hij aan.

'Ik heb je alles verteld wat ik weet.'

'Vertel het nog eens.'

Ze sloot haar ogen en bad in stilte om geduld. Twee dagen lang aardige dingen vertellen over Mason had een bittere smaak in haar mond achtergelaten. Vooral na Pauls telefoontje de vorige dag. 'Wat wil je horen?'

'Dat hij niet wist dat ik geboren was.'

Ze leunde achterover en trok Kevin dicht tegen zich aan. 'Je mama Diane had hem een brief geschreven, waarin ze hem alles over jou vertelde, maar om de een of andere reden is die brief nooit gepost. Dus al die tijd wist hij niet dat hij een zoontje had.'

'Dat precies op hem lijkt,' vulde Kevin aan.
'Dat veel op hem lijkt,' verbeterde Chris hem.
'Wat gebeurde er toen?'
'Hij ontving de brief pas vijf jaar later dan hij bezorgd had moeten zijn, en toen je papa ontdekte dat hij een zoon had, wilde hij hem heel graag zien.'
'Hij heeft me al gezien.'
'Hij wil je vaker zien en je vriend worden.'
'Wil hij ook jouw vriend worden?'
Ze kon niet tegen hem liegen, er zelfs niet omheen draaien, het was te belangrijk. 'Ik geloof het niet, Kevin,' zei ze.
Hij leunde achterover zodat hij haar kon zien. 'Waarom niet?'
'Herinner je je nog dat Melissa's vader en moeder gingen scheiden?'
Hij knikte.
'Dat deden ze omdat ze elkaar niet aardig meer vonden, maar ze bleven wel van Melissa houden.' Ze kreeg niet het onmiddellijke begrip waarop ze gehoopt had en probeerde het op een andere manier. 'Je weet toch hoe aardig je David vindt?'
Weer knikte hij.
'En dat Tracy hem helemaal niet aardig vindt?'
'Ze vindt hem een oen.'
'Nou, jij vindt hem wèl aardig en zij niet, maar dat heeft niets te maken met wat Tracy en jij voor elkaar voelen. Je vader en ik hoeven elkaar niet aardig te vinden om van jou te houden.'
'Bedoel je daarmee dat hij niet hier bij ons komt wonen?'
'Ik dacht dat misschien –'
'Ik weet wat je denkt.' Nu tenminste wel. 'Maar dat zal nooit gebeuren. Je mama Diane hield van Mason, Kevin, ik niet.'
'Maar je kunt toch van hem gaan houden.'
In geen miljoen jaar, gilde ze inwendig. Tegen Kevin zei ze alleen: 'Hij is mijn type niet.' Om te voorkomen dat hij erop door zou gaan, veranderde ze van onderwerp. 'Heb je Tracy verteld over je nieuwe vader?'
'Ze vindt het klote.'
'*Kevin!*' riep ze geschrokken uit. 'Waar heb je in vredesnaam dat woord vandaan?'
Hij keek oprecht verbaasd dat ze zo verontwaardigd was. 'Van Mark, op school. Die zegt het voortdurend.'
'Nou, ik wil je dat nooit meer horen zeggen.' Zodra de zin eruit was, besefte ze de mogelijkheid die ze voor hem open had gelaten. Als het in zijn kraam te pas kwam, kon Kevin iets heel letterlijk opvatten.
De deurbel ging, en ze schrok op. Ze keek op de klok. Geweldig,

dacht ze, inwendig ziedend, perfect, geweldig. Juist toen ze bezig was Kevin een standje te geven, kwam Mason opdraven.

Kevin sprog van haar schoot en holde naar de deur.

'Stop!' zei ze zo luid ze kon, zonder te worden gehoord door iemand die voor de deur stond.

Ze holde achter hem aan en pakte zijn arm vast. 'Gebruik dat woord alsjeblieft nooit meer waar iemand bij is tot we een kans hebben erover te praten.' Het lag op het puntje van haar tong eraan toe te voegen 'vooral niet in bijzijn van je vader', maar ze bedacht zich. Het laatste wat ze wilde was hem opzadelen met speciale instructies hoe hij zich moest gedragen als Mason erbij was.

Chris gaf Kevin een zacht duwtje naar de deur toen ze zijn arm losliet. 'Vooruit,' zei ze, terwijl ze een stap achteruit deed. 'Nu mag je opendoen.'

Mason slikte even. Hij hief zijn hand op om zijn das recht te trekken, en bedacht toen dat hij er geen droeg. Hij was in heel lange tijd niet zo nerveus geweest, niet sinds die dag in de rechtszaal toen hij voor het eerst zijn vader en broer had getrotseerd in het proces dat hij tegen hen had aangespannen. Als blikken konden doden, zou hij die dag niet hebben overleefd. Maar hij hàd het overleefd. Hij was die dag doorgekomen en hij zou ook deze dag doorkomen. Per slot was het maar een vijfjarig jongetje dat hij vanmiddag onder ogen moest komen, niet twee mensen die hem het liefst dood zagen neervallen.

Het was moeilijk te geloven dat hij bijna vijf maanden na zijn ontdekking dat hij een zoon had, eindelijk wat tijd met hem zou doorbrengen. Zelfs de zorgvuldige instructies waarmee Rebecca en Travis hem hadden overladen, hadden zijn nervositeit niet kunnen verminderen. Hij had geen flauw idee wat jongetjes van vijf wilden doen of waarover ze praatten.

Hij keek op toen de deur openging. Kevin begroette hem met een stralende lach, die zijn zorgen als sneeuw voor de zon deed verdwijnen. 'Hoi,' zei Mason. 'Ik ben –'

'Ik weet wie je bent,' viel Kevin hem opgewonden in de rede. 'Je bent mijn papa.'

Dus ze had het hem verteld. Daar was hij haar dankbaar voor, en hij mocht niet vergeten haar dat te zeggen. Hij lachte terug naar Kevin. 'Op weg hierheen kwam ik langs een park, en ik dacht dat we daar misschien naartoe konden om een tijdje te praten en elkaar wat beter te leren kennen.' Rebecca was onverbiddelijk geweest in haar waarschuwing dat hij Kevin niet mee moest nemen naar een plaats waar het lawaaierig of druk was of waar te veel activiteiten waren om rustig met elkaar te kunnen praten.

'Mama heeft geen lunch voor me klaargemaakt, omdat ze zei dat je waarschijnlijk ergens met me zou gaan eten.'

'Lunch lijkt me een goed idee.' Mason keek op en zag Chris in de schaduw staan. 'Zin om mee te gaan?' bood hij aan.

De uitdrukking op haar gezicht bewees dat ze daar niet op gerekend had. 'Maar je advocaat zei –'

'Ik weet wat mijn advocaat heeft gezegd, maar in dit geval sprak hij niet uit mijn naam.' Mason had besloten dat de beste manier om Chris aan te pakken was haar te overrompelen. Hij had alle hoop opgegeven op verstandelijk niveau met haar te kunnen praten. Bovendien zou het geen kwaad kunnen haar die eerste keer erbij te laten zijn. Misschien kreeg hij dan een paar aanwijzingen hoe hij met Kevin om moest gaan, waardoor volgende uitstapjes voor beiden gemakkelijker zouden zijn. 'Ik was de stad uit toen Paul Michaels belde om je verzoek over te brengen en had geen gelegenheid om hem zelf te woord te staan.'

'Ik ben er niet op gekleed om uit te gaan,' zei ze beduusd. 'Als je me een paar minuten de tijd geeft, zal ik even wat anders aantrekken.'

Ze droeg een blauwe spijkerbroek en een crèmekleurige kabeltrui, en hij vond dat ze er heel goed uitzag, maar hij had geleerd dat het zinloos was om met vrouwen te discussiëren over de vraag of ze al dan niet de juiste kleding aan hadden. Het leek logisch dat Chris net zo zou denken als Diane, die opvallend kritisch was geweest ten opzichte van haar uiterlijk, altijd had volgehouden dat ze er zo perfect mogelijk voor hem uit wilde zien, en weigerde te geloven dat hij haar even mooi zou hebben gevonden als ze een oude zak had gedragen. 'Ik wacht wel,' zei hij.

'Ga mee naar binnen,' drong Kevin aan. 'Dan zal ik je mijn kamer laten zien.'

Mason keek even naar Chris om bevestiging te vragen van de uitnodiging. Ze aarzelde een onderdeel van een seconde en knikte toen. 'Ik wil je kamer graag zien,' zei hij tegen Kevin.

Toen hij Kevin door het huis volgde, nam hij de tijd om zijn omgeving op te nemen. Hij zag dingen die hem de laatste keer dat hij hier geweest was niet waren opgevallen, en catalogiseerde alles in gedachten, voor later gebruik. De inrichting was aardig, maar goedkoop, op een paar antiquiteiten na, die authentiek waren. De schilderijen aan de muren, voornamelijk oorspronkelijke aquarellen met een paar ondertekende en genummerde litho's, waren ook niet slecht, maar voor zover hij kon beoordelen weinig opmerkelijk. Als Chris Taylor over geld beschikte, had ze het niet aan het huis besteed.

Kevin bracht hem naar een slaapkamer aan het eind van de gang, ging naar binnen en wees Mason dat hij op het bed moest gaan zitten. In plaats daarvan schoof Mason een stoel bij, die achter het bureautje stond. Hij wilde niet dat Chris binnen zou komen en hem ervan beschuldigen dat hij niet alleen Kevins leven, maar ook zijn bed in de war schopte.

De posters aan de muren waren van verschillende bedreigde diersoorten: walvissen, Afrikaanse olifanten, wolven en zeeotters. Op de spiegel was een sticker van Greenpeace geplakt en er waren planken vol met boeken en knuffeldieren. Mason glimlachte ongelovig. Chris was een moderne versie van een hippie en voedde haar zoon op om in haar voetsporen te treden. Hij was haar type zijn leven lang tegengekomen. Niet dat ze verliezers waren, ze telden gewoon niet mee. Ze draafden rond met hun protestborden, klopten elkaar goedkeurend op de schouder als ze tien tijgers redden, en vergaten de tienduizend mensen die geen dak boven hun hoofd hadden en verhongerden.

'Hier bewaar ik mijn honkbalplaatjes,' zei Kevin, en haalde een doos uit de kast. 'Mam vindt ze stom, maar ik mag ze toch verzamelen.'

'Hou je van honkbal?' vroeg Mason hoopvol. Het was weliswaar niet zijn lievelingssport, maar hij zou kunnen leren ervan te houden ter wille van Kevin.

'Eh-eh,' antwoordde Kevin. 'Ik hou alleen van de plaatjes.' Hij lachte. 'En het klapkauwgom.'

'En Amerikaans football?'

'Ik kijk soms met oom John. Hij is er dol op. Hij wil mij en Tracy een keer meenemen naar San Francisco om de Forty-Niners te zien spelen.'

'Ik wist niet dat je moeder een broer had,' zei Mason.

Kevin fronste zijn wenkbrauwen. 'Die heeft ze ook niet. Ze had een zus... mijn mama Diane. Maar die is gestorven.'

'Zijn oom John is een vriend,' zei Chris koel, terwijl ze op de drempel verscheen.

Mason keek haar vragend aan. 'Van jou of van hem?'

Ze ergerde zich aan de daarin opgesloten vraag. 'Van allebei.'

'Ik begrijp het.'

'O, ja?'

Kevin kwam tussen hen in staan. 'Hij is Tracy's papa,' verduidelijkte hij.

'Misschien kunnen we beter gaan,' zei Mason, terwijl hij opstond. 'We hebben maar een paar uur,' ging hij verder, met een nadrukkelijke blik op Chris.

'Ja,' gaf Chris toe. 'Het is verbazingwekkend hoe snel de uren soms kunnen gaan.'

Mason ging met hen lunchen op de *Delta King*, een verbouwde rivierboot die aan een pier in Oud-Sacramento lag. Tot Masons verbazing koos Kevin niet een hamburger met frieten, maar grote garnalen. Hij deed niets van wat Mason dacht dat normaal was voor een vijfjarig kind. Hij had betere manieren en was beleefder dan hij, zoals Rebecca hem op het hart had gedrukt, ook maar enig recht had te verwachten; hij had geen van de indringende vragen gesteld waar hij zich op had voorbereid, en evenmin was er sprake geweest van de pijnlijke verlegenheid die hij onder de omstandigheden bijna onvermijdelijk had geacht. Het was duidelijk dat Chris een hoop tijd met Kevin had doorgebracht en hem de liefde en het gevoel van veiligheid had gegeven die nodig waren om de wereld met zelfvertrouwen tegemoet te treden.

Mason was geïntrigeerd door zijn zoon. Hij was intelligent, kon zich goed uitdrukken en had voor alles belangstelling. Hij was razend enthousiast toen ze langs het geraamte van het Capital Court Hotel reden en Mason hem had verteld dat het gebouw van hem was. In zijn blijdschap over Kevins enthousiasme had Mason hem ook verteld dat ze met de bouwlift naar de bovenste verdieping konden en daar heel Sacramento konden zien. Kevin was diep onder de indruk en wilde er het liefst diezelfde middag nog naartoe.

Later, toen ze gedrieën van de parkeerplaats naar het restaurant liepen, had Chris hem kalm verteld dat ze niet wilde dat Kevin op een bouwplaats kwam en dat hij zou moeten wachten tot het hotel klaar was voor hij zijn zoon zelfs maar in de buurt ervan mocht brengen.

Terwijl ze op hun lunch wachtten, vroeg Mason aan Kevin of hij weleens geskied had. Hij zei dat hij het nog nooit had gedaan, maar dat een hoop vriendjes van hem geregeld gingen skiën en dat hij op een dag met ze mee wilde. Toen Mason vroeg of hij die winter met hem mee wilde, straalde Kevin.

Later, toen Kevin opstond om uit het raam te kijken naar een voorbijvarende cruiseboot, zei Chris tegen Mason dat ze niet wilde dat Kevin ging skiën, omdat ze hem te jong vond en de sport te gevaarlijk.

Toen Kevin nog aan zijn dessert zat en de twee uur die ze van huis weg waren zich uitbreidden tot drie, opperde Chris dat het tijd was om op te stappen. Op weg naar huis begon Kevin te praten over een jongen op school die probeerde zijn zin te krijgen door iedereen te slaan.

'Ik heb eens precies zo'n jongen gekend,' zei Mason, zonder erbij te zeggen dat het kind zijn broer was geweest.

'Wat heb je toen gedaan?' vroeg Kevin.

'Toen ik groot genoeg was om terug te slaan, heb ik hem een blauw oog geslagen.'

Chris onderdrukte een kreet. 'Geweld kweekt alleen maar nog meer geweld,' zei ze. 'Het lost niets op.'

'Het maakte dat dat kind me nooit meer heeft geslagen,' antwoordde Mason.

'Toch was het verkeerd,' hield Chris vol. 'Het is precies dat soort houding –'

'O, mijn God,' kreunde hij. 'Je bent er niet alleen op uit om al het onrecht in de wereld recht te zetten, je bent ook een van die mensen die denken dat je een tank kunt tegenhouden door ervoor te gaan liggen. Maar eigenlijk begrijp ik niet waarom het me nog verbaast. Het klopt allemaal precies.'

Kevin luisterde aandachtig naar hun woordenwisseling, en draaide zijn hoofd heen en weer alsof hij naar een tenniswedstrijd keek. 'Mam wil niet dat ik mensen sla,' zei hij tegen Mason. 'Ze zegt dat je als iemand zich zo gedraagt, niet meer met hem moet spelen. Als niemand dan meer hun vriendje is, houden ze vanzelf wel op met mensen slaan.'

'Je moeder heeft fraaie theorieën, Kevin.'

'Wat betekent "fraaie theorieën", mam?' vroeg Kevin.

Chris keek met een vernietigende blik naar Mason. 'Hij bedoelt dat ik gelijk heb, schat.'

Ze sloegen de hoek van Forty-second Street om en reden de straat in. 'Kijk!' riep Kevin uit. 'Daar is Tracy.' Hij boog zich langs Chris heen en zwaaide. Zodra Mason met de truck gestopt was, maakte Kevin zijn riem los en riep luidkeels dat hij eruit wilde. 'Mag ik naar Tracy, mam? Ik wil haar vertellen over onze lunch op de boot.'

Ze deed het portier open, stapte uit en strekte haar armen uit om Kevin uit de auto te tillen. 'Goed,' zei ze. 'Maar niet langer dan een uur. Zeg tegen tante Mary dat ze je om vier uur naar huis stuurt.'

Kevin was de straat al af nog voordat Mason om de truck heen was gelopen. Chris draaide zich naar hem om. 'Je ziet waar zijn prioriteiten liggen,' zei ze.

'Ik kan niet zeggen dat ik veel bewondering heb voor je stijl van vechten. Doe iemand geen pijn met je vuisten, maar verwond hem zoveel mogelijk met je tong. Is dat het idee?' vroeg hij, niet het minst uit het veld geslagen door het feit dat Kevin wegholde zonder afscheid te nemen. Hij had een intuïtief begrip voor het ongeduld van de jongen om naar zijn vriendinnetje te gaan. Bovendien was hij na de drie uur die hij net met Chris had doorgebracht, meer dan bereid en verlangend om de strijd met haar op te nemen, en dat kon het best in Kevins afwezigheid. 'Ik kan niet geloven dat jij dezelfde vrouw bent over wie Diane het had.'

'Dat is dan in orde, want ik kan me ook niet voorstellen wat zij in jou zag.'

'Het verbaast me dat Kevin zo ongekunsteld is gebleven na te zijn opgevoed door –'

Ze viel hem in de rede voordat hij zijn zin kon afmaken. 'Hoe weet jij wat Kevin is of niet is? Je hebt net drie uur met hem doorgebracht. Je hebt geen flauw idee hoe hij in werkelijkheid is.'

'Nee, maar dat gaat dus veranderen. Ik ben niet van plan me door jou te laten beletten hem terug te zien. En die waanzin van twee uur is ook afgelopen. Ik wil Kevin het volgende weekend hebben – het hele weekend.' Nu had hij het voor elkaar. Hij had zijn mond voorbijgesproken, en nu zou hij moeten volhouden. Hij was degene die had aangedrongen op het ex parte-bevel, dat hem onmiddellijk een beperkt bezoeksrecht gaf, in plaats van een hoorzitting af te wachten. 'Vergeet het volgende weekend maar,' zei hij, voor ze antwoord kon geven. 'Zondag ben ik de stad uit.'

Hij zag een beweging uit zijn ooghoek, keek op en zag dat Kevin naar hen teruggerend kwam, op de hielen gevolgd door Tracy. Ze sprongen nog even in een berg bladeren, die ze alle kanten op deden dwarrelen, door zo hard mogelijk te schoppen, en holden toen weer het trottoir op.

'Ik heb vergeten je een afscheidsknuffel te geven,' zei hij spontaan en vrolijk, en strekte zijn armen uit.

Mason was niet voorbereid op de intense emotie die dat bij hem losmaakte. Zonder iets te zeggen hurkte hij neer en wachtte tot zijn zoon naar hem toekwam. Kevin sloeg zijn armpjes om Masons hals en hield hem een paar verrukkelijke seconden stevig vast.

De omhelzing was bijna even snel voorbij als hij was begonnen, en Kevin en Tracy holden alweer naar binnen. Maar het vreugdevolle gevoel bleef Mason bij, te goed om met iemand te delen en te belangrijk om met woorden te bederven. Het was lang geleden sinds iemand hem zo'n bijzonder gevoel had gegeven met niet meer dan een aanraking. Hij wilde het moment koesteren, het zo lang mogelijk laten duren, en liep naar de plaats achter het stuur van de truck zonder iets tegen Chris te zeggen, stapte in en reed weg.

Chris keek hem na, vervuld van een afschuwelijk voorgevoel. Het was verkeerd hem bij Kevin toe te laten. Wat die dag was begonnen zou moeilijk, zo niet onmogelijk, tegen te houden zijn. Ze weigerde te geloven dat het Mason zelf was die Kevin zo fascineerde. Waarschijnlijk was het domweg het idee dat hij een vader had. Net als alle kinderen, wilde Kevin hebben wat anderen ook hadden.

Voor het eerst sinds zij en Kevin hun leven samen waren begonnen, speet het haar dat ze niet getrouwd was. Mason had nooit een greep op Kevin kunnen krijgen als hij al een vader had gehad.

Maar het was stom om stil te staan bij 'als'. Dat was verleden tijd, en ze had genoeg om over na te denken en over te piekeren in het heden. Bijvoorbeeld, hoe moest ze Mason beletten Kevin volgende zaterdag te zien, al was het maar twee uur?

Ze liep over het pad naar haar voordeur, dacht eraan dat ze daarbinnen alleen zou zijn, en besloot dat ze iemand nodig had om mee te praten. Niet zomaar iemand, maar Mary, degene bij wie ze altijd terechtkwam als iets slecht, of goed, of alleen maar gewoon was. Mary was een van die uitzonderlijke vriendinnen die je maar één keer in je leven tegenkwam, die er altijd voor je waren en altijd bereid waren te luisteren.

Behalve vandaag.

'Het spijt me, Chris,' zei John, die opendeed en haar uitnodigde binnen te komen. 'Ze is net vijf minuten weg. Ze heeft zo lang mogelijk gewacht, maar de delicatessenzaak sluit vroeg vandaag, dus het was de deur uitgaan of koken.'

Chris liep naar binnen. 'Ik had alleen iemand nodig om mee te praten,' zei ze.

'Ik kan goed luisteren,' antwoordde hij. 'En niemand heeft me er ooit van beschuldigd dat ik niet genoeg praat, als je een invaller wenst terwijl je op adem komt.'

'Weet je zeker dat je hierbij betrokken wilt worden?'

Hij sloeg zijn arm om haar schouders. 'Ga hier zitten, dan haal ik koffie.' Hij bracht haar naar een stoel. 'Of wil je liever bier?'

'Koffie is uitstekend.' Ze wilde bij de tijd blijven.

Hij schonk de koffie in zoals zij hem lekker vond, met een half pakje zoetmiddel en een scheutje melk, gaf haar het kopje en ging in de stoel naast haar zitten. 'Vertel eens hoe het is gegaan,' zei hij. 'Net zo slecht als je dacht?'

'Slechter.'

'Jammer. Kevin lijkt dolgelukkig. Ik had gehoopt dat het voor jou ook goed was afgelopen.'

'Kevin loopt met zijn hoofd in de wolken. Welk kind zou dat niet doen met een nieuwe rijke vader die hem de wereld belooft?' Ze blies in haar koffie. 'Toen Mason Kevin kwam halen, dacht ik even dat ik hem misschien verkeerd beoordeeld had. Hij had me niet mee hoeven laten gaan vandaag, maar dat deed hij wel. En bén ik blij dat ik gegaan ben!'

Ze keek John aan. 'Hij heeft geen idee wat het wil zeggen om een echte vader te zijn. Hij denkt dat het niet meer is dan weekendamusement en spelletjes. Hij denkt dat hij Kevin zaterdagmorgen kan afhalen, hem twee dagen lang schandalig verwennen en hem dan terugbrengen, zodat ik de rest van de week discipline kan uitoefenen. Ik krijg het werk, hij krijgt de beloning.'

'Heeft hij dat gezegd?' vroeg John ongelovig.

'In een tijdperk van tweeëneenhalf uur heeft Mason Kevin verteld dat hij hem zal leren skiën, volgende zomer met hem zal gaan varen, hem over een in aanbouw zijnd hotel laten kruipen en met Pasen met hem naar Disneyland zal vliegen. Hoe kan ik daar in vredesnaam tegen concurreren, als het enige dat voor mij overblijft de ochtenden zijn dat hij liever in bed blijft dan naar school te gaan, de middagen dat ik hem zeg dat hij binnen moet komen omdat het donker wordt, en de avonden als ik hem naar bed stuur terwijl hij net zijn trein in elkaar heeft gezet? Ik geef hem dingen te eten die hij niet lekker vindt omdat ze goed voor hem zijn, en... en ik draaf door.'

'Het lijkt inderdaad een beetje veel wat Mason allemaal van plan is. Maar je kunt hem niet kwalijk nemen dat –'

Chris schopte haar schoenen uit en trok haar voeten onder zich. 'Dat is het ergste nog niet, John. Ik kan leven met die fantastische weekendjes. Ik weet dat Kevin van me houdt, en niets wat Mason kan doen of kopen zal dat kunnen veranderen. Het ergste is dat Kevins nieuwe vader een oudtestamentische man is. Hij gelooft in al dat oog-om-oog, tand-om-tand- en machogedoe en aarzelt geen moment om dat Kevin te vertellen.' Ze leunde achterover. 'Wat moet ik doen? Mason Winter is het soort man dat ik met opzet mijn leven lang heb vermeden. Alles waar ik zo hard voor heb gewerkt, wat ik Kevin heb ingeprent, kan Mason in een jaar van weekends tenietdoen.'

'Niet alles,' zei John. 'Kevin zal in het begin een beetje verward zijn, maar hij redt het wel.'

'Hoe kan dat? Als hij van ons allebei houdt, hoe kan hij dan niet verscheurd worden door de verschillen tussen ons?'

'Geen twee mensen zijn het in alles met elkaar eens. Kinderen hebben een ongelooflijk aanpassingsvermogen, Chris. Ik zie het dagelijks in de brandweerkazerne. De helft van de mannen met wie ik werk is gescheiden. Zij maken hetzelfde door als jij.'

'Hebben zij een manier gevonden om hun verschillen te verwerken zonder de kinderen te kwetsen?' Ondanks al haar tirades over Mason en wat zij verkeerd in hem vond, was het alleen het effect dat dit alles op Kevin zou hebben, dat haar ziek van ongerustheid maakte.

John dacht even na. 'Het compromis werkt voor de een beter dan voor de ander. Kinderen schijnen een stadium door te maken waarin ze zich echt verward voelen en ze vieren hun frustratie bot op iedereen om hen heen, hoe welwillend en tot medewerking bereid hun ouders ook zijn. Meestal eindigt het ermee dat ze zichzelf de meeste pijn doen.'

'Zie je nou wat ik bedoel? Ik kan niet toestaan dat dat met Kevin gebeurt. Hij heeft al genoeg doorgemaakt.' Haar stem brak. 'Hij is zo'n fantastisch jongetje, John. Ik weet dat alle ouders hun kinderen bijzonder vinden, maar niet veel kinderen hebben zoveel doorgemaakt als Kevin. Hij verdient het beste leven dat ik hem kan geven. Als ik de weg van de minste weerstand kies, zal ik het mezelf nooit kunnen vergeven.'

'Je moet doen wat jou juist lijkt, Chris.'
'Zelfs als ik vind dat Kevin zijn vader nooit meer moet zien?'
John aarzelde. 'Als je gelooft in wat je doet, is het gemakkelijker jezelf te vergeven als je uiteindelijk tot de conclusie komt dat je het verkeerd hebt gedaan.'
'Ik zoek geen vergiffenis.'
'Dat weet ik, maar soms is dat alles wat we krijgen.'

Hoofdstuk zestien

Mason zwaaide zijn benen over de rand van het bed en bleef een paar seconden zitten. Het was kwart voor zeven en hij had geen enkele reden om op te staan, behalve dat hij genoeg had van het liggen.

Hij haatte feestdagen. Het waren de enige dagen in het jaar dat hij zich geen raad wist met zichzelf. Hij kon niet naar kantoor zonder iemand van de veiligheidsdienst tegen het lijf te lopen – iemand die medelijden met hem had omdat hij geen gezin had waarmee hij de dag kon doorbrengen. Om dezelfde reden kon hij ook niet naar de bouwplaatsen. In je eentje in een restaurant eten trok evenveel, zo niet meer, de aandacht. Kortom, feestdagen betekenden dat hij een gevangene was in zijn eigen huis. Deze Thanksgiving was niet anders dan alle andere, behalve de extra stoornis, Kevin.

Toen ze het afgelopen weekend samen waren, had Kevin erop gestaan dat Mason hem zou vertellen waar hij ging eten en wie de drumstick zou krijgen. Na al zijn gebruikelijke ontwijkende tactieken te hebben toegepast, gaf Mason eindelijk toe dat hij geen plannen had voor die dag. Voor één keer leek Kevin niet te weten wat hij moest zeggen. Hij kon zich niet voorstellen dat iemand niet op een feest was waarbij een uitgebreid kalkoendiner hoorde. Ze hadden de dag beëindigd met een belofte van Kevin dat hij zijn moeder zou vragen of Mason die dag mocht komen, en een krachtig, hartstochtelijk verzoek van de kant van Mason om vooral niets te zeggen.

Hij had de hele kwestie kunnen omzeilen door Kevin een leugentje om bestwil te vertellen, maar om de een of andere reden kon hij dat niet. Mason was opgevoed met een stroom van leugens om bestwil en ontwijkende antwoorden, en hoe onplezierig de waarheid ook was, hij weigerde hetzelfde te doen tegenover zijn eigen zoon.

Als Chris mocht bellen om het hem te vragen, hetzij onder druk van Kevin of omdat ze zelf medelijden met hem had, zou hij haar zeggen dat hij al een uitnodiging had. Op zichzelf was dat geen leugen. Hij wàs uitgenodigd door zeker tien mensen, onder wie Rebecca en Travis, die hem altijd weer vroegen en goddank nooit verbaasd of beledigd waren als hij weigerde.

Dit jaar had hij zelfs een uitnodiging gekregen van de vrouw van Walt Bianchi, toen ze eerder in de week op kantoor was gekomen. Mason had zelfs even over haar aanbod nagedacht. Hij dacht dat hij misschien een andere kijk op de man zou kunnen krijgen als hij hem buiten de werktijden zag. Walt had iets dat Mason een onbehaaglijk gevoel gaf, niets waar hij de vinger op kon leggen. Het waren zeker niet zijn prestaties op het werk, die voortreffelijk, en soms zelfs meesterlijk waren. Misschien was het probleem wel dat hij té goed was.

Of misschien bleef Mason zijn broer zien als hij naar Walt keek.

Hij liep naar de zitkamer en stak de op gas brandende open haard aan. Het was een povere imitatie van een houtvuur, maar het verspreidde een aangename gloed in de kamer. Hij ging de *Sacramento Bee* halen die voor de deur lag, liep de keuken binnen en zette koffie, en zag de serie kleine vingerafdrukken op de glanzende zwarte ijskast, het bewijs van Kevins bezoek en de vrije week van de huishoudster.

Hij wilde de theedoek pakken om ze weg te vegen, maar stopte halverwege. Alles in zijn appartement was perfect, bijna steriel – een beetje als zijn eigen leven. Het gaf hem een pervers genoegen iets te zien dat er niet thuishoorde. Maar het stemde hem ook bedroefd toen hij bedacht hoeveel vingerafdrukken hij al had gemist op de glanzende oppervlakte van zijn leven.

Chris huiverde toen ze de dekens terugsloeg en haar badjas pakte. De automatische thermostaat werkte niet, wat betekende dat ze elke avond zelf de verwarming laag moest draaien, en een halfuur vroeger op moest om het huis warm te maken voor Kevin. Ze trok haar slippers aan en wilde de kamer uitlopen, maar gaf een kreet van verbazing toen ze tegen Kevin opbotste.

'Waarom ben jij zo vroeg op?' vroeg ze, terwijl ze haar jas dichter om zich heen trok.

'Ik kwam vragen of je je al bedacht hebt en papa toch te eten wilt vragen. We zouden hem nu kunnen bellen als je dat wilt. Hij zei dat hij vandaag nergens naartoe ging.'

Haar hart zonk in haar schoenen. Waarom bleef Kevin erop doorgaan? 'Ik heb je al gezegd, dat ik Mason niet in andermans huis kan uitnodigen. Als we thuis aten, zou het wat anders zijn.' Goddank had ze John en Mary als excuus.

'Maar tante Mary zei dat je hem mocht vragen als je wilde. Dat heb ik zelf gehoord.'

De enige manier waarop hij dat speciale gesprek had kunnen horen was door met opzet aan de deur te luisteren. Chris dacht erover hem op regel 13B te wijzen, die hem verbood om af te luisteren, maar ze had er genoeg van om voor slechterik te spelen. Tot Mason in hun leven was gekomen, hadden zij en Kevin nooit ergens over geredetwist. Hoe ze ook haar best deed het te vermijden, Kevin werd heen en weer geslingerd tussen zijn ontluikende liefde voor zijn vader en zijn trouw aan haar.

Ze deed haar best om nooit iets slechts te zeggen over Mason, maar ze kon het ook niet over haar hart verkrijgen iets echt goeds over hem te zeggen. Dagen nadat Kevin bij zijn vader was geweest, bewerkte hij haar om te proberen hen tot elkaar te brengen, een gezin van hen te maken zoals dat van Tracy. En omdat ze daar niet op reageerde, werd ze in de rol van bullebak gedwongen. Het was een rol die haar niet beviel, een rol die haar tegenover Kevin plaatste en haar momenten van geluk ontstal die ze vroeger vanzelfsprekend had gevonden.

'Tante Mary was alleen maar beleefd. Je weet net zo goed als ik dat hun huis al niet groot genoeg is voor de mensen die komen. Het zou verkeerd zijn om het nòg voller te maken.' Zelfs in haar eigen oren klonk het als een pover excuus.

'Ik kan op zijn schoot zitten.'

Ze strekte haar armen naar hem uit om hem te knuffelen. Hij trok zich terug. 'Kevin, *alsjeblieft*, begrijp het toch.'

Hij liet zijn kin op zijn borst hangen en weigerde haar aan te kijken.

'Kom even bij me in bed liggen terwijl het huis warm wordt.'

'Dat wil ik niet,' zei hij, en liep terug naar zijn eigen kamer.

Ze balde haar vuisten. 'Val dood, Mason Winter,' siste ze tussen haar tanden.

Mason gooide de krant in de vuilnisbak. Hij keek op de klok en trok een lelijk gezicht. Nog veertien uur voor de dag voorbij was. Hij liep naar het raam en keek naar buiten. De wolken pakten zich samen voor wat de eerste zware storm zou worden van het seizoen. Een paar van de dure skiplaatsen hadden al een paar weken kunstsneeuw op de hellingen aangebracht, om het publiek er met Thanksgiving naartoe te lokken.

Mason had erover gedacht om te gaan skiën, al was het alleen maar om een tijdje de stad uit te zijn. Het kon hem niet veel schelen of hij Thanksgiving in zijn appartement aan het Tahoe-meer doorbracht of in Sacramento, en hij had al half gepakt toen Rebecca hem vertelde dat ze op de avond ervoor een officieuze vergadering over het waterkantproject had weten te regelen met een paar van de steeds onrustiger wordende grondbezitters.

Het was een bijeenkomst waarop hij had aangedrongen sinds de eerste geruchten van ontevredenheid hem bereikt hadden. Hij had weinig hoop erachter te kunnen komen wie achter die verdeel-en-heersstrategie zat. Zelfs al zou hij een naam horen, dan wist hij dat het spoor dood zou lopen. Wat hij echt wilde weten was hoe serieus het aanbod van de andere potentiële koper was en of hij, met enig geluk, voor zichzelf kon bepalen hoe hoog hij bereid was te gaan.

Het probleem waar Mason mee geconfronteerd werd was dat de drie boeren die weigerden de papieren voor de optie te tekenen, de meest essentiële stukken grond in bezit hadden. Zonder die stukken land zou het plan niet doorgaan. De moeilijkheid was dat de boeren wisten dat ze hem klem hadden. In wezen hing de uitvoering van het plan van die drie af. Hij had het alleen aan zichzelf te wijten dat hij in die positie verkeerde; hij was verblind geweest door zijn hartstochtelijke wens het waterkantproject tot een goed einde te brengen. Nu moest hij alleen nog zien te ontdekken hoeveel die verblindheid hem zou kosten en of hij het zich wel of niet kon veroorloven.

Hij kon niet bij de banken aankloppen om financiering tot hij al het land had. Hij moest de mogelijkheid onder ogen zien dat hij zijn droom zou moeten opgeven. Als hij met zijn ogen knipperde, zou de droom in het niets kunnen zijn opgelost. Wat moest hij dan doen?

Hij wendde zich af van het raam en liep naar de douche. Het werd tijd dat hij iets produktiefs ging doen.

Chris droeg voorzichtig de pompoentaart van het aanrecht naar de oven en probeerde niets van de custard te morsen, terwijl ze behoedzaam om Kevin heen liep, die bezig was koekjes te maken van het overgebleven deeg.

'Kijk, mam, ik heb er een gemaakt in de vorm van een brandweerwagen voor oom John.'

Ze deed de oven dicht en richtte haar aandacht op Kevins kunstwerk. 'En dat koekje naast Tracy's piano?'

'Dat is papa's nieuwe hotel.'

Chris trok een lelijk gezicht. Zou ze het dan nooit leren om de dingen met rust te laten? Ze had zich de hele ochtend in allerlei bochten gewrongen om Mason buiten de conversatie te houden, en nu had ze zonder erbij na te denken de basis gelegd voor hem om er weer op terug te komen. 'En wat is dat koekje?' ging ze snel verder, in de hoop hem af te leiden.

'Dat is zijn auto. Ik maak twee koekjes voor hem, omdat hij niet samen met ons kan eten.'

'Lief van je,' zei Chris knarsetandend. 'Dat zal hij vast heel aardig vinden.'

'Die is voor jou,' zei Kevin zacht, wijzend naar een scheef uitgevallen hart. 'Omdat ik van je hou en het me spijt dat ik je boos heb gemaakt.'

'Ik hou ook van jou,' zei ze, terwijl ze haar armen om hem heen sloeg. 'En je hebt me niet boos gemaakt.'

Toen ze hem losliet, ging hij verder met zijn brandweerauto. Er gingen een paar minuten voorbij voor hij weer iets zei. 'Kunnen we papa na het eten zijn koekjes brengen?'

Chris sloot haar ogen en telde tot tien. Hardnekkigheid was een essentiële karaktertrek van Kevin geweest vanaf de dag waarop hij was geboren. In de vijfeneenhalve maand die hij in het ziekenhuis had gelegen waren andere baby's, met minder ernstige kwalen, gestorven, terwijl Kevin zich aan het leven had vastgeklampt, en de ene potentieel fatale crisis na de andere had overleefd. Toen had ze dagelijks een dankgebedje gezegd voor zijn taaie koppigheid, nu waren er ogenblikken waarop die haar bijna gek maakte.

'Je ziet hem zaterdag,' merkte ze op, zonder de geringste hoop dat hij tevreden zou zijn met het antwoord.

'Goed,' zei hij onverwacht.

De verslagenheid in zijn stem en zijn afhangende schouders braken haar hart. Val dood, Mason Winter, verzuchtte ze voor de tweede keer die dag. Loop naar de hel.

Mason rolde de blauwdrukken op die hij had bestudeerd en zette ze in de doos bij de tekentafel in het kantoor naast zijn werkkamer. Het werk van de nieuwe architect die hij eventueel wilde aannemen voor het waterkantproject beviel hem. Zijn werk zag er keurig en klassiek uit, straalde respect voor de geschiedenis van die buurt uit, zonder erdoor belast te worden. De open ruimten waren overzichtelijk en niet rommelig, de parkeerplaatsen onopvallend.

Terwijl hij de blauwdrukken bestudeerde had hij even gedacht aan een mogelijkheid om de rest van de dag door te brengen. Het was al een paar weken geleden sinds hij voor het laatst langs de rivier had gelopen, zich verdiept had in zijn droom, zich had georiënteerd. Maar toen besefte hij dat als een ander plotseling belangstelling toonde voor die grondstukken, het niet verstandig zou zijn om al te gretig te lijken.

Pas toen die gedachte bij hem was opgekomen en weer verdwenen, en hij weer even eenzaam achterbleef, zag hij in waarom deze feestdag zo moeilijk door te komen was. Gevoelens waarvan hij dacht dat hij ze niet meer had waren bovengekomen om hem te kwellen.

Feestdagen waren voor familie, een tijd van heerlijke geuren, spontane omhelzingen, gelach en liefde. Een paar maanden geleden nog was hij immuun voor dergelijke gevoelens, geloofde hij met grote zekerheid dat hij de rest van zijn leven alleen wilde doorbrengen in een ongecompliceerde, emotieloze luwte, waar niemand zijn leven binnenkwam, maar ook niemand het verliet.

Maar toen kwam Kevin, en het vangnet was verdwenen.

Nu vond hij het afschuwelijk om Thanksgiving alleen te moeten doorbrengen.

Mason liep naar de kast om zijn jas te pakken. Het kon hem niet schelen waar hij naartoe ging, als hij maar weg was.

Chris stond in de deuropening van de keuken en keek naar Kevin die zijn laatste koekjes in plastic wikkelde, en aan de bovenkant voldoende ruimte liet om er een lintje omheen te binden. Hij had er de hele ochtend aan gewerkt, voornamelijk in peinzend zwijgen. Het had een vrolijke, plezierige dag moeten zijn, maar ze voelden zich allebei pijnlijk verlegen en behoedzaam, omdat ze hun best deden over niets te praten dat het gesprek op een of andere manier op Mason zou kunnen brengen.

Het was de eerste keer in hun vijf jaar samen dat Chris en Kevin zich niet op hun gemak voelden met elkaar. Ze voelde dat Kevin haar ontglipte en dat wat er nu gebeurde slechts een voorproefje was van de dingen die zouden komen. In een redelijke stemming – iets dat haar niet vaak meer overkwam – besefte ze dat het niet helemaal Masons fout was. Op zijn manier was hij van Kevin gaan houden. Jaren geleden zou ze er misschien aan getwijfeld hebben dat het mogelijk was zich zo snel met iemand verbonden te voelen, maar haar eigen ervaring met Kevin had haar bewezen dat liefde plotseling kon ontstaan, en zo krachtig dat al het andere ernaast verbleekte.

En nu dwong die liefde haar iets te doen dat ze uit de grond van haar hart verafschuwde. 'Kevin,' zei ze. Hij keek op. 'Ik ben van gedachten veranderd.' Ze ging snel verder, voor ze de kans kreeg zich weer te bedenken. 'Je mag je vader bellen en hem uitnodigen, als je dat nog steeds wilt.' Ze had het gevoel of de woorden met geweld uit haar mond getrokken moesten worden.

Kevin bleef doodstil zitten en staarde haar aan. Ten slotte kwam hij van zijn stoel af, liep naar haar toe en sloeg zwijgend zijn armpjes om haar benen.

Ze bukte zich en gaf hem een zoen op zijn hoofd. 'Schiet maar op,' zei ze. 'Tante Mary wil om drie uur eten.'

'Moet ik eerst tante Mary bellen?'

'Dat heb ik al gedaan.'

Hij lachte. 'Dank je, mam.'

'Het is goed. Ga nu maar. Je moet je nog verkleden.'

Kevin holde naar de telefoon, draaide het nummer dat hij wekenlang uit zijn hoofd had geleerd, en wachtte. Na een paar seconden keek hij naar Chris. 'Hij is er niet,' zei hij. 'Het is zijn antwoordapparaat.'

'Wil je een boodschap achterlaten?'

Hij dacht even na, schudde toen zijn hoofd en wilde ophangen.

'Ik vind dat je iets moet zeggen,' zei Chris. Haar liefde voor Kevin was groter dan haar afkeer van Mason. 'Hem in ieder geval een prettige Thanksgiving wensen.'

Kevin hield de hoorn weer aan zijn oor. 'Papa?' zei hij. 'Ik en mam wilden dat je bij ons kwam eten, maar je was er niet. Prettige Thanksgiving.' Hij wilde ophangen, maar bedacht toen nog iets dat hij wilde zeggen. 'Ook van mam,' ging hij verder, zorgvuldig vermijdend Chris aan te kijken.

Hoofdstuk zeventien

De bel van de voordeur onderbrak Chris' gedachtengang. Ze haastte zich zoveel mogelijk van de zin in de computer in te tikken voor ze hem helemaal kwijt was. Toen schoof ze haar stoel achteruit en holde naar de deur. Ze had zichzelf jaren geleden beloofd een intercom te laten installeren, maar zoals de meeste andere dingen kostte dat een hoop geld en was het niet absoluut noodzakelijk, zodat ze er nooit aan toe gekomen was.

'Mason,' zei ze. Haar verbazing was groter dan haar ergernis dat hij onaangekondigd midden in de week verscheen. Met een dure regenjas over zijn gebruikelijke pak, en zijn donkere haar glinsterend van de mist, zag hij eruit om door een ringetje te halen, alsof hij zó uit een special van een chic modetijdschrift gestapt kwam. 'Kevin is er niet,' zei ze, zich intens bewust van haar slobberige joggingpak en onopgemaakte gezicht. 'Hij komt pas over een uur uit school.'

'Dat weet ik. Ik kom voor jou.'

'Waarom?' vroeg ze achterdochtig. Ze hadden de laatste weken een wankele wapenstilstand gesloten. Chris wist niet zeker hoe die tot stand was gekomen, of het door het seizoen van de feestdagen kwam of domweg omdat ze weer op krachten moesten komen, maar voorlopig verwelkomde ze de stilte na de storm.

'Ik wilde met je praten over Kevins kerstcadeau.'

Kerstmis was over anderhalve week, en voor het eerst in haar leven was ze vroeg klaar geweest met haar inkopen. Het was niet het gebrek aan geld dat haar ertoe gebracht had; het was de wetenschap dat Kevin met de vakantie thuis zou zijn. Tegenwoordig waakte ze angstvallig over elk moment dat ze met hem kon doorbrengen. Ze was niet van plan haar tijd te verdoen in winkelcentra en speelgoedwinkels als ze bij elkaar konden zijn.

Als ze bedacht hoe zuinig ze was op de ogenblikken die ze samen met Kevin kon doorbrengen, was het nog verbazingwekkender dat ze in een opwelling van goede wil tegen Mason had gezegd dat hij Kevin op kerstavond een paar uur kon meenemen, iets wat geen van hun advocaten had durven opperen. Misschien was dat de reden waarom hij vandaag was gekomen, om haar nog eens te bedanken. In dat geval moest hij verstandig genoeg zijn om te beseffen dat ze het niet voor hem had gedaan, maar voor Kevin.

Onwillig deed ze een stap achteruit en wenkte Mason om binnen te komen. 'Ik heb niet veel tijd,' zei ze. 'Ik moet een persbericht afmaken en het op het bureau afleveren voor ik Kevin en Tracy van school haal.'

'Ik kan later wel terugkomen...'

'Je bent er nu. We kunnen het net zo goed meteen afhandelen.'

Hij veegde zijn voeten op de mat en liep naar binnen. 'Ik vraag me af of een deurwaarder zich zo voelt,' mompelde hij.

Ondanks alles moest ze even lachen. 'Wat had je dan verwacht?'

De meelevende blik waarmee hij haar aankeek overrompelde haar. 'Ik weet dat je het niet gelooft,' zei hij, 'maar ik begrijp wat je doormaakt. Het moet afschuwelijk zijn –'

'Je kunt onmogelijk begrijpen wat ik doormaak,' snauwde ze. 'Je hebt geen flauw idee –' Ze zweeg. Steeds weer hetzelfde herhalen was niet alleen tijdverspilling, het had zelfs een averechtse uitwerking. Al wenste ze nog zo vurig dat Mason zou verdwijnen, het zou niet gebeuren.

Ze had geprobeerd zichzelf wijs te maken dat haar gevoelens geen invloed hadden op Kevin, maar de symptomen waren te duidelijk om te ontkennen. Hij probeerde voortdurend als vredestichter op te treden, het perfecte jongetje te spelen, zodat zijn mammie en pappie samen met hem zouden willen leven. Ter wille van Kevin had ze geleerd Masons aanwezigheid te tolereren of, bij gebrek aan beter, overtuigend te doen alsof.

'Wil je een kop koffie?' vroeg ze, haar woede inhoudend, alsof ze een walvis aan de lijn had.

Mason knipperde met zijn ogen. 'Eh, ja, graag.'

'Ga hier maar zitten, dan breng ik het wel.' Hoewel er geen warmte in haar stem lag, wenste ze zichzelf geluk dat het haar in ieder geval gelukt was beleefd te klinken.

'Dank je,' zei hij, en trok zijn regenjas uit.

Ze nam de jas van hem aan en hing hem aan de kapstok in de gang. 'Als het je interesseert, er ligt een fotoalbum met Kevins babyfoto's in de la van het kleine tafeltje,' zei ze, op weg naar de keuken. 'En ook een paar foto's van Diane.'

Verbijsterd door haar plotselinge ommekeer, durfde Mason bijna niet te antwoorden, uit angst de betovering te verbreken. Maandenlang had hij geprobeerd een manier te bedenken om te vragen de foto's te mogen zien van Kevin toen hij opgroeide, maar hij had het idee van zich afgezet als onmogelijk. Snel, voor ze zich kon bedenken, liep hij naar het tafeltje en haalde een in leer gebonden album te voorschijn. Hij knipte de lamp aan naast een schommelstoel, ging zitten en legde het zware boek op zijn schoot.

De eerste pagina's waren volgeplakt met foto's van Diane als een mollige, engelachtige baby met een hoop blonde krullen, als een slungelig jong kind met onmogelijk lange benen, en toen als een adembenemend mooie jonge vrouw in toga bij de diploma-uitreiking, stralend van levensvreugde. Herinneringen drongen naar boven, en hij verloor even zijn kalmte toen ze hem schrijnend voor ogen toverden wat ze eens samen hadden gehad, en de jaren die hij verspild had in verbitterde woede over een pijnlijk vertrek dat niet was wat het had geleken.

Toen droefheid en een gevoel van verlies hem overweldigden, wendde hij zijn blik af van het album en concentreerde zich op de kerstboom en de geschenken eronder, waarbij hij verstrooid opmerkte dat verscheidene in met de hand beschilderd papier waren gepakt. De patroontjes deden hem denken aan de slingers van rood, wit en blauw papier, die hij vroeger versierde voor het jaarlijkse familiefeest op de Vierde Juli. Dat waren de goede jaren geweest met zijn moeder, een tijd waarin ze er voor hem geweest was, voordat zijn vader eiste dat ze een keus maakte en die keus was geweest dat ze haar zoon de rug had toegekeerd.

Hij dwong zich eraan te denken dat Chris alleen maar naar de keuken was en gauw terug zou zijn, en richtte zijn aandacht weer op het album. Hij was emotioneel al zo gespannen dat hij besloot de rest van de pagina's die aan Diane waren gewijd over te slaan, in de hoop dat hij op een dag Chris zover zou kunnen krijgen dat hij er een afdruk van mocht maken.

De eerste foto's van Kevin waren vergeelde polaroïds, die vlak na zijn geboorte waren genomen. Mason bestudeerde secondenlang de vage afbeeldingen en probeerde ze te vergelijken met andere foto's van te vroeg geboren baby's die hij had gezien. In de gerimpelde en verschrompelde baby herkende hij niets van de stoere jongen die Kevin nu was. Het was of hij naar een vreemde keek.

Hij sloeg de pagina om en hield verbijsterd en ongelovig zijn adem in. De baby die op de vorige foto's bijna vrij in een couveuse had gelegen, was nu overdekt met slangen en draden die aan elk deel van zijn lijfje bevestigd waren. Mason probeerde zijn ogen af te wenden, om zichzelf ertegen te beschermen, maar hoe hij ook zijn best deed, hij kon zijn blik niet van de foto losmaken. Hoe langer hij staarde, hoe groter zijn afschuw werd. Wat hij oorspronkelijk had aangezien voor een schaduw op Kevins maag, bleek in werkelijkheid een open wond te zijn. Zijn gedachten gingen uit naar de dag waarop hij voor het eerst het getande litteken had gezien op Kevins buik en zijn automatische veronderstelling dat dat door een ongeluk was veroorzaakt.

Toen het tot hem doordrong hoe weinig het had gescheeld of hij zou zijn zoon nooit gezien hebben, brak het koude zweet hem uit. Terwijl zijn logische verstand hem zei dat hij niet kon missen wat hij nooit gekend had, werd het deel van hem dat niets met logica te maken had alleen bij de gedachte al misselijk.

In de korte periode van zes maanden sinds hij had vernomen dat hij een zoon had, was Masons leven al radicaal veranderd. Er was bijna geen moment waarop hij niet aan Kevin dacht. Alle plannen die hij voor de toekomst maakte werden geformuleerd met Kevin in gedachten. Jarenlang had hij in een spelonk geleefd, zichzelf wijsgemaakt dat hij van de duisternis hield. Kevin had hem die leugen doen inzien.

Chris kwam de kamer binnen, en deed hem opschrikken uit zijn tranceachtige toestand. 'Waarom laat je me dat zien?' vroeg hij, terwijl hij zijn best deed zich te beheersen voor ze kon zien hoe het hem had aangegrepen.

Ze zette het blad op de lage tafel. 'Het seizoen, denk ik. Ik kan geen enkele andere reden bedenken waarom ik aardig tegen je zou zijn.' Ze overhandigde hem een kopje. 'Jij?'

Zijn onmiddellijke reactie op haar spot was woede. In de seconde die hij nodig had om zijn antwoord te formuleren, besefte hij dat ze woorden gebruikte als een schild. Ze haatte hem misschien, maar ze was ook bang voor hem. En waarom niet? Zelfs haar schijnbare beleefdheid om hem te vragen binnen te komen en koffie aan te bieden, was niets meer dan haar manier om de vijand te leren kennen.

'Ik geloof dat ik wel een paar nuchtere redenen kan verzinnen waarom we aardig tegen elkaar horen te zijn,' zei hij. 'Maar er is slechts één allesoverheersende reden – Kevin.'

Ze staarde hem strak aan. 'Was dat bedoeld om me op mijn plaats te zetten of alleen om erop te wijzen wat voor een kreng ik ben?'

'Je kunt het geloven of niet, geen van beide.'

'Je geeft me de keus, dus kies ik "niet".'

Mason durfde niet meer naar de andere foto's van Kevin te kijken en sloeg het album dicht. 'Wat is er met hem gebeurd?'

Chris trok verbaasd haar wenkbrauwen op. 'Met wie?' Maar voor hij kon antwoorden verscheen er een begrijpende blik in haar ogen. 'O, je bedoelt Kevin. Het was een gemene infectie, necrotische enterocolitis genaamd, afgekort NEC. De ziekte sloeg heel snel toe, maar het heeft een paar jaar geduurd voor hij alle gevolgen ervan had overwonnen.'

'Jaren?' vroeg Mason, die probeerde de implicaties te bevatten van iets zo afgrijselijks.

'Uiteindelijk raakte hij de helft van zijn darmen kwijt door die infectie. De helft die overbleef kon het voedsel slecht verwerken, zodat hij, om te kunnen opgroeien, aanvullende kunstmatige voeding nodig had.'

'Hoe lang heeft dat geduurd?'

'Langer dan een jaar.'

'Bedoel je dat je hem zo mee naar huis moest nemen?'

De defensieve blik in haar ogen verdween bij de herinnering. 'Het was angstig, maar ik zou alles hebben gedaan om hem uit dat ziekenhuis te krijgen. Hij woog maar vijfeneenhalf pond toen ik hem mee naar huis nam. Een maand later woog hij acht pond.'

'Mijn God,' zei Mason, achteroverleunend in zijn stoel. 'Hoe heb je –'

'Sorry,' zei ze, terwijl ze haar koffie weer op het blad zette, met een beweging die even formeel als stijf was, 'maar ik zie net hoe laat het is, en omdat ik straks weg moet, kun je me maar beter vertellen waarom je bent gekomen.'

Masons verlangen om meer te horen over zijn zoon was allesbehalve bevredigd. Hij vroeg zich af of Chris zich bezorgd maakte over de tijd, of over een mogelijke ontdooiing van hun relatie. In beide gevallen zou hij zijn vragen tot een ander moment moeten uitstellen. 'Ik wilde graag Kevins maat weten. De ski's en laarzen zullen moeten wachten tot hij met me mee kan om ze te passen, maar ik wil een skipak en een paar handschoenen kopen voor onder de boom.'

'Waar heb je het over?' vroeg ze, kennelijk verward. 'Ik dacht dat we dit al besproken hadden.'

'Besproken?' snauwde hij. 'Ik kan wat er die dag tussen ons gezegd werd nauwelijks een discussie noemen. Voor zover ik me herinner was het meer een bevel.' Hij ergerde zich inwendig over de agressieve manier waarop hij op haar vraag had gereageerd. Wat was er toch met Chris Taylor dat ze altijd zijn slechtste kant naar voren bracht? Hij veranderde van toon. 'Kevin en ik hebben een skitochtje gepland in de week na Kerstmis,' zei hij, in een poging om redelijk te blijven, 'en het leek me een goed idee –'

Chris werd rood van woede. 'Dit is werkelijk niet te geloven,' zei ze. 'Nee, dat neem ik terug. Ik geloof het wèl van jou. Ik begrijp niet eens waarom ik zo verbaasd ben. Als ik vijf seconden had nagedacht, dan zou dit precies zijn wat ik verwacht had. Ik heb je gezegd dat ik niet wil dat je met Kevin gaat skiën. Heb je naar me geluisterd? Nee. Maar waarom zou je ook? Je doet toch wat je wilt. Wat kan het jou schelen wat een ander wil? Als je denkt dat ik vijf jaar lang met Kevin ziekenhuizen en spreekkamers van artsen in en uit heb gesjouwd, alleen om hem tegen een of andere boom te laten botsen, dan vergis je je.'

Mason sloot zijn ogen. Toen hij ze weer opende, zei hij: 'Blijkbaar heeft Kevin je niet verteld wat we elke zaterdag hebben gedaan.'

'Blijkbaar,' snauwde ze.

Mason besefte nu dat Kevin nooit met zoveel woorden had gezegd dat hij met Chris had gesproken. 'Ik heb hem meegenomen naar een zogenaamde droge skischool, naar ik dacht met jouw goedkeuring.'

'En hoe dacht je dat die magische goedkeuring was gegeven? Werd ik geacht mijn dwaling in te zien en van de ene dag op de andere van mening te veranderen? Hoe onnozel denk je dat ik ben?' Ze stond op en begon te ijsberen. 'Schoft,' zei ze gesmoord. 'Tot jij kwam was Kevin lief en onschuldig en eerlijk. Nu heb je hem geleerd te liegen en te manipuleren.'

Mason liep naar de kapstok om zijn jas te pakken. Het was zinloos om te blijven als ze zo stond te razen en te tieren. Ze weigerde te accepteren dat haar dwangmatige bezitterigheid iets te maken kon hebben met Kevins verwarring. Maar hij kon het niet nalaten een laatste opmerking te plaatsen. 'Als je een beetje tot bedaren bent gekomen,' zei hij, 'zou je je kunnen afvragen hoe ik zo'n slechte invloed op hem kan hebben terwijl ik hem maar drie uur per week heb en jij de hele rest.'

Ze keek hem woedend aan. 'Je kunt hem zeggen wat je wilt waarom je niet met hem gaat skiën,' zei ze. 'Het kan me zelfs niet schelen als je mij van alles de schuld geeft.'

Hij kon het er niet bij laten. 'Waarom ben je er zo fel tegen dat ik hem meeneem?'

Ze hief vol afkeer haar armen op. 'Het verbaast me niets dat het niet tot dat egocentrische brein van je doordringt, dus zal ik het nog één keer herhalen – langzaam en duidelijk. Skiën... is... gevaarlijk.'

'Verdraaid, kijk eens om je heen. Kinderen die veel jonger zijn dan Kevin gaan voortdurend skiën – en kunnen het navertellen.'

'Geef het op,' waarschuwde ze. 'Ik zal nooit van mening veranderen.'

'Je kwetst mij er niet mee, maar Kevin.'

'Aardig geprobeerd, maar het gaat niet op. Een hele hoop kinderen komen nooit in de buurt van een skihelling, en die maken het uitstekend.' Ze opende de deur en deed een pas opzij. 'Ik moet gek geweest zijn om te denken dat dit succes kon hebben. Je hebt het vaderinstinct van een slak.'

'O, kom nou,' zei hij, naar haar toelopend. 'Je kunt toch wel wat beters verzinnen? Ik dacht dat je je brood verdiende met het bedenken van nieuwe manieren om dezelfde vervelende oude dingen te zeggen.' Hemel, wat mankeerde hem toch? Hij praatte nooit zo.

'Ga mijn huis uit. Verdwijn uit mijn leven.'

'Uit je huis, graag. Uit je leven? Misschien over twee of drie jaar, als Kevin bij mij komt wonen.'

Hij ging weg zonder achterom te kijken.

Hoofdstuk achttien

Chris bereidde zich voor op de dag waarop Kevin erop zou aandringen Mason voor het kerstdiner uit te nodigen, maar dat deed hij niet. Oppervlakkig gezien waren de feestdagen niet veel anders dan het jaar ervoor. Zij en Kevin stonden vroeg op om hun geschenken uit te pakken en aten om twee uur samen met de Hendricksons. Toen, zodra de tafel was afgeruimd en de keuken schoon, begonnen Kevin en Tracy hun odyssee, gingen van huis naar huis, en speelden met elkaars nieuwe speelgoed, tot het tijd was om naar bed te gaan en ze te moe waren om zich nog te verzetten.

Kevin had dezelfde geleken als altijd – misschien wat rustiger, misschien wat minder enthousiast over de cadeaus, maar er was niets waar Chris de vinger op kon leggen.

Er lag geen skipak onder de boom, en Kevin vroeg evenmin om Mason te bellen. Chris kwam in de verleiding hem ernaar te vragen, maar besloot het erbij te laten.

Het was half januari toen Mary Chris op een middag belde en haar vroeg meteen te komen, met de geheimzinnige opmerking dat ze haar bij de voordeur op zou vangen en dat ze geen lawaai mocht maken.

'Wat is er?' vroeg Chris, huiverend omdat ze zonder jas naar het huis van haar vriendin was gehold.

'Kom mee,' fluisterde Mary. 'Ik wil je iets laten horen.' Ze leidde Chris de gang door tot vlak voor Tracy's slaapkamer.

'Ik wil geen vadertje en moedertje meer spelen,' zei Tracy. 'Ik vind het niet prettig als je zo onaardig bent. Ik wil dat je aardig tegen me doet.'

'Papa's zijn niet aardig voor mama's,' protesteerde Kevin.

'Dat zijn ze wèl.'

'Nietes.'

'Mijn papa is aardig tegen mijn mama,' merkte Tracy op.

'Kan me niks schelen,' antwoordde Kevin. 'Als je niet doet wat ik zeg, neem ik je baby mee op een lange, lange vliegreis en kun je haar nooit meer vinden.'

'Ik verklap het als je dat doet.'

'Dat geeft niet,' zei Kevin.

'Wel waar. Mijn papa kan zorgen dat je haar teruggeeft.'

'Nee, dat wil ik niet. Papa's kunnen mama's niets laten doen wat ze niet willen. Mijn papa kan mijn mama zelfs niet laten beloven dat ik met hem mag gaan skiën.'

Chris had genoeg gehoord. 'Hoe lang is dit al aan de gang?' vroeg ze aan Mary.

'Al een hele tijd.' Rustig nam ze Chris mee naar de keuken. 'Ik wilde je er niet mee lastig vallen, maar ik dacht dat je het misschien toch maar beter kon horen.'

Mary schoof een stoel bij voor Chris en ging tegenover haar zitten aan tafel. 'Ik zou niet nog méér van Kevin kunnen houden als hij mijn eigen kind was, Chris. Het breekt mijn hart als ik zie wat die verbittering tussen jou en Mason met hem doet.'

Het verdriet dat Chris voelde om Kevin was als een wond die niet wilde genezen. De laatste tijd leek het of elke dag er nieuw zout in strooide. 'Ik ben bang dat het nog een stuk erger zal worden voor het beter wordt.'

'Hoe bedoel je?'

'Herinner je je nog dat ik je vorige week vroeg om op Kevin te passen?'

'Ja,' zei Mary.

'Ik had een afspraak met Paul Michaels.'

'Dit is de eerste keer dat je erover begint, dus ik neem aan dat het gesprek niet erg goed verlopen is.'

Chris probeerde te glimlachen. 'Hij wilde me voorbereiden op wat me te wachten zal staan als we voor de rechter verschijnen.'

'Dus de datum is vastgesteld?'

'Er komt een hoorzitting naar aanleiding van Masons verzoek om de adoptie ongedaan te maken.'

'Dat maakt me toch zo razend,' zei Mary. 'Hij weet dat hem dat nooit zal lukken. Waarom probeert hij het?'

'Waarschijnlijk denkt hij dat het bewijst hoezeer het hem ter harte gaat en hoe intens hij zich te kort gedaan voelt. Ik heb nooit bestreden dat Mason Kevins vader is. Waarom zou ik? Iedereen die ogen in zijn hoofd heeft kan zien dat er een genetische band is. Zijn advocaat denkt blijkbaar dat als ik dat in de rechtszaal toegeef, het zijn zaak sterker zal maken. Ik weet zeker dat de advocaat me ook een kruisverhoor wil afnemen waarom ik in al die jaren nooit geprobeerd heb Mason te vinden. Tijdens de procedure zal hij proberen twijfel te wekken aan mijn bewering dat ik niet van Dianes brief op de hoogte was tot Mason me hem liet zien.'

'Ik vind het gewoon niet eerlijk dat zoveel kan afhangen van de slimheid van twee mannen die niets anders op het spel hebben staan dan hun honorarium.'

'Liever die twee dan koning Salomo.' Ze dacht even na. 'Nee, dat is niet juist. Het was de echte moeder die de baby uiteindelijk kreeg. Denk je dat er een moderne rechter bestaat die even wijs is?'

'Wanneer is de hoorzitting?' vroeg Mary.

Chris zuchtte. 'Vandaag over drie weken.'

'Ik denk dat je in je hart ernaar verlangt het achter de rug te hebben.'

'Ja, maar nu ik met Paul heb gesproken, niet meer.' Ze plantte haar ellebogen op tafel en bedekte haar gezicht met haar handen. 'Ik moet in een soort sprookjesland hebben geleefd om te denken dat ik Kevin hierbuiten kon houden.'

'Ze laten hem toch niet getuigen?' vroeg Mary.

'Nee – tenminste niet in de rechtszaal. Paul zei dat de rechter waarschijnlijk alles zal overdragen aan de kinderbescherming. Ze zullen mensen sturen om mij en Mason te ondervragen. Ze zullen ook met Kevin praten en hoogst waarschijnlijk aanbevelen dat hij naar een psychiater gaat.'

'Dat is het stomste wat ik ooit heb gehoord. Kevin hoeft niet naar een psychiater.'

'Meen je dat?' vroeg Chris, haar tranen terugdringend. 'Kun je dat met de hand op je hart zeggen na wat we net in Tracy's kamer hebben gehoord? Dat was nauwelijks het gedrag van een goed aangepast kind.' Ze kneep hard in haar neusbrug om te proberen verdere tranen te voorkomen. 'Ik maak me zo ongerust over hem, Mary. Juffrouw Abbott belde me verleden week en vertelde dat Kevin de orde in de klas verstoord had. Ik weet dat het waarschijnlijk verbeelding van me is, maar ik heb de indruk dat hij nooit meer lacht.' Ze stak smekend haar handen uit. 'Wat moet ik doen? Ik heb erover nagedacht tot ik helemaal suf was, maar ik kan geen antwoord bedenken.'

Mary pakte Chris' hand. 'Jullie hebben zwaardere stormen overleefd,' zei ze. 'Geef het de tijd. Je verzint wel een oplossing.'

Chris verloor haar gevecht tegen haar tranen. Langzaam, stilletjes, rolden ze over haar wangen. 'Het lijkt nu bijna minder moeilijk hem te zien vechten om zijn lichaam te genezen, dan om twee ouders te begrijpen en te blijven liefhebben, die elkaar kennelijk haten.' Ze liet Mary's handen los en wreef haar gezicht droog. Ze rolde met haar ogen. 'Mason heeft me er eens van beschuldigd dat ik theatraal doe. Ik ben blij dat hij niet heeft gehoord hoe ik dat stukje melodrama opvoerde.'

'Wees toch niet zo kritisch op jezelf. Je hebt dit heel wat beter doorstaan dan ik zou hebben gekund.'

Chris lachte vermoeid. 'Jij moet zoiets wel zeggen. Je bent mijn vriendin.'

'Een echte vriendin zou je kunnen helpen. Ik kan niet eens de reddingsboei vinden die ik overboord kan gooien om je te helpen jezelf te redden.'

Chris gleed met haar vinger over een gleuf in het eikehout van de tafel. Ze staarde naar het behang en luisterde naar het tikken van de staande klok in de zitkamer. Het huis van Mary en John was haar even vertrouwd als dat van haarzelf. Ze wist dat John de tafel had beschadigd toen de schroevendraaier uitschoot terwijl hij bezig was de broodrooster te repareren. Zij en Mary hadden op een dag behangen toen John met Kevin en Tracy was gaan vissen; het had drie weken geduurd voor John merkte dat er iets veranderd was, al had hij steen en been geklaagd over de kleur van de keuken vanaf de dag waarop ze hier waren komen wonen. Mary had de staande klok voor John gekocht met het geld dat haar moeder haar had gestuurd voor haar verjaardag. Ze had het hem nooit verteld, omdat ze wist dat hij zich dan schuldig zou voelen.

De Hendricksons waren familie van Kevin en haar. Mason hoorde er niet bij en zou dat nooit doen. Weer een andere richting waarin Kevin werd getrokken. Hoeveel emotionele ketenen kon een kleine jongen achter zich aanslepen en toch opgroeien tot een gezonde, evenwichtige man?

'Ik kan niet toestaan dat de kinderbescherming Kevin ondervraagt,' zei Chris. 'Hij zou het gevoel hebben dat ze hem vroegen partij te kiezen, en dat zou hem verscheuren.'

'Maar je hebt geen keus.'

'Er moet een manier zijn,' zei Chris. 'Ik ben op het punt aangeland waarop ik alles zal doen wat nodig is.'

Hoofdstuk negentien

Toen Chris thuiskwam, belde ze Paul Michaels en vroeg hem een ontmoeting te regelen tussen Mason en haar voordat ze elkaar in de rechtszaal zouden zien. Hij zei dat hij zich in verbinding zou stellen met Masons adsvocaat en zou proberen een afspraak te maken.

Het duurde drie dagen voor Paul terugbelde.

'Ze zijn achterdochtig en niet bereid op je verzoek in te gaan, Chris,' vertelde Paul toen hij belde.

'Heb je ze gezegd dat het ter wille van Kevin is?'

'Ja, een paar keer. Ik had net zo goed Chinees kunnen spreken, ik schoot er geen bal mee op. Ze geloven niet dat je bereid bent eerlijk en oprecht te onderhandelen. En omdat je me niet wilde vertellen wat je in gedachten had, kon ik niet veel doen om ze van het tegendeel te overtuigen.'

'Niet "niet wilde", Paul – *niet kon*. Ik weet zelf niet wat het antwoord is. Het enige dat ik weet is dat ik ten minste moet proberen of Mason en ik niet iets kunnen uitwerken voordat Kevin aan een stel vreemden wordt overgeleverd die zich bemoeien met zijn leven en zijn psyche. Hij heeft al genoeg narigheid gehad.'

'Je bedoeling is nobel, Chris.'

'Maar?'

'Ik ben bang dat je iets zult zeggen of doen dat tegen je zal pleiten als we uiteindelijk voor de rechter staan.'

'Ik zal voorzichtig zijn.'

Er viel een lange stilte voor Paul antwoordde. 'Ik wil je niet te hoopvol stemmen, maar misschien heb ik een idee hoe we dit kunnen oplossen zonder jouw of Masons positie in gevaar te brengen,' zei hij. 'Ik bel je over een paar dagen terug als ik mijn plan heb uitgewerkt.'

'En als je dat niet kunt?'

'Dan doen we het op jouw manier.'

'Dank je, Paul.'

'Ik heb nog niets gedaan.'

'Je hebt naar me geluisterd.'

'We zullen dit winnen, Chris. Misschien niet op de manier die we op het oog hadden, maar –'

'Zolang Kevin er maar bij wint, kan ik alles verdragen.'

'Houd je daaraan,' zei hij, en hing op.

Vier dagen later, toen hij alles op een rijtje had, kwam Paul erop terug.

'Als je plannen hebt voor aanstaande woensdag, annuleer ze dan,' zei hij, Chris opvangend toen ze de deur uit wilde om boodschappen te doen.

Ze verstarde. 'Wat is er?'

'Jij en Mason hebben om tien uur een afspraak met rechter Harold McCormick in diens kamer.'

'Waarom?'

'Om het uit te vechten, zonder advocaten, zonder kinderbescherming, zonder psychologen, alleen jij en Mason – met rechter McCormick als scheidsrechter en om alle juridische vragen te beantwoorden die zich voor kunnen doen.'

'En Mason is het daarmee eens?'

'Ik weet dat jij het moeilijk kunt geloven, Chris, maar ik ben ervan overtuigd geraakt dat Mason, net als jij, wil wat het beste is voor Kevin. Ik hoefde alleen nog maar een neutrale partij te vinden die voor iedereen acceptabel was, en het was voor elkaar. Ik neem aan dat je het eens bent met rechter McCormick?'

'Als jij hem goed vindt, twijfel ik niet aan hem.'

Paul grinnikte. 'Ik heb hem uitgezocht.'

Voor de eerste keer in maanden voelde Chris zich hoopvol gestemd. 'Ik had het moeten weten,' zei ze.

Op de dag voor de bijeenkomst, toen ze bezig was kleren te passen, ging Chris voor de zoveelste keer in gedachten het gesprek met Paul Michaels na. Ze paste intussen alles wat in haar kast hing dat niet van denim of canvas was gemaakt. Ze kon niet beslissen hoe ze eruit wilde zien, ze wist alleen maar dat niets wat ze bezat haar voldeed. De jaren die ze in het bedrijfsleven had gewerkt hadden haar geleerd dat je kleden om succes te hebben, geen mythe was van de kledingindustrie. Ze was zich er intens van bewust hoe moeilijk het was een eerste indruk te veranderen.

Een man kon een standaard grijs pak aantrekken en het was voor elkaar. Een vrouw moest beslissen of hetzelfde standaard grijze pak zou worden beschouwd als een bedreiging als ze het zonder enige opsmuk droeg, of een vrolijk gekleurde sjaal haar wispelturig zou doen lijken, of een vest eronder te sexy.

Het hielp dat ze van gemiddelde lengte was. Een lange vrouw werd onherroepelijk beschouwd als agressief, hoe ze zich ook kleedde, en het was bijna onmogelijk voor een echt kleine vrouw om serieus te worden genomen.

Gelukkig had Chris nog dezelfde maat als toen ze voor de Wainswright Brewing Company werkte, en de kleren die ze toen droeg zagen er nog even goed uit, behalve dat de rokken een beetje te lang waren en de kleuren van de blouses een paar seizoenen oud.

Ze hoefde alleen maar een keus te maken. Doodeenvoudig. Bedenken wat rechter McCormicks idee van een ideale moeder was, en daarnaar handelen.

Ze ging op de rand van het bed zitten, staarde naar de kast en slaakte een diepe zucht.

Mason reed de parkeerplaats tegenover de rechtbank op, stapte uit en knoopte het jasje van zijn grijze pak dicht. Hij kwam net van een vergadering met Travis, Rebecca en Walt over de overschrijding van de kosten voor het Capitol Court Hotel. Hoewel hij maar half geluisterd had naar wat er gezegd werd, was hij toch in de war toen hij wegging.

De twee onderaannemers in kwestie waren mannen met wie hij nooit eerder gewerkt had en waarschijnlijk ook nooit meer zou werken. Ze leverden half werk, dienden gepeperde rekeningen in, en moesten voortdurend in de gaten worden gehouden. Gewoonlijk zou dat door Mason of Travis of Walt zijn gedaan, maar nu Mason het zo druk had met zijn privé-leven, en Travis probeerde hem te dekken door op drie plaatsen tegelijk te zijn, en Walt enkele dagen per week in Los Angeles was, waren er een paar dingen aan hun aandacht ontsnapt, die ze anders gezien zouden hebben.

Maar dat was allemaal niet belangrijk, in ieder geval niet vergeleken met wat er op het punt stond te gebeuren.

Hij had geprobeerd niet te veel te verwachten van het onderhoud bij McCormick. Er was geen enkele reden om aan te nemen dat Chris plotseling veranderd zou zijn in een redelijke, meevoelende vrouw. Zijn advocaat had hem dringend aangeraden de voorgestelde ontmoeting te vermijden, zeggend dat het gewoon weer het oude liedje zou zijn op een andere toon. Uiteindelijk had het feit dat ze elkaar in Harold McCormicks kamer zouden spreken, zonder hun advocaten, de doorslag gegeven.

Toen hij de trap van de rechtbank opliep, vroeg Mason zich af of Chris wist dat de rechter die ze had gekozen een oude en intieme vriend van hem was, een van de eerste vrienden die hij had gemaakt toen hij naar Sacramento was verhuisd.

Hij betwijfelde het.

Chris keek op toen Mason binnenkwam. Hoe lang, vroeg ze zich af, zou ze hem moeten kennen voor ze ophield verbaasd te zijn dat hij zoveel op Kevin leek? Of beter gezegd, hoeveel Kevin op hem leek?

'Goedemorgen,' zei Mason, die tegenover haar ging zitten in de kleine wachtkamer.

Ze knikte in antwoord op zijn begroeting.

'Is Harolds secretaresse al langs geweest?' vroeg hij.

Harold? Noemde Mason rechter McCormick bij zijn voornaam? Geen wonder dat hij had toegestemd in de bijeenkomst. Rustig, waarschuwde een inwendig stemmetje haar. Niet laten merken dat je transpireert. O, geweldig, nu citeerde ze al televisiereclame bij zichzelf.

'Ze kwam vijf minuten geleden binnen en zei dat de recht –' Snel verbeterde ze zichzelf. 'Ze zei dat Harold op tijd zou zijn.'

Mason leunde achterover en strekte zijn benen voor zich uit. 'Hoe gaat het met Kevin?'

'Hij is vandaag bij Mary,' zei ze stijfjes. 'Hij had gisteravond buikpijn, dus heb ik hem thuisgehouden van school.'

'Was hij misselijk vanmorgen?'

'Nee.'

'En toch heb je hem thuisgehouden?' vroeg hij ongelovig.

Chris haalde lang en diep adem. Zeker vandaag kon ze zich niet permitteren haar geduld te verliezen. Kalm, koel, weloverwogen en redelijk – dat waren de wachtwoorden. 'Ik heb gedaan wat me het beste leek,' zei ze effen, 'gebaseerd op enkele jaren ervaring met Kevin.'

'Was vandaag niet de dag waarop hij het boek af had moeten hebben waar hij mee bezig was?'

Ze voelde de spieren in haar hals spannen. 'Als hij zich vandaag goed voelt, kan hij morgen weer naar school en het boek afmaken.'

'Hoeveel dagen heeft hij dit jaar gemist op school?'

Ze betwijfelde of er meer dan vijf minuten verstreken waren sinds Mason het vertrek was binnengekomen, en nu al had ze hem het liefst gewurgd. Ze begon te denken dat die hele bijeenkomst tijdverspilling was. Ze konden het er zelfs niet over eens worden welk merk cola beter was; hoe zouden ze het ooit eens kunnen worden over iets dat zo belangrijk was als Kevins toekomst? 'Ik neem aan dat je een bedoeling hebt met je vraag, dat het niet zomaar een achteloze vraag is?'

Een vrouw met kort blond haar, in een helrode zwangerschapsjurk, kwam binnen voordat Mason antwoord kon geven. 'De rechter kan u nu ontvangen,' zei. 'Als u mij wilt volgen, zal ik u bij hem brengen.'

De kamer waar ze hen heen bracht was klein, maar mooi. De muren hadden eikehouten panelen, de vloer was bedekt met een schitterend Perzisch tapijt. De stoelen waren bekleed met stof van een warme bosgroene kleur. De man die achter het bureau zat had een keurig geknipte snor en een rand grijs en zwart haar rond een kale kruin. Chris schatte hem ergens tussen de vijfendertig en vijftig, oud genoeg om zelf kinderen te hebben, maar niet zo oud dat hij geen nieuwe oplossingen zou kunnen vinden voor oude problemen. Zijn ronde buikje werd platter toen hij opstond om hen te begroeten.

'Mason,' riep hij uit. 'Goed je weer te zien.' Hij liep om het bureau heen. 'En jij moet Christine Taylor zijn,' zei hij hartelijk tegen Chris.

Na beiden de hand te hebben geschud, zette hij twee stoelen midden in de kamer, vroeg Mason en Chris plaats te nemen, en ging zelf op de punt van zijn bureau zitten, terwijl hij van de een naar de ander keek.

'Ik kan niet zeggen dat ik ooit eerder iets dergelijks heb meegemaakt,' zei hij, onmiddellijk ter zake komend. 'Op zijn minst zal deze dag interessant zijn. Maar laten we hopen dat hij meer zal zijn dan dat. Zo, wie wil beginnen?'

Mason leunde naar voren in zijn stoel en keek naar Chris. 'De advocaat van Ms. Taylor heeft deze bijeenkomst voorgesteld, dus misschien kan zij beter beginnen.'

Chris sloeg haar ogen neer om haar gedachten te verzamelen, zag een stofje op haar zwarte rok en plukte het automatisch eraf. Het enige waarmee ze geen rekening had gehouden toen ze besloot tot het Chanel-pakje was de geestelijke bagage die ermee gepaard ging. In gedachten was ze Kevins moeder – jeans en truien. Maar toen ze in de etalages die ze op weg hier naartoe was gepasseerd, een glimp van zichzelf had opgevangen zoals ze vandaag gekleed was, zag ze de veelbelovende executive die ze eens geweest was. Ze werd niet langer dan een fractie van een seconde afgeleid, maar werd er een klein beetje door uit haar evenwicht gebracht.

'Ik, eh, ik wilde zien of er niet een manier was om Kevin te redden ... om te voorkomen dat hij een onderzoek krijgt door de kinderbescherming. Niet dat we iets te vrezen hebben; we hebben niets te verbergen. Het is alleen dat hij de laatste tijd niet zo goed functioneert op school... en hij heeft zelfs ruzie gehad met zijn beste vriendinnetje, Tracy. Ik heb geprobeerd hem te beschermen tegen mijn persoonlijke gevoelens over de loop van de gebeurtenissen.' Ze keek naar Mason. 'Feitelijk hebben we dat allebei geprobeerd, maar Kevin is een heel slim jongetje en –'

'Hij vult de rest zelf aan,' maakte Harold McCormick haar zin af.

'Ja,' zei ze zacht. 'Daarom wil ik hem niet nog meer laten doormaken. Ik ken mijn zoon. Het doet er niet toe hoe goed die psychiater van de kinderbescherming is, Kevin zal het gevoel hebben dat er van hem verlangd wordt dat hij partij kiest. Ik begrijp niet waaròm Kevin zo dol is op zijn vader, maar ik accepteer het feit dàt hij dat is.'

'Dus wat je vandaag hoopt te bereiken is een overeenkomst tussen jou en Mason over de voogdijschap van Kevin?'

'Bezoekrecht,' verbeterde ze hem. 'Geen voogdij.'

Mason viel haar in de rede. 'Wat voor soort bezoekrecht had je in gedachten?'

Chris slikte moeilijk. Ze gaf hem meer dan ze wilde dat hij zou krijgen, maar ze wist dat ze realistisch moest zijn als ze hem zover wilde krijgen dat hij toestemde. 'Eén volledig weekend per maand en twee weken elke zomer als hij tien is geworden.'

'Dat meen je niet serieus,' zei Mason.

'Als je de uren optelt, is het zes keer zoveel als je nu hebt.'

'Wat ik nu heb is een aanfluiting.'

'Hoe vaak zie je Kevin?' vroeg Harold aan Mason.

'Elke zaterdag drie uur.'

'En wie heeft dat geregeld?'

Mason keek Chris doordringend aan. 'Zij. Wat je enig idee moet geven hoe bezitterig ze is ten opzichte van Kevin. Ze kan het niet verdragen als hij meer dan een paar uur bij haar vandaan is. Ik weet niet zeker of het de "gevaarlijke" sporten zijn waarmee ik hem in aanraking kan brengen, of de "gevaarlijke" nieuwe ideeën, maar ze is zo paniekerig over de tijd die hij met me doorbrengt dat ze achter de deur staat te wachten als ik hem thuisbreng.'

'En wat vind jij van wat Mason net heeft gezegd?' vroeg Harold aan Chris.

'Hij weet niet waar hij over praat. Kevin gaat vaak ergens heen zonder mij, en zolang ik degene ken en vertrouw bij wie hij is, maak ik me helemaal geen zorgen over hem.'

'Maar je maakt je wél zorgen als hij bij Mason is?'

Ze wilde eromheen draaien, maar besloot dat ze verder kwam met eerlijkheid. 'Elke minuut die hij bij hem is.'

Mason wilde iets zeggen, maar Harold legde hem met een gebaar het zwijgen op. 'Waarom?' vroeg hij aan Chris.

'Omdat Mason geen flauw idee heeft hoe het is om een echte vader te zijn. Hij denkt dat het allemaal gein en spel is. Misschien kan hij een geschaafde knie verbinden, maar hij heeft geen idee waar hij op moet letten als Kevin misselijk wordt of waarom het belangrijk is aandacht te besteden aan een maag die van streek is.'

'Hoe weet je dat?' vroeg Mason. 'Heb je een kristallen bol die je vertelt hoe en wat ik ben? Of vertrouw je nog steeds op de kranten om je op de hoogte te houden?'

Harold ging verzitten. 'Ik denk dat we beter –'

'Ik weet wat voor dingen je aan Kevin vertelt,' zei Chris.

'Hoor je hem uit over mij?' kaatste Mason terug.

'Dat hoeft niet. Als je ook maar iets wist over kinderen, zou je weten dat ze geneigd zijn alles te herhalen wat ze horen. Je hoeft ze niet aan te sporen. Het enige dat je moet doen is nu en dan luisteren.'

'Als ik vaker de kans kreeg om te luisteren zou ik misschien –'

Harold stond op en liep om het bureau heen. 'Ik geloof dat ik genoeg gehoord heb,' zei hij. 'Jullie zijn het er ongeveer net zo over eens hoe je een kind moet opvoeden als het Leger des Heils en de Belastingdienst hoe je een liefdadigheidsinstelling moet leiden.' Hij schudde zijn hoofd. 'Jammer dat jullie niet getrouwd zijn. Dan zou alles niet zo vaag zijn.'

Er gingen seconden voorbij zonder dat iemand iets zei.

Een langzame glimlach verspreidde zich over het gezicht van Harold McCormick. 'Ik weet dat het krankzinnig klinkt, maar eigenlijk is het niet zo'n slecht idee. Heeft een van jullie beiden er weleens over gedacht?'

Verward keek Chris van Mason naar Harold, zich afvragend of haar iets ontgaan was.

'Om te trouwen,' antwoordde Harold. 'Het zou de perfecte oplossing van jullie probleem kunnen zijn.'

Hoofdstuk twintig

'Waarom zou ik in vredesnaam met Mason Winter willen trouwen?' vroeg Chris.

Mason maakte aanstalten om op te staan. 'Ik wist dat dit tijdverspilling zou zijn.'

'Luister naar me,' drong Harold aan.

Mason aarzelde. Pas nu het mislukt was, besefte hij hoe intens hij had gehoopt dat deze bijeenkomst succes zou hebben. Hij was niet zo blind voor wat er met Kevin gebeurde als Chris scheen te denken. Hij zag de subtiele en minder subtiele veranderingen. Zijn ongerustheid over die veranderingen en de pogingen uit te puzzelen wat hij kon doen om te helpen, hadden hem meer nachten wakker gehouden dan hij wilde toegeven. Alleen op rustige momenten, als hij zeker wist dat er geen kans was dat hij in de verleiding zou komen zijn zorgen aan een ander op te biechten en zijn eigen twijfels weerspiegeld te zien in hun ogen, vroeg hij zich aarzelend af of hij de vader kon zijn die Kevin nodig had. Het tafeltje naast zijn bed lag vol met boeken over het vaderschap, van Benjamin Spock en T. Berry Brazelton tot Bill Cosby.

Maar boeken waren niet voldoende. Al had hij niets anders geleerd in zijn tijd met Kevin, hij had wél ontdekt dat het vaderschap weinig succes kon hebben op een part-timebasis. Misschien zou het iets anders zijn geweest als hij en Kevin een gemeenschappelijke achtergrond hadden gehad, een paar jaar samen hadden gewoond om de grondslag te leggen voor hun relatie. Zoals de zaken nu stonden, was het een aaneenschakeling van inhaalspelletjes.

Waar het op neerkwam was dat hij geen weekendvader wilde zijn; hij wilde een echte vader zijn. Na veel frustratie had hij zich er eindelijk bij neergelegd dat wat hij wilde, in de afzienbare toekomst onmogelijk was. Tot Kevin oud genoeg was om zelf te beslissen bij welke ouder hij wilde wonen, kon Mason alleen maar geduldig afwachten en zijn hoop vestigen op het komende proces.

'Ik geef je vijf minuten,' zei Mason, en ging weer zitten.

'Nou, ik niet,' zei Chris.

Mason greep haar arm toen ze haar tas wilde pakken en dwong haar te blijven waar ze was. 'Vergeet niet wat er op het spel staat,' zei hij. 'Het wordt tijd dat we ophouden aan onszelf te denken en Kevin op de eerste plaats laten komen.' Zijn woorden verbaasden zelfs hem.

Mason keek Harold doordringend aan. 'Ik geef je het voordeel van de twijfel, in de veronderstelling dat je nog een paar concrete suggesties hebt na dat belachelijke idee.'

Harold pakte een potlood uit een houder, hield het in het midden vast en schommelde het heen en weer, een staccatoritme tikkend op het blad van het bureau. 'Wat ik voorstel is niet zo kant noch wal rakend als het misschien lijkt,' zei hij met een glinstering van opwinding in zijn ogen. 'In ieder geval niet als je er even over nagedacht hebt. Ik heb uitvoerig gesproken met jullie advocaten voor we vandaag hier bijeenkwamen. Ze hebben me verteld wat er sinds augustus aan de hand is en hoe het allemaal zo is gelopen, en ze hebben me ook veel verteld over jullie beiden – hoe jullie zijn en wat er zich in jullie privé-leven afspeelt.'

Hij richtte zijn aandacht op Mason. 'Jou kende ik al, en er waren dan ook niet veel verrassingen.' Hij wendde zich tot Chris. 'Ik heb nooit het genoegen gehad je eerder te ontmoeten, maar na mijn gesprek met Paul geloof ik dat ik met recht kan zeggen dat je leven draait om je zoon – en dat is wat mij betreft, precies zoals het hoort.'

Het getik vertraagde. 'Kevin lijkt me een kind waar ik trots op zou zijn als het van mij was.' Het ritme versnelde.

'Dus wat blijft er over?' ging Harold verder. 'Twee goede, fatsoenlijke mensen die het leven van een derde ellendig maken en elkaar daarbij door een hel laten gaan.'

Mason besefte plotseling dat hij zijn hand nog steeds om Chris' arm geklemd hield. Hij liet haar los zonder haar aan te kijken.

'Het trieste en toch ook veelbelovende van dit alles,' vervolgde Harold, 'is dat jullie beiden hetzelfde willen – Kevins geluk.'

Hij keek naar Chris. 'Ik weet dat je beseft dat Mason ervan overtuigd is iets daartoe te kunnen bijdragen. En eerlijk gezegd, geloof ik dat ook. Een jongen leert wat het is om vader te zijn door een vader te hebben die hij kan navolgen. Misschien ben je het niet eens met Masons levensfilosofie, zijn politieke partij, of de dingen die hij doet of zegt, maar die dingen maken niet noodzakelijkerwijs een slecht mens van hem. Om eerlijk te zijn, ben ik ook niet zo dol op de Republikeinen, maar bij tijd en wijle nodig ik er toch een paar bij me thuis uit.'

'Ik heb niemand nodig om een goed woordje voor me te doen,' zei Mason droog.

Harold glimlachte. 'Zoals ik geen lagere golfhandicap nodig heb.'

'Kunnen we verder gaan?' vroeg Chris.

Harold richtte zijn aandacht weer op Mason. 'Ik denk niet dat je het feit zult tegenspreken dat Chris in alle opzichten, behalve genetisch, de moeder van Kevin is en dat ze elk recht heeft dat te blijven. Je weet net zo goed als ik dat geen rechter in dit land Kevins adoptie ongeldig zal verklaren. Ik realiseer me dat je het niet eens bent met al haar ideeën en idealen, maar al kun jij dat nog zo moeilijk accepteren, Mason, haar denkwijze is wat deze planeet voor Kevin en Kevins kinderen zal redden.'

Mason kreunde.

'Goed,' gaf Harold toe. 'Genoeg daarover. Terug naar het zoeken naar een oplossing om ervoor te zorgen dat jullie allebei je zin krijgen en Kevin als de winnaar uit het strijdperk treedt. Ik ben niet dwaas genoeg om een huwelijk voor te stellen omdat ik denk dat er enige liefde tussen jullie bestaat. Integendeel. Feitelijk zijn jullie gevoelens voor elkaar de reden dat dit een logische, zo niet perfecte oplossing kan zijn. Mason, jij wilt Kevin vaker zien, zodat je hem goed genoeg leert kennen om een echte vader voor hem te worden – iets wat je op deze manier waarschijnlijk niet zult kunnen bereiken, al kreeg je elk weekend bezoekrecht, en ik kan je verzekeren dat dat niet erg waarschijnlijk is. Chris, jij wilt niet dat Mason Kevin langere tijd meeneemt, omdat je niet zeker weet wat voor soort invloed hij zal hebben op een ontvankelijke vijfjarige jongen. Ik kan je verzekeren dat, al is het onwaarschijnlijk dat Mason hem elk weekend krijgt, hij een heel goede kans heeft hem om het andere weekend te krijgen en op feestdagen en minstens twee achtereenvolgende maanden in de zomer.'

Harold boog zich naar voren. Zijn enthousiasme was zichtbaar in zijn lichaamstaal. 'Maar als jij eens deel kon uitmaken van hun wisselwerking, Chris? En, Mason, als jij eens elke ochtend met Kevin aan de ontbijttafel kon zitten?'

Hij breidde zijn armen uit, hen verleidend tot een dialoog. 'Het enige dat je nodig hebt is een huis met twee vleugels en een gemeenschappelijke leefruimte. Beschouw het als een klein, exclusief studentenhuis, met Kevin als de leerling. Als hij ouder is en beter opgewassen is tegen apart wonende ouders, kunnen jullie gaan scheiden.'

Mason schudde zijn hoofd. 'Ik kan niet geloven dat je zoiets durft voor te stellen.' Hij keek naar Chris om te zien of zij het even weerzinwekkend vond als hij. Er lag een peinzende, bijna berustende uitdrukking op haar gezicht.

'Ik kan niet geloven dat ik dit echt zeg, en een stemmetje in mijn achterhoofd vertelt me dat ik er spijt van zal hebben dat ik het toegeef, maar het heeft een soort krankzinnige logica,' zei ze tegen Mason. 'Ik heb eindelijk geaccepteerd dat jij, of ik het leuk vind of niet, op de een of andere manier een deel van ons leven zult worden, van dat van Kevin en mij. De afgelopen maand heb ik geprobeerd me met dat feit te verzoenen en ook met het feit dat ik er niets tegen kan beginnen.'

Ze keek naar haar handen en balde haar vuisten op haar schoot. 'Jij en ik kunnen allebei koppig zijn, Mason, maar we zijn geen van beiden dom. Als we zouden trouwen, is dat niet om ons blindelings ergens in te storten of met een andere verwachting dan Kevin een enigszins normaal leven te geven.'

Mason probeerde het gevoel van zich af te zetten dat hij terecht was gekomen in een script van Rod Serling voor Twilight Zone. 'Wat voor normaal leven kun je in 's hemelsnaam verwachten van een schertsvertoning? Wil je werkelijk dat Kevin opgroeit met de gedachte dat een huwelijk een huis betekent met gescheiden vleugels en een gedemilitariseerde zone in het midden? Het leven dat hij nu heeft komt heel wat dichter bij het normale dan dit onbezonnen plan van Harold. Een hoop kinderen komen uit een eenoudergezin en doen het prima.'

'En een hoop ervan niet,' viel Harold hem in de rede. 'Ik maak elke dag de gevolgen mee van een gebroken gezin, Mason, en ik ben kotsmisselijk van al die verspilling. Ik zal het ontkennen als je ooit iemand vertelt dat ik dit gezegd heb, maar soms denk ik weleens dat onze maatschappij er heel wat beter aan toe zou zijn als ouders meer bij elkaar bleven ter wille van de kinderen.'

Er viel een lange stilte.

'Waarom moeten we trouwen?' vroeg Mason. De vraag verbaasde hem zelfs nog meer dan Harold of Chris. De vraag betekende dat hij feitelijk in overweging nam wat hij een paar seconden geleden nog als krankzinnig had afgedaan.

'Vergeet dat ik dat gezegd heb.' Hij stond op. Hij moest hier weg. Hij had tijd nodig om na te denken, de dingen te verwerken, een beter plan te bedenken.

'Het zou in ieders voordeel zijn om de verbintenis wettig te maken,' zei Harold, 'maar het zou vooral helpen Kevin te beschermen. En Kevin is immers de reden waarom we hier vandaag zijn gekomen?' vroeg hij nadrukkelijk.

'Blijf alsjeblieft, Mason,' zei Chris met een zucht. 'Het idee om te trouwen bevalt mij evenmin als jou, maar wij tellen niet langer mee. Als je een beter idee hebt dan Harold, zeg het dan. Ik beloof je dat ik zal luisteren. Maar loop niet weg. Ik kan er niet tegen dat Kevin nog meer verdriet heeft.'

'Ik zal erover nadenken,' zei Mason. 'Meer kan ik op het ogenblik niet beloven.'

'Je hebt niet veel tijd,' merkte Harold op.

'Ik ben de datum van de hoorzitting niet vergeten.' Mason keek naar Chris. Op dezelfde toon die hij zou kunnen gebruiken tegen iemand die op het punt stond van het dak te springen, vroeg hij: 'Weet je heel zeker dat je dit serieus wilt overwegen?'

Chris stond op. Ze wilde kennelijk op gelijke hoogte met hem zijn toen ze hem antwoordde. 'Vijf jaar geleden heb ik Kevin plechtig beloofd dat ik hem het beste leven zou geven dat in mijn vermogen lag, ook al moest ik mijn eigen leven daarvoor offeren.'

Mason keek haar recht in de ogen; zijn mondhoek ging omhoog in een ironische grijns. 'En dat zou een huwelijk met mij voor je betekenen?' Tot zijn verbazing reageerde ze met een verlegen glimlach.

'Het was niet mijn bedoeling melodramatisch te doen. Het was toen een emotionele tijd voor me – meer nog dan nu. Ik wist van de ene dag op de andere niet of Kevin in leven zou blijven. Ik heb hem en mezelf een paar heel serieuze beloften gedaan.'

Een flits van begrip ging door hem heen. Dus dat was het ware ouderschap – zo'n volledige toewijding dat het kind onder alle omstandigheden op de eerste plaats kwam. Hoe kon hij ooit hopen met haar te kunnen concurreren? 'Je begrijpt natuurlijk dat je bereidheid hiermee in te stemmen mij in een onhoudbare positie plaatst.'

'Ik wil alleen wat het beste is voor Kevin. Ik kan me niet druk maken over de positie waarin het een van ons beiden plaatst.'

'Hoe weet je zo zeker dat dit de oplossing is?'

'Dat weet ik niet. Maar zoals ik je al gezegd heb, heb ik erin berust dat je voor lange tijd in mijn leven zult zijn, dat je je niet op een dag terug zult trekken om mij en Kevin rustig onze gang te laten gaan. Ik weet nu dat ik je aanwezigheid in mijn leven op een of andere manier zal moeten verdragen, zeker tien of vijftien jaar. Het is slechts een kwestie van hoe, tot op welke hoogte, en wat het beste is voor Kevin.'

'Ik zie dat je geen illusies hebt over de regeling.'

'Geen enkele.'

In een leven waarin hij zoveel beslissingen had moeten nemen, had hij ontdekt dat hij er dagen over kon doen om over iets na te denken, en dan onveranderlijk terugkwam op zijn eerste intuïtieve besluit. Deze keer was er een verschil – zijn verstand zei nee, zijn hart zei ja. Kevin had een gezin nodig en alles wat een gezin hem kon geven. Het enige probleem was het soort gezin dat hij en Chris hem zouden kunnen verschaffen. 'Ik kan de gedachte niet van me afzetten dat Kevin zal opgroeien met een verwrongen idee over het huwelijk.'

'Dat staat vrijwel onder aan de lijst van dingen waarover ik me op het ogenblik zorgen maak.'

'En hoe staat het met –'

Chris hield haar hoofd achterover en staarde naar het plafond. '*En hoe staat het met Kevin?*' vroeg ze gesmoord.

Mason staarde haar aan. Hij probeerde zich voor te stellen hoe het zou zijn om met haar in één huis te wonen. Hun leven zou één voortdurende ruzie zijn. Maar toen herinnerde hij zich wat Harold had gezegd, dat hij elke ochtend tegenover Kevin aan het ontbijt zou zitten.

Was de vreugde over het feit dat hij Kevin bij zich had de narigheid waard van een leven met Chris?

Verdikkeme, ja! schreeuwde een inwendige stem. Het werd tijd dat die lege plek binnen in hem ophield pijn te doen.

'Goed dan,' zei Mason.

Chris hield haar adem in en keek hem met een angstige blik aan.

'Goed?' herhaalde Harold. 'Wil dat zeggen dat jullie het doen?'

Mason bleef naar Chris staren, hij voelde een bijna wanhopig verlangen in haar om langs hem heen te springen en naar de deur te rennen. 'Zeg maar waar en wanneer.'

Harold liep om het bureau heen. 'Volgende week woensdag, zelfde tijd, zelfde plaats.' Hij keek even naar Chris. 'Ik neem aan dat je het daarmee eens bent? Hoe eerder hoe beter?'

'Moet het echt zó gauw?' vroeg ze, een brok in haar keel wegslikkend.

'Begin je nu al te aarzelen?' vroeg Mason, die blij was dat de aandacht even van hemzelf werd afgeleid, heel goed wetend dat hij door dezelfde gevoelens bevangen zou worden zodra hij Harolds kamer verliet.

Chris pakte haar tas. 'Maak je geen zorgen. Ik zal er zijn.'

Toen ze probeerde langs hem heen te lopen, pakte hij haar elleboog vast. 'Er moeten vóór de volgende week nog een paar dingen gedaan worden. Nu we toch hier zijn, kunnen we die net zo goed meteen afhandelen.'

'Zoals?'

'De vergunning, om te beginnen. En huwelijksvoorwaarden.'

Ze deed haar mond open, maar er kwam geen geluid uit.

'Je tong verloren?' vroeg Mason. 'Of durf je je woorden niet waar te maken?'

Chris rukte haar elleboog los. 'Ik speel geen spelletje als het om Kevin gaat. Ik heb gezegd dat ik met je wil trouwen en dat zal ik doen.' Ze liep naar de deur. 'Laten we opschieten. Ik heb nog het een en ander te doen.'

Hij betwijfelde of ze iets dringends te doen had die middag, maar het was een voortreffelijk laatste woord. Hij stak zijn hand uit naar Harold

McCormick. 'Ik krijg een beetje een raar gevoel als ik je bedank voor wat je hebt gedaan.'

Harold lachte. 'Je kunt me later bedanken – als Kevin de tevreden kleine jongen is die we graag van hem willen maken.'

'Ik hoop in godsnaam dat je gelijk hebt,' zei Chris.

Mason herhaalde haar wens bij zichzelf, al betwijfelde hij of zelfs een goddelijke tussenkomst dit zou kunnen doen slagen.

Hoofdstuk eenentwintig

'*Wat* ga je doen?' vroeg Mary met verstikte stem.

Chris stond op en deed de deur dicht tussen de keuken en de achterkant van het huis, waar Kevin en Tracy speelden. 'Ik weet dat het krankzinnig klinkt, maar als je er lang genoeg over nadenkt, begint het idee te bezinken.'

'En als je sperziebonen lang genoeg in de ijskast laat liggen, groeit er schimmel op. Jij en Mason kunnen elkaar niet uitstaan. Hoe wil je ooit ter wereld –'

Chris ging tegenover Mary aan tafel zitten. 'We doen het met één dag tegelijk. Dat is de enige manier.'

'Heb je er echt goed over nagedacht? Ik bedoel *echt*? Als het eens niet lukt? Wat gebeurt er dan met Kevin?'

'Terug bij af. Alleen zal ik dan weten dat ik mijn uiterste best heb gedaan, en als ik dat weet ben ik tegen alles opgewassen.'

'Als Kevin oud genoeg was om te weten wat je je in je hoofd haalt, zou hij het je nooit laten doen.'

'Dan zou het ook helemaal niet ter sprake komen, wel?'

Mary hief haar handen op. 'Wacht maar tot John dit hoort.'

'Jullie kunnen geen van beiden iets zeggen waar ik niet al aan gedacht heb. Jullie zullen gewoon moeten vertrouwen dat ik weet wat ik doe, Mary.'

'Zei Amelia Earhart ook niet zoiets voordat ze die reis om de wereld ging maken?'

'Misschien, maar ik wil graag denken dat het ook was wat Chris Evert zei toen ze voor het eerst een tennisracket opnam.' Ze probeerde een hangende margriet rechtop te zetten in het boeket dat ze eerder die ochtend op tafel had gezet. Haar voornemen om tot het laatste ogenblik te wachten voor ze Mary over het huwelijk vertelde, had ongeveer tweeëntwintig seconden standgehouden toen ze haar sprak. Niet dat ze Mary's goedkeuring nodig had, die ongeveer even waarschijnlijk was als een gezonde donut, maar ze had iemand nodig om mee te praten. Soms kreeg je een andere kijk op de dingen als je ze hardop zei – niet beter of slechter misschien, maar anders. Op het ogenblik joeg de enige kijk die ze op de dingen had haar de stuipen op het lijf.

'Heb je het al aan Kevin verteld?'

'Nog niet.' Chris zag dat de margriet zijn kopje liet hangen. Ze probeerde hem tussen twee leerachtige varens te duwen. Hij bleef net lang genoeg rechtop staan om haar de tijd te geven haar koffiekop op te pakken.

'Dus heb je nog steeds de tijd om je te bedenken zonder dat het schade aanricht.' Mary boog zich over de tafel heen, haalde de verlepte margriet uit het boeket en gooide hem in de gootsteen. 'Ik weet zeker dat Mason het zou begrijpen. Waarschijnlijk is hij ook al van idee veranderd.'

'Wil je ophouden alsjeblieft? De reden dat ik het je verteld heb is om wat positieve steun te krijgen,' zei ze, jokkend, maar zonder schuldgevoel. 'Geen herhaling van mijn eigen gedachten.'

Mary leunde achterover en sloeg haar armen over elkaar. 'Waar ga je wonen?' Haar lichaamstaal kon worden geïnterpreteerd door een niet al te slimme tweejarige.

'In een huis dat door beide partijen wordt goedgekeurd, aparte vleugels heeft voor onze privacy, en een gemeenschappelijke leefruimte.'

'Wat gebeurt er met jouw huis?'

'Dat verhuur ik tot Mason en ik zijn gescheiden, en dan kom ik weer hier wonen.'

Mary gaf de strijd op. Ze liet haar schouders hangen. 'Ik zal je zo vreselijk missen.'

Diezelfde gedachte had al eerder een depressie veroorzaakt bij Chris. 'We vertrekken niet uit de staat,' zei ze zonder veel overtuiging.

'Tracy zal zich geen raad weten.'

'Kevin ook niet, als het nieuwtje dat zijn vader en moeder bij elkaar wonen eraf is.' Chris weigerde eraan te denken wat de verhuizing voor haar zou betekenen. Of het nu een snelle zwaai was bij de voordeur, een hele middag herkauwen van een nieuwtje in de ochtendkrant dat hun aandacht had getrokken, of gewoon op hun gemak joggen in het park, op de een of andere manier zagen zij en Mary elkaar elke dag. Mary en John waren als de lucht die ze inademde, essentieel voor haar bestaan, maar vanzelfsprekend, tot ze er niet meer waren.

'Je weet dat John Kevin als een van zijn eigen kinderen beschouwt.'

'Dat heb ik Mason ook nadrukkelijk verteld toen we bij rechter McCormick weggingen. Ik wilde dat hij zou weten wat John en Kevin voor elkaar voelen. Hij heeft beloofd zich niet met hun relatie te bemoeien.' Chris was bereid geweest strijd te leveren met Mason over het belang van de rol die de Hendricksons in hun leven zouden spelen. Hij had haar verbaasd door het met haar eens te zijn nog voordat ze de kans had gehad haar argument naar voren te brengen.

'Waar hebben jullie nog meer over gesproken?' vroeg Mary.

'We hebben afgesproken dat Mason en ik onze gescheiden levens zullen voortzetten, behalve waar het Kevin betreft. Alles zal zoveel mogelijk op dezelfde voet doorgaan. Ik hou mijn werk en mijn eigen vriendenkring, en hij ook. We blijven met anderen uitgaan, maar we zullen alles in het werk stellen om onze "liaisons" geheim te houden. Wat voor mij natuurlijk geen punt is, maar wat voor Mason weleens een interessant probleem zal kunnen worden. Ik weet zeker dat het soort vrouwen met wie hij omgaat de betekenis van het woord "discreet" niet kennen.'

'Dat is alles?' drong Mary aan. 'Jullie hebben geen richtlijnen opgesteld voor jullie omgang met Kevin? Of beslist hoe jullie het aanpakken als Mason hem zegt dat hij iets mag wat jij niet wilt? Zoals skiën?'

Mary's bezorgdheid weerspiegelde die van Chris. Tot voor zes maanden had Chris nooit een compromis hoeven te treffen wat Kevin betrof. 'We hebben een paar dingen nagegaan,' zei Chris. 'We zijn ons allebei ervan bewust dat we misschien een probleem hebben –' Ze grinnikte schaapachtig. ' "Probleem" is misschien een beetje te zwak uitgedrukt. Maar ik heb het gevoel dat Mason zal meewerken nu hij niet meer hoeft te vechten om Kevin te zien.

Feitelijk hebben de huwelijksvoorwaarden, waarvan hij wilde dat ik ze ondertekende, nog de meeste tijd in beslag genomen.'

Mary haakte er onmiddellijk op in. 'Dat verbaast me niks. Wat wilde die schooier van je? Moest je beloven dat je hem de helft zou geven van alles wat je bezat als jullie gingen scheiden?'

'Zoiets had ik verwacht, ja.'

'Maar dat was niet zo?'

'Hij probeerde me over te halen tot een regeling die inhield dat ik de helft zou krijgen van wat hij verdiende terwijl we getrouwd waren, maar niet in één bedrag betaalbaar. Hij zei dat hij niet gedwongen wilde worden op het verkeerde moment te verkopen.'

'Wacht eens even. Weet je zeker dat je met de echte Mason Winter hebt gesproken?'

'Doet er niet toe. Ik heb hem gezegd dat het enige waarin ik wilde toestemmen is dat we allebei precies zouden houden wat we inbrachten, niet meer en niet minder. Ik kan voor mezelf zorgen. Dat heb ik altijd gedaan. Ik wil niets van hem en ik heb het absoluut niet nodig.'

'Wat zei hij?'

'Dat ik wel van gedachten zou veranderen.'

'Hij kan gelijk hebben.'

Chris kromp ineen bij die gedachte. 'Je hoort me beter te kennen.'

'Ik wil alleen maar zeggen dat het verrekt moeilijk kan zijn om terug te keren naar een leven waarin je iedere cent moet omdraaien als ze je niet langer in de schoot vallen.'

Mary sprak niet alleen hypothetisch. Ze was in luxe grootgebracht, door iemand die al haar wensen vervulde. Ze werd nog erger verwend toen haar vader gouverneur werd. Het was bijna verbluffend dat ze zo nuchter was opgegroeid. 'Voelde je je zo toen je met John trouwde?'

Mary lachte. 'In het begin was leven met een budget een nieuw en fascinerend spel. Goddank was ik volwassen genoeg om te beseffen wat een emotionele rijkdom John me gaf, toen het spelletje zijn charme begon te verliezen.'

'Ik weet zeker dat ik dezelfde emotionele rijkdom zal krijgen als het huwelijk voorbij is en ik terug kan naar mijn eigen huis.'

'Dus zo zijn jullie geëindigd?'

Chris knikte. 'Mason zal zijn advocaat de papieren laten opstellen en aan mij sturen om te tekenen.'

Mary stond op en liep naar het raam om Kevin en Tracy te controleren. 'Wacht maar tot de kranten hier lucht van krijgen. Die hebben de dag van hun leven.'

'Dat is een van de redenen waarom we het heel besloten willen houden en het zo snel mogelijk doen.'

'Hoe snel is snel?'

Chris maakte een grimas. 'Volgende week.'

Mary snoof minachtend. 'Dat verbaast me niets. Het is net zo logisch als de rest.'

'Waarom zouden we het uitstellen?'

'Omdat je je verstand terug zou kunnen krijgen.'

'Ik zou graag willen dat jij en John erbij waren. Het is dan wel geen echt huwelijk, maar ik heb zo'n idee dat het het enige zal zijn dat ik ooit zal hebben, en ik wil niet dat vreemden als getuigen optreden.'

Mary kreunde. 'Vraag me alleen niet om blij te zijn.'

'Dat zal ik niet doen.'

'Besef je wel dat je klinkt als een ter dood veroordeelde die haar vrienden vraagt de executie bij te wonen?'

'Je helpt me niet echt,' zei Chris. 'Ik zou best wat steun kunnen gebruiken, vooral omdat ik niet van gedachten zal veranderen.'

'Sorry.' Mary bedekte haar gezicht met haar handen en zuchtte. Na een paar seconden balde ze haar handen tot vuisten en steunde met haar kin op knokkels. 'Ik zal van nu af aan beter mijn best doen. Je hebt echt geen anker nodig om je nog verder omlaag te trekken.'

Chris wist dat hoe lang ze ook praatte, ze Mary er nooit van zou kunnen overtuigen dat het huwelijk geen afschuwelijke vergissing was. Maar ze wist ook dat Mary over een paar uur, als het nieuws de kans had gehad te bezinken, bij zou draaien, al was het alleen maar ter wille van Chris. Ze pakte Mary's hand en kneep erin. 'Dank je. Misschien zou ik het ook zonder jou en John kunnen, maar dat wil ik liever niet proberen.'

'John zal niet zo gemakkelijk over te halen zijn.'

'Als we hem allebei bewerken, zal hij zich niet lang staande kunnen houden,' zei Chris, en wenste dat ze zich zo zelfverzekerd voelde als ze klonk.

De week daarop was verrassend normaal. Chris wachtte tot de ochtend van de dag waarop zij en Mason zouden trouwen om het aan Kevin te vertellen. De enige geheimen die hij kon bewaren waren de nieuwtjes die hij tien minuten nadat hij ze gehoord had weer vergeten was. Hem vertellen dat zijn grootste wens vervuld zou worden en hem dan vragen het aan niemand te vertellen, was ongeveer hetzelfde als dat zij op dieet zou gaan op dezelfde dag dat ze een baan kreeg in een chocoladefabriek.

De dagen gingen betrekkelijk kalm voorbij, maar de nachten bracht ze woelend en draaiend door, wachtend op een slaap die steeds ongrijpbaarder werd naarmate de dag van het huwelijk naderde. Als ze eindelijk in slaap viel, werd ze uitgeput wakker, achtervolgd door een steeds terugkerende droom.

Ze droomde dat zij en Kevin in Disneyland waren, alleen, en dat ze een verrukkelijke tijd hadden. Ze maakten al zijn favoriete ritjes – de Piraten van de Caribbean, de onderzeeër, en de theekopjes van Alice in Wonderland – lunchten in Frontierland, en gingen daarna naar de zingende beren. Toen ze buiten kwamen, stond Mason op hen te wachten.

Terwijl Kevin bij hun uitstapje niet meer dan vrolijk en opgewekt was geweest, werd hij dol van opwinding toen hij zijn vader zag. De hele sfeer veranderde. Ze lieten de rustige ritjes in de steek voor nauwelijks vermomde achtbanen. Bij elk ervan vertelde Chris Mason dat Kevin een hekel had aan geweld, zelfs in zijn amusement, en was dan gedwongen beneden te staan luisteren naar zijn schallende lach, te zien hoe vader en zoon hand in hand uitstapten, verlangend om nog een keer te gaan.

Chris had geen psychiater nodig om de droom voor haar uit te leggen. Wat ze wél nodig had was iemand die haar zou vertellen of het een waarschuwing was of een profetie.

Hoofdstuk tweeëntwintig

Vechtend tegen een bijna overweldigende vermoeidheid sloot Mason het dossier dat voor hem lag, plantte zijn ellebogen op het bureau en kneep in zijn neusbrug, zonder zelfs maar op te kijken toen de deur van zijn kantoor openging en hij iemand binnen hoorde komen.

'Je hebt het rapport ontvangen,' zei Rebecca, blijkbaar afgaand op zijn houding en de juiste conclusie trekkend.

'Gisteravond.'

'En?'

Eindelijk keek Mason op. Hij was een beetje beduusd toen hij zag dat Rebecca een jurk droeg in plaats van haar gebruikelijke mantelpak. Maar in plaats van commentaar te leveren, borg hij het feit op in het hoekje van zijn brein dat gereserveerd was voor stukjes informatie met etiketjes voor gemakkelijke herkenning. 'Het schijnt dat de concurrentie voor het waterkantproject uit het zuiden komt.'

'Wel verdraaid,' zei ze zachtjes. 'Dus Walt had toch gelijk. Is het L.A.?'

Hij wilde dat het zo eenvoudig was, een andere aannemer die naar het noorden trok en probeerde fortuin te maken in de moderne versie van de goudkoorts. 'Minder ver,' zei Mason raadselachtig, vermoeid achteroverleunend.

Rebecca's verbaasde frons veranderde in een dagend begrip. 'Santa Barbara?' vroeg ze verbluft.

'Bingo,' zei hij. Zoals gewoonlijk deed het hem genoegen te zien hoe snel ze de situatie doorhad en het ontbrekende invulde.

Alsof haar benen op het punt stonden dienst te weigeren liep ze het vertrek door en ging op de leren bank zitten. 'Dat zou ik nooit geraden hebben, in geen miljoen jaar, vooral niet na al die tijd. Wat hopen je vader en broer hierbij te winnen? Dit is jouw territorium. Ze zullen je nooit van je plaats kunnen dringen.'

'Het heeft even geduurd voor ik erachter was, maar toen was het of er een lampje ging branden. Denk eens na, Rebecca. Als ze het waterkantproject van me stelen krijgen mijn vader en broer een entree in het constructiebedrijf in Sacramento, die ze met geen tien miljoen aan reclame kunnen kopen. Als je een koninkrijk wilt veroveren, vecht je niet tegen de knechten. Je gaat regelrecht naar de top en probeert daar een stuk van de taart te pakken.'

'Weet je zeker dat ze achter het koninkrijk aan zitten? Misschien is het de koning.'

Hij negeerde haar vraag, niet omdat hij dacht dat die ongegrond was, maar omdat hij nog niet verwerkt had wat zich steeds duidelijker begon af te tekenen. Hij had gedacht dat hij verlost was van zijn vader en broer, verlost van de strijd en de woede en het verdriet. Waarom kwamen ze nu achter hem aan, na al die tijd? Waarom moest het verleden weer opgerakeld worden, terwijl dat zo onnodig was? Had hij niet het grootste deel van Zuid-Californië aan hen overgelaten? Ze waren niet groot genoeg om nog meer op zich te kunnen nemen. 'Niemand trekt zich nog iets aan van een familievete, vooral niet als die al tien jaar oud is. Hoe kunnen ze in vredesnaam hopen daarmee de pers te halen?' vroeg hij zonder veel overtuiging.

'Je vergist je. Herinner je je nog de Mondavi's? De mensen lazen alles wat ze in handen konden krijgen over die familievete.'

'Alleen omdat de Mondavi's wijn maken, en mensen die geassocieerd worden met de wijnbouw een zekere mystiek hebben. Voor zover het grote publiek enige interesse ervoor heeft, denken ze dat bouwers de school verlaten zodra ze het middelbare onderwijs gaan volgen, in het openbaar aan hun gat krabben, en bier drinken aan het ontbijt. Niemand heeft er ook maar enige belangstelling voor.'

'Misschien sla je de spijker op zijn kop wat die publiciteit betreft,' zei ze, zonder een poging te doen haar sarcasme te verbergen. 'Het waterkantproject wordt om te beginnen al door de meeste inwoners van deze fraaie stad als een tikkeltje geschift beschouwd. Als je de mensen zou verzamelen die denken dat het kan slagen en ze in dit kantoor neerzet, zouden we nog genoeg ruimte overhouden voor een kleine dansvloer in het midden. Wat denk je dat er gaat gebeuren als de neezeggers ontdekken dat je eigen vader en broer met je in het strijdperk treden voor iets dat iedereen beschouwt als Mason Winters privé-windmolen? Ze zullen hun hoofd schudden en met hun tong klakken en medelijdend zeggen dat het toch zo jammer is dat krankzinnigheid erfelijk is.'

'Ik denk dat je –'

'Ik ben nog niet uitgesproken,' zei ze. 'Je kunt je niet veroorloven zo verstrikt te raken in je gevoelens voor je project en je gevoelens voor je familie, dat het voor de hand liggende je ontgaat.'

'Wat dan?' schreeuwde hij bijna.

'Dat weet ik nog niet,' bekende ze. 'Het enige dat ik zeker weet is dat de dingen niet zijn zoals ze lijken – verre daarvan. Er is geen bankier in dit land die bereid is dit risico te nemen, zelfs al ben jij de projectontwikkelaar. Waarom denken je vader en broer dat zij wel financiële steun zullen krijgen?'

'Misschien hebben ze die al,' zei hij. Hij kreeg het benauwd. Hij zou het vreselijk vinden als hij moest toezien dat een vriend zou gaan bouwen wat Mason als zijn privé-droom was gaan beschouwen; als Southwest Construction het zou doen, zou hij daar nooit overheen komen.

Rebecca drukte haar vingers tegen haar slapen. 'Ik heb tijd nodig om hierover na te denken,' zei ze, en ging toen met een ironisch lachje verder. 'Misschien hebben ze alleen maar de pest in omdat ze niet zijn uitgenodigd voor het huwelijk.'

Hij knipperde met zijn ogen. Plotseling drong het tot hem door waarom Rebecca vandaag anders gekleed was. 'Verdraaid, ik was helemaal vergeten dat die toestand vandaag was.'

'Ik weet zeker dat Chris erg verheugd zal zijn als ze je over je huwelijk hoort praten als "die toestand".'

Hij keek haar doordringend aan. 'Als je niets positiefs kunt zeggen –'

'Hou dan je mond,' maakte ze lachend zijn zin af.

'Precies.' Hij keek op zijn horloge en kreunde. 'Ik moet er over een uur al zijn.'

'Als je opschiet heb je nog net tijd voor een douche en een schoon pak.'

Hij dacht even na. 'Jij bent een vrouw,' zei hij, gebruik makend van het voor de hand liggende om zijn bedoeling duidelijk te maken. 'Denk je dat Chris het heel erg zou vinden als we dit uitstelden tot volgende week?'

Rebecca stond op van de bank en liep de kamer door. Ze steunde met haar handen op het bureau en boog zich naar voren, terwijl ze naar Mason staarde. 'Onder de gegeven omstandigheden,' zei ze, 'zou uitstel heel goed afstel kunnen betekenen. Is dat wat je wil?'

'Je weet net zo goed als ik dat wat ík wil geen gewicht in de schaal legt.' Hij stond op en pakte zijn jasje.

'Niet jammeren, Mason. Dat is niet macho.'

Voor het eerst die dag glimlachte hij. 'Ik ga naar boven,' zei hij. 'Doe wat er gedaan moet worden terwijl ik de stad uit ben.'

Ze maakte een grimas. 'Je kunt toch onmogelijk menen wat ik denk dat je meent, hè? Je bent toch niet echt van plan te trouwen en dan onmiddellijk naar Santa Barbara te vertrekken? Niet vandaag.'

'Geen redactioneel commentaar,' zei hij, haar in de rede vallend. Hij stak zijn hand uit naar de deurknop en ging toen verder, alsof het hem plotseling te binnen schoot: 'Regel alles voor me zodat niemand weet wat ik doe, ook Janet niet. Ik wil niet dat ze verplicht is te liegen over mijn verblijfplaats of zich misschien verspreekt.' Hij knipoogde schalks. 'Je kunt je stilzwijgen over dit onderwerp beschouwen als een huwelijkscadeau.'

'Je kunt het je niet veroorloven me je zo'n kostbaar geschenk te laten geven. Je weet net zo goed als ik dat ik het touwtje aan je ballon ben. Zonder mij...' Ze haalde veelzeggend haar schouders op.

'Op een goeie dag zal ik het laatste woord hebben,' mompelde hij, terwijl hij de deur uitliep.

Chris trok haar jas dichter om zich heen; ze weigerde toe te geven dat de kou die ze voelde niets te maken had met de bewolkte februarilucht. Ze pakte Kevins hand vast om hem te beletten vóór haar uit de treden van de door de regen glibberig geworden trap van de rechtbank op te hollen. Vanaf het moment waarop ze hem had verteld wat ze die dag gingen doen, was hij even opgewonden als zij zenuwachtig was, even gretig als zij aarzelend, en even zelfverzekerd als zij onzeker was.

Eerder op de ochtend, toen ze bezig was zich aan te kleden, had ze haar best gedaan al haar onzekerheden naar de achtergrond te dringen. Alleen wilden ze daar niet blijven. Ze bleven terugkomen.

Chris moest er steeds weer aan denken dat ze met heftige tegenzin iets ging doen waar Diane alles voor over zou hebben gehad. Twee spelers in het drama van die dag waren schitterend gecast; Kevin was het perfecte kind en Mason was duidelijk de vader. Alleen de rol van de moeder had een stand-in. Jammer, maar op het laatste moment had de hoofdrolspeelster het moeten laten afweten – iets van doodgaan terwijl ze op weg was naar de rest van haar leven.

Elk uur dat verstreek betekende een gewonnen gevecht in haar strijd om te voorkomen dat Mary en John, die vlak achter haar kwamen, zouden ontdekken hoe groot haar twijfel was. Als ze ook maar iets merkten, zouden ze haar hiervandaan sleuren, terug naar huis.

'Daar is-ie,' zei Kevin, op en neer springend en wijzend naar een man in een fraaie, gedistingeerde Burberry regenjas, die op het punt stond door een zware glazen deur naar binnen te gaan. 'Daar is mijn papa,' riep hij stralend van vreugde naar de Hendricksons. Toen keek hij weer naar Chris. 'Kom, mama, als we wat harder lopen kunnen we hem inhalen.'

'We zien hem wel in de kamer van de rechter, Kevin,' zei ze, onwillig om Mason een minuut eerder dan noodzakelijk was onder ogen te komen. Ze voelde zich schuldig bij het zien van de teleurstelling in Kevins ogen. 'Goed,' zei ze zonder enthousiasme. 'We zullen zien of we hem kunnen inhalen.'

'Ik hou van je, mama,' zei hij onverhoeds.

De scherpe kantjes van haar twijfels sleten een beetje af. 'Ik hou ook van jou, Kevin.'

Ze gingen naar binnen en zagen dat Mason op hen gewacht had. Hij was in gezelschap van een lange, magere vrouw in een dure jurk van ruwe zijde, en een kleine, gedrongen man in een blauw streepjespak dat hem nog kleiner en breder maakte dan hij al was.

Kevin liet Chris' hand los, holde over de marmeren vloer van de hal en sloeg zijn armpjes om Masons benen. De steek van jaloezie die bovenkwam verdween nog bijna voordat Chris het bestaan ervan kon erkennen, zodra ze de uitdrukking in Masons ogen zag. Zijn liefde voor zijn zoon was als een lichtend baken dat anderen, die minder gelukkig waren, uitnodigde zich te koesteren in de gloed ervan en het gevoel te krijgen dat alles goed was met de wereld.

'Kom hier, mam,' zei Kevin, en stak zijn vrije handje uit.

Chris keek even naar John en Mary, haalde diep adem, en voegde zich bij de anderen.

'Dit is Rebecca, mam,' zei Kevin, wijzend naar de lange vrouw. 'Ik heb over haar verteld, weet je nog wel? Zij heeft me die grote doos kleurpotloden gegeven.'

Met een warme glimlach stak Rebecca haar hand uit. 'Ik ben erg blij u eindelijk te leren kennen, mevrouw Taylor.'

'En dit is Travis,' ging Kevin verder voordat Chris de kans kreeg Rebecca antwoord te geven. 'Hij is papa's vriend, en nu ook de mijne.'

Een grote, vereelte hand sloot zich om die van Chris. Ze voelde de terughoudendheid in die handdruk evengoed als de kracht ervan. Toen zij en Diane opgroeiden, had Harriet erop gestaan dat ze hun vrienden zorgvuldig uitkozen, want, zoals ze zei, een dame werd beoordeeld naar haar gezelschap. In theorie was Chris het ermee eens geweest. Ze beoordeelde mensen inderdaad naar hun vrienden, maar niet op de manier die Harriet bedoeld had. Degene die door iemand werd uitgezocht om zijn tijd mee door te brengen, gaf een krachtige aanwijzing over het karakter van de persoon zelf. Op het eerste gezicht voelde Chris zich tot Masons vrienden aangetrokken. Ze kreeg een glimp van hoop; misschien zou zij op een dag ook iets in Mason kunnen ontdekken dat haar beviel.

'Blij u te leren kennen,' zei Chris. 'U allebei.' Ze deed een stap naar achteren en stelde John en Mary voor aan Mason en zijn vrienden. Even viel er een pijnlijke stilte.

Mason keek op zijn horloge. 'Het is tijd,' zei hij.
Chris ving een snelle, berispende blik op van Rebecca naar Mason. 'Misschien wil Chris zich eerst even opfrissen,' zei ze.

'Nee,' zei Chris. 'Het is goed.' Ze wilde dat huwelijk zo snel mogelijk achter de rug hebben. Als het eenmaal verleden tijd was, hoefde ze er niet meer aan te denken en terugvallen in een schijn van dagelijkse routine. Het was het wachten dat haar gek maakte.

Mary sloeg haar arm om Chris' schouders. Chris was een beetje verbluft bij het zien van het intense medelijden in haar ogen. Snel keek ze naar de anderen. Met uitzondering van Kevin keken ze allemaal of ze bijeen waren om het vonnis te vernemen over iemand die wegens een misdaad was voorgeleid.

Voor het eerst in lange tijd werd Chris' gevoel voor humor geprikkeld. Ze bedacht wat voor indruk hun groepje van zeven op toevallige voorbijgangers moest maken. Ze zouden in de verste verte niet kunnen raden waarom ze hier waren. Hoe langer ze erover nadacht, hoe grappiger ze het vond. Ze legde haar hand voor haar mond, veinsde een hoestbui, om het gegiechel te bedwingen dat uit haar opborrelde. Ze wenste zichzelf al geluk met haar succesvolle list, toen ze opkeek en zag dat een man in een geruit hemd en een gewatteerd vest haar meewarig aankeek. Ze kon zich niet langer beheersen en barstte in lachen uit.

Masons staarde haar aan. 'Voel je je wel goed?'

Ze probeerde te antwoorden, maar kon geen drie woorden achter elkaar uitbrengen zonder een hinnikende lach.

'Ze is gewoon zenuwachtig,' zei Mary, met een verontschuldigend lachje.

'Dat is het natuurlijk,' gaf Rebecca toe. 'Ik weet dat ik me ook zo zou voelen onder deze omstandigheden.'

'Zenuwachtig,' mompelde John. 'Verrek, ze gaat dood van angst. Niet dat ik haar dat kwalijk neem.'

'Mama?' vroeg Kevin aarzelend.

Ze begonnen de aandacht te trekken. 'Het is in orde, Kevin,' wist ze uit te brengen, een paar seconden voordat ze in een nieuwe lachbui uitbarstte. Ze zocht in haar tas naar een papieren zakdoekje, om de tranen van haar wangen en uit haar ogen te wrijven.

'Misschien kun je beter even naar het toilet gaan,' stelde Mary voor.

Chris maakte een afwimpelend gebaar. 'Nee...' hijgde ze. 'Dat hoeft niet.' Ze beet op haar lip en wachtte een nieuwe aanval van de slappe lach af. Toen haalde ze diep adem en ging verder. 'Geef me... nog een paar seconden.' Ze haalde weer diep adem en toen nog eens. Ten slotte was ze weer kalm.

'Zie je wel?' zei ze opgewekt. 'Ik ben weer normaal.'

'Laten we dan gaan,' antwoordde Mason op een toon die suggereerde dat hij vond dat ze nog heel ver verwijderd was van 'normaal'.

De zeer zwangere secretaresse van rechter McCormick kwam de gang in om hen te begroeten. 'Dus jij bent Kevin,' zei ze. Ze gaf hem een hand en liep met hem naar de kamer van de rechter. 'Dit is een heel bijzondere dag voor je.'

'Ja,' zei hij, naast haar voorthuppelend. 'Ik en mijn mama en papa gaan trouwen. We gaan bij elkaar wonen, net als Tracy en tante Mary en oom John.'

Voordat Chris achter de anderen aan naar binnen kon lopen, trok Mason haar opzij. 'Weet je nog steeds zeker dat je dit wilt doorzetten?'

Ze fronste haar wenkbrauwen. 'Waarom vraag je dat?'

'Na wat er beneden gebeurde dacht ik –' Hij haalde zijn schouders op. 'Heel eerlijk gezegd, weet ik niet wat ik moet denken.'

Haar glimlach was vermengd met verlegenheid. Ze besloot dat ze hem een verklaring schuldig was, al was het maar om hem te beletten haar krankzinnig te laten verklaren. 'Ik moest er alleen aan denken hoe krankzinnig dit eigenlijk is. En het een leidde tot het ander...'

'Ga door,' drong hij aan.

Ze haalde haar schouders op. 'Ik moest er plotseling aan denken dat niemand die ons zag had kunnen raden waarom we hier waren. En toen ik dat bedacht en me voorstelde wat andere mensen waarschijnlijk zouden denken, was het te laat en kon ik me niet meer inhouden.'

'Overkomt je dat vaak?' vroeg hij.

Ze grinnikte. 'Hoogstens twee of drie keer per jaar. Begrafenissen, auto-ongelukken, droevige films – dat brengt het meestal op gang.'

Reagerend op haar lach, zei hij droog: 'Met andere woorden, ik zal er goed over moeten nadenken voor ik je vraag ergens met me naartoe te gaan.'

'Als dat de plaatsen zijn die je in gedachten had, zou dat waarschijnlijk een uitstekend idee zijn.'

Onwillekeurig merkte ze op dat ook hij het verzet tegen het idee van een huwelijk had opgegeven. Beiden leken het nu kalm te aanvaarden, bijna of ze iets geslikt hadden om zich te verdoven. Chris was te nuchter om te denken dat het zo zou blijven, maar te veel een droomster om het niet te hopen. Ze zou de volgende tien jaar een stuk gemakkelijker kunnen doorkomen als ze elkaar niet voortdurend in de haren vlogen. Dat ze vrienden zouden worden was te veel verlangd. Op het ogenblik was ze al blij met neutraliteit.

'Zullen we naar binnen gaan?' vroeg hij, terwijl hij haar zijn arm aanbood.

'Ik ben gereed,' zei ze, en liet haar hand luchtig op zijn mouw rusten.

Twintig minuten later wandelde ze de rechtbank uit als mevrouw Mason Rourke Winter.

Hoofdstuk drieëntwintig

Kevin verliet Harold McCormicks kamer in Masons armen, zo vrolijk en blij als Chris hem zelden had gezien. Tijdens de korte plechtigheid stond hij tussen haar en Mason en hield hun beider hand vast, waarmee hij zowel symbolisch als fysiek de band tussen hen bevestigde.

Chris had verwacht dat ze wel enige emotie zou voelen – al was het alleen maar opluchting dat de druk waaronder ze de afgelopen week had geleefd achter de rug was. De enige emotie was een verbijsterend verdoofd gevoel. Oude problemen waren niet opgelost, en nieuwe waren erbij gekomen.

Zij en Mason hadden een hoop te regelen, kwesties waarvan ze verstandig genoeg waren overeengekomen dat zij ze zouden uitstellen tot na het huwelijk. Ze hadden allebei ingezien dat een discussie over zelfs de simpelste dingen als waar ze zouden wonen, ertoe zou leiden dat het huwelijk nooit zou plaatsvinden.

Ze stond terzijde en keek nog een paar seconden naar de wisselwerking tussen Mason en Kevin, zoekend naar een bevestiging dat alles wat ze vandaag hadden doorgemaakt niet vergeefs zou zijn. John kwam naar haar toe en hielp haar in haar jas.

'Ze zijn een goed stel samen,' gaf hij onwillig toe.

'Ik dacht net hetzelfde,' zei ze. Ze vond troost in de warmte en bescherming van zijn vriendschap. Een van haar grootste angsten was dat Kevin op de een of andere manier John kwijt zou raken als hij Mason kreeg. Ze wist dat er een grens was aan hetgeen ze kon doen om dat te voorkomen.

'Ik gedenk jullie beiden in mijn gebeden, meid,' zei hij, terwijl hij speels aan haar haar trok.

Chris knuffelde hem. 'Vertel eens wat nieuws.'

'Ik ben niet bereid het op dit moment al tegenover iemand anders toe te geven, maar ik begin te denken dat jullie drieën misschien een kans hebben dit tot een goed einde te brengen.'

Ze keek hem ongelovig aan. 'O? En wat heeft tot deze verrassende conclusie geleid?'

'Als ik naar hen beiden kijk. Je kunt niet veinzen wat ze kennelijk voor elkaar voelen. Ik begrijp nu waarom je in dit huwelijk hebt toegestemd. Jij hebt het ook gezien. Ik moet je zeggen, Chris, dat ik nog nooit iemand zó bewonderd heb als jou op dit moment om wat je doet voor Kevin. Ik betwijfel of hij ooit het offer zal begrijpen dat je hebt gebracht, en misschien is dat maar goed ook, maar ík begrijp het, en ik vind je een fantastisch wijf.'

'Ik ook,' zei Mary, die bij hen kwam staan.

'Dit lijkt wel een wederzijds bewonderingsgenootschap.' Chris voelde zich verlegen worden onder hun loftuitingen.

'Als wij Kevin eens mee naar huis namen en jou en Mason wat tijd gaven om uit te werken hoe het verder moet?' zei Mary.

'Dank je,' zei Chris. 'Dat had ik je juist willen vragen.'

Toen ze in de hal kwamen, namen Mary en John en Kevin afscheid en liepen de ene kant op, en Rebecca en Travis, die zeiden dat ze weer aan het werk moesten, liepen de andere kant op, zodat Chris en Mason alleen achterbleven.

'Ik heb niet veel tijd,' zei Mason. 'Mijn vliegtuig vertrekt over een uur.'

'Ga je weg?' vroeg Chris verbluft. 'Waar ga je naartoe? En waarom juist nu?'

Hij keek verbaasd op, alsof ze hem een klap in zijn gezicht had gegeven. 'Pardon?'

'Waarom heb je dat niet eerder gezegd? We hebben –'

'Heer in de hemel, ik kan mijn oren niet geloven. Je denkt toch zeker niet dat ik aan jou verslag ga uitbrengen over mijn komen en gaan?'

'Als het mij aangaat, natuurlijk!'

'En hoe gaat vandaag jou aan?' vroeg hij sarcastisch. 'Ik neem toch niet aan dat je een huwelijksreis verwachtte.'

Ze voelde de spieren in haar kaak spannen. 'Nog niet in mijn ergste nachtmerries.'

'Wat dan?'

'Er is bijvoorbeeld de kleinigheid van het zoeken van een huis. Verbeter me als ik me vergis, maar ik dacht dat dat de bedoeling was van vandaag.'

'O, ja, dat zou ik bijna vergeten.' Hij maakte zijn regenjas open, zocht in zijn broekzak en haalde er een sleutel uit. Hij gaf hem aan haar. 'Bel Rebecca. Zij weet er alles van.'

Chris staarde naar het koperen sleuteltje in de palm van haar hand. 'Wat is dat?'

Hij keek ongeduldig. 'Precies wat het lijkt.'

Voordat ze antwoord gaf, herinnerde ze zich het enige verstandige wat de tenniscoach van de middelbare school haar had geleerd: 'Als een tegenstander je zover kan krijgen dat je driftig wordt, heeft hij half gewonnen.'

'Waar is het voor?' vroeg ze effen.

'Het huis dat ik verleden week gekocht heb.'

'Je hebt een huis gekocht zonder dat ik het eerst gezien heb?'

'Ik wil er niet te diep op ingaan, maar het leek me beter dat we elkaar vorige week niet zagen.'

'En het is niet bij je opgekomen om te wachten, zodat ik er ook iets in te zeggen kon hebben?'

'Lieve help, het is maar een huis.'

Ze stond op het punt hem te vertellen waarom het belangrijk voor haar was – de voornaamste reden: Kevin zo dicht mogelijk bij zijn oude buurt houden, en de minder belangrijke reden: een kamer waarin ze kon werken met de gordijnen open, zonder dat het licht in het scherm van haar computer scheen – maar ze wist dat ze dan te veel van zichzelf zou blootgeven en waarschijnlijk niets zou bereiken. Ze zou eerst het huis bekijken, en dan op duidelijke, zakelijke wijze haar argumenten naar voren brengen, iets wat een man als Mason moest kunnen begrijpen.

'Je hebt gelijk,' zei ze. 'Het is maar een huis. Ik zal het bekijken en dan kom ik bij je terug.'

'Dat hoeft niet. Rebecca kan al je vragen beantwoorden. Bel haar wanneer je kunt verhuizen, dan zal ze alles door mijn secretaresse laten regelen.' Hij trok zijn mouw op en keek op zijn horloge. 'Het spijt me dat ik er zo haastig vandoor moet,' zei hij op zachtere toon. 'Maar deze reis is niet iets dat ik kan uitstellen. Zeg tegen Kevin dat ik een verrassing voor hem meebreng.'

Hij draaide zich om en wilde weggaan, maar ze hield hem tegen aan zijn arm. 'Neem niets voor hem mee,' zei ze.

'Waarom niet?' vroeg hij met een zweem van ongeduld.

'Kevin moet zich erop verheugen jou te zien, niet op wat je voor hem meebrengt.' Ze keek naar hem terwijl hij over haar woorden nadacht, en zag een vragende, aarzelende blik in zijn ogen. Ze begreep zijn tegenzin om haar te vertrouwen. Ze vertrouwde hem ook niet.

'Dank je,' zei hij ten slotte. Hij was blijkbaar tot de conclusie gekomen dat ze niet probeerde hem te misleiden. 'Ik besef dat ik een hoop te leren heb over het vader zijn. Ik waardeer je hulp, speciaal onder de omstandigheden.'

'Geloof je niet dat het een beetje dom van me zou zijn om dit alles ter wille van Kevin door te maken, en niet alles te doen wat ik kan om te zorgen dat het een succes wordt?'

'Niet iedereen zou op dezelfde manier reageren. Ik wil je alleen zeggen dat ik je medewerking apprecieer,' zei hij.

Hij zei het op ongeveer dezelfde toon als ze dacht dat hij een zakenbrief zou afsluiten aan een recalcitrante onderaannemer. 'Als ik je ergens mee van dienst kan zijn, laat me het dan weten alsjeblieft,' zei ze even formeel.

'Goed, nogmaals bedankt.'

'Graag gedaan.'

'Tot over een paar dagen.'

'Doe het rustig aan,' zei ze, met wat naar ze hoopte kon doorgaan voor een glimlach. 'Wij zullen er zijn.'

Ze keek hem na toen hij wegging.

Ze was bang dat hij een verkeerde indruk zou krijgen als ze hem volgde, dus bleef ze een paar minuten staan waar ze stond, midden in de hal van de rechtbank, omringd door vreemden, nog geen halfuur na wat een van de mooiste dagen van haar leven had horen te zijn.

Ze had weinig lust tot lachen.

Hoofdstuk vierentwintig

Chris hield haar adem in bij het opengaan van de liftdeuren op de zevenentwintigste verdieping van de Winter Construction Company Tower. Voor het eerst kwam ze persoonlijk in aanraking met Masons prestige en macht. Het was heel iets anders om in kranten en tijdschriften te lezen wie en wat hij was, dan uit de eerste hand de serene luxe van zijn hoofdkantoor te zien. De schilderijen aan de betimmerde wanden waren originele doeken, en al ging Chris' kennis van de schone kunsten niet verder dan een paar universitaire colleges en liefde voor musea, ze was ervan overtuigd dat het achttiende-eeuwse portret van een kind een Henry Raeburn en het landschap een Bonington was.

Het was me het dagje wèl. Ze was getrouwd en in de steek gelaten en bijna overweldigd door een ontvangstruimte, alles in de tijd van één uur.

'Kan ik u helpen?' vroeg een zwarte vrouw in een rood-met-witte kasjmier trui achter de receptie.

'Ik zoek de kamer van Rebecca Kirkpatrick.'

'Verwacht ze u?'

'Ja. Tenminste, ik geloof van wel.'

'Ik zal haar even bellen,' zei de receptioniste vriendelijk. 'Hoe is uw naam?'

Weer was Chris onder de indruk. Ze vroeg zich af of het slimheid was van Mason om zo'n voorkomende receptioniste aan te nemen of dat hij er bij toeval tegenop was gelopen, zoals hij tegen alles toevallig leek op te lopen – inclusief de manier waarop hij het bestaan van Kevin had ontdekt.

'Chris... eh, Chris Taylor,' eindigde ze verlegen. Ook al was ze tot de conclusie gekomen dat het pragmatisch zou zijn om Masons naam te gebruiken, toch kon ze het niet opbrengen die hardop uit te spreken.

De receptioniste drukte op een knop en sprak toen zo zachtjes in de koptelefoon dat Chris de woorden niet kon verstaan. Toen ze uitgesproken was, keek ze glimlachend op en zei: 'Ms. Kirkpatrick is erg blij dat u kon komen, Ms. Taylor. Haar assistent komt u direct halen.'

Er klonk een zoemer, een eiken deur zwaaide open, en een man in een blauwe blazer, rode das en grijze broek, die Chris niet ouder dan vijfentwintig schatte, begroette haar. 'Ms. Taylor,' zei hij enthousiast, terwijl hij zijn hand uitstak. 'Randy Padilla. U weet niet hoe blij ik ben u te leren kennen.' Hij hield de deur voor haar open, zodat ze naar binnen kon. 'Wat een fantastisch zoontje hebt u. Hij doet me denken aan het kind van mijn zus, altijd vol vragen en altijd in beweging.'

'Hebt u Kevin ontmoet?' vroeg Chris, terwijl ze hem door een lange gang volgde.

'Een paar keer. Twee of drie keer per maand ben ik zaterdags op kantoor om te studeren. Het is hier rustiger dan in mijn appartement.'

'Vindt meneer Winter het goed dat u het kantoor gebruikt om te studeren?'

Hij grinnikte. 'Als het iets te maken heeft met een studie, is "goedvinden" niet het juiste woord hier. "Eisen" lijkt er meer op. Mason is een enorme voorstander van een goede opleiding. Zelfs de bonussen worden gekoppeld aan de studieresultaten.'

Er klopte iets niet. En het was meer dan het vlotte gebruik van Masons voornaam door iemand die duidelijk op een lage sport van de kantoorladder stond. Het klonk alsof Kevin een regelmatig bezoeker hier was, en toch had hij er nooit iets over verteld. Waarom niet?

Waarom wel, dacht ze triest, toen ze zich herinnerde hoe stil hij was geworden nadat ze een keer driftig was uitgevallen toen Mason hem mee naar San Francisco had genomen zonder het haar eerst te vragen.

Wat had Kevin nog meer voor haar verborgen gehouden?

'We zijn er,' zei hij. Hij hield een deur voor haar open en deed een stap opzij, zodat Chris naar binnen kon.

'Dank je,' zei ze.

Rebecca stond op achter haar bureau en liep de kamer door om Chris te begroeten. 'Al kan ik me betere omstandigheden voorstellen,' zei ze, 'toch ben ik echt blij dat we de kans krijgen elkaar te leren kennen.'

Ze pakte Chris' jas aan en hing die in een kast naast de boekenplank.

'Mason zei dat je informatie voor me hebt over het huis?' Hoewel Chris' instinct was Rebecca te accepteren als de hartelijke, extraverte persoon die ze leek, waarschuwde een inwendige stem haar dat ze op moest passen, dat Rebecca Masons vriendin was, en niet de hare. Er waren die dag te veel onverwachte dingen gebeurd, om niet op haar hoede te zijn. Niemand bleek te zijn zoals ze verwacht had dat ze zouden zijn.

'Voor we over het huis beginnen, stel ik voor dat we een kop koffie drinken en ik je wat over mezelf vertel, en hoe ik pas in het grote schema van de dingen hier. Heb je tijd?'

'Een kop koffie zou lekker zijn.'

'Mooi zo. Ik heb gewacht met mijn koffie, omdat ik dacht dat je misschien net zo door en door koud was als ik toen ik terugkwam. Ga op de bank zitten, dan zet ik de koffie.'

Ze liep naar een buffet, opende een harmonicadeur die een compacte kitchenette onthulde, en schepte de koffie in een koffiezetapparaat.

Terwijl Rebecca bezig was, keek Chris om zich heen. De kamer was ingericht in groene, kastanjebruine en bruine tinten, tot een harmonisch geheel gebracht door een spetterend patroon op de bank en de stoelen, dat terugkeerde in het kleed, de gordijnen en het behang. De meubels waren van een roodachtige houtsoort die Chris niet kon identificeren. Elk meubelstuk was elegant en discreet, duidelijk met de hand gemaakt, en duidelijk kostbaar.

Het uitzicht door de hoekramen was spectaculair. Ze waren hoog genoeg om over de vergulde koepel van het Capitool heen de slanke torens van de Kathedraal van het Heilig Sacrament te kunnen zien, en een golvende zee van boomtoppen in een stad die prat ging op zijn bomen.

'Ben je allang bij Winter Construction?' vroeg Chris.

'Vanaf het begin. Alleen Travis en Mason zijn er langer.'

Een merkwaardig gevoel maakte zich van Chris meester. Alsof ze een buitenstaander was die naar binnen wilde, al had ze geen flauw idee waarom. 'Dan moet je Diane gekend hebben.'

'Ik heb haar ontmoet en ik vond haar heel erg aardig,' zei Rebecca zacht en nadenkend. 'Ik heb nooit kunnen geloven dat ze op een ochtend zomaar opstond en besloot uit Masons leven te verdwijnen. Daarvoor hielden ze te veel van elkaar.'

'Mason moet haar geloofd hebben. Anders zou hij haar toch wel hebben gezocht.'

Rebecca schonk de koffie in een antieke zilveren koffiekan, zette twee kopjes van eierporselein op het blad en droeg dat naar de tafel. 'Hij had zijn redenen om het te geloven,' zei ze. 'Ik weet zeker dat hij ze je op een dag wel zal vertellen.'

'Redenen?' vroeg ze, niet om uitleg vragend, maar alleen uiting gevend aan haar twijfel.

'Niet wat jij denkt,' zei Rebecca, terwijl ze in een stoel ging zitten en koffie inschonk. 'Maar dat is allemaal verleden tijd. Laten we het liever hebben over wat er nu gebeurt. Heeft Mason je verteld hoe dol we allemaal op Kevin zijn? Hij is als een frisse wind in een rokerige kamer. Ik kan je niet zeggen hoe blij ik ben dat hij een deel is geworden van ons aller leven, vooral dat van Mason, en vooral nu.'

Chris had het gevoel of het herfst was en zij het laatste blad was dat zich aan de boom vastklemde. De afgelopen paar maanden had Kevin geleefd in een haar onbekende wereld. En wat bedoelde Rebecca met 'vooral nu'? 'Nee, Mason heeft me niet eens verteld dat hij Kevin mee naar kantoor nam. We zeggen alleen het hoognodige tegen elkaar,' gaf ze toe, verbaasd over het gevoel van spijt.

'O... het spijt me dat ik het je moeilijk heb gemaakt. Ik wist dat de communicatie tussen jou en Mason niet helemaal volmaakt was, maar ik wist niet dat het zó erg was.'

'Je moet de ware reden toch kennen waarom we zijn getrouwd.' Ze kon niet geloven dat Mason de twee mensen die hij had meegebracht om getuige te zijn bij zijn huwelijk, niet in vertrouwen had genomen.

'Om Kevin wat stabiliteit te geven in zijn leven,' antwoordde Rebecca. 'Maar dat wil niet zeggen dat jij en Mason geen... vrienden kunnen zijn.'

Chris verslikte zich bijna in haar koffie. 'Heeft hij dat gezegd?'

'Hemel, nee. Hij zou me wurgen als hij wist dat ik zoiets zelfs maar zou hebben gesuggereerd. Mason beschermt ten koste van alles zijn onafhankelijkheid.' Ze haalde haar schouders op. 'Ik dacht alleen dat als jullie merken dat je bij elkaar kunt wonen zonder elkaar te vermoorden, jullie er net zo goed het beste van kunnen maken. Je weet het misschien niet, maar Masons zaken brengen een uitgebreid sociaal leven mee. Het is niet het soort dingen dat hij kan overslaan en toch verwachten op de hoogte te blijven van wat er zich afspeelt.'

'Dat wil zeggen?'

'Dat wil zeggen dat mensen dat soort gelegenheden als koppels bezoeken.'

'Mason en ik hebben afgesproken dat we ons eigen leven zullen voortzetten. Hij verwacht niet dat ik deel ga uitmaken van zijn leven, evenmin als ik van hem verwacht dat hij deel van het mijne wordt.'

'Het verbaast me niets dat hij dat tegen je zei.'

Chris begon zich steeds minder op haar gemak te voelen. 'Is er een reden waarom ik aan hem zou moeten twijfelen?'

'Nee,' zei ze nadrukkelijk. 'Het is alleen net iets voor hem om je niet te vertellen hoe pijnlijk het voor hem zal zijn om zonder jou te verschijnen, vooral in het begin. Iedereen is razend nieuwsgierig. Vergeet niet dat het enige dat iedereen zeker weet is dat je een van de begeerlijkste vrijgezellen in de stad hebt gestrikt.'

Voor Chris kon protesteren, ging Rebecca snel verder. 'Ik weet dat die gedachte voldoende is om je te doen kokhalzen, maar zo staan de zaken nu eenmaal. Een hoop vrouwen hier zullen zich afvragen wat jij hebt dat zij niet hebben, en ze zullen Mason geen minuut met rust laten voor ze erachter zijn.'

Chris lachte geringschattend. 'Dat is gemakkelijk genoeg – ik heb Masons zoon. Als dat eenmaal bekend wordt, trekken ze zich wel terug.'

'Hoe moet het bekend worden?'

'Ik weet zeker dat Mason het ze wel zal vertellen.'

'Heb je één woord over Kevin gezien of gehoord van iemand buiten Masons intieme kringetje sinds de dag waarop Mason ontdekte dat hij een zoon had?'

Met een schok besefte Chris dat Rebecca gelijk had. Het nieuws dat Mason Winter ontdekt had dat hij een zoon had, vijf jaar nadat het kind geboren was, had de grootste roddel in de stad moeten zijn sinds het videodebuut van senator Montoya toen de mensen hem politieke gunsten zagen verkopen aan de hoogste bieder. En het was niet een geheim gebleven omdat niemand anders dan Mason het wist van Kevin. De gevolgtrekking was ontnuchterend en stemde tot nadenken. Wat had Mason dat zo'n trouw inspireerde bij zijn vrienden en werknemers?

'Nee,' gaf Chris toe. 'Maar Mason heeft nu geen reden meer om Kevin nog langer geheim te houden.'

Rebecca keek haar verbaasd aan. 'Dat meen je niet serieus. Als dit nu zou uitlekken, zou de pers op je stoep kamperen. Ze zouden Kevins leven tot een hel maken. Dat zal Mason nooit toestaan.'

'Hoe wil hij Kevin en mij dan verklaren?'

'Dat zul je hem zelf moeten vragen.' Ze pakte de zilveren pot op en schonk weer koffie in. 'Ik vind het vervelend om er zo de nadruk op te leggen, maar ik wilde zeker weten dat je begreep waarom het belangrijk voor je is om de schijn op te houden in je huwelijk.'

Toen Chris wilde antwoorden, hief Rebecca haar hand op om haar het zwijgen op te leggen. 'Ik ben nu zover gegaan,' zei ze met een spottend lachje. 'Ik zal nog verder gaan en je vertellen over het aanstaande Valentijnsbal in het Crocker Art Museum. Het is ten bate van een betrekkelijk nieuwe liefdadigheidsinstelling in de stad, waaraan een heel grote behoefte bestaat. Het voornaamste doel van de organisatie is langdurige zorg voor baby's van drugverslaafde moeders.'

Chris voelde dat Rebecca's belangstelling voor deze speciale liefdadigheid verder ging dan zich eens per jaar optutten en een aftrekbare bijdrage schenken. 'Je schijnt er veel over te weten.'

'Inderdaad,' gaf ze glimlachend toe. 'Ik zit in het bestuur. Mason moedigt degenen onder ons die het kunnen aan om op elke manier die we wensen bij de gemeenschap betrokken te raken. Dit is toevallig mijn manier. Travis doet aan minder bevoorrechte woonwijken en helpt met de aanleg van parken en speelterreinen voor kinderen.'

Chris stond op het punt Rebecca te vertellen over de tijd dat ze vrouwen uit arme buurten onderricht had gegeven over prenatale zorg en voeding, en hoe frustrerend het was geweest de drugverslaafde moeders te zien en te weten wat er met de baby's gebeurde. Maar ze bedacht zich, omdat ze het te veel een toenadering vond. Als ze vriendinnen zouden worden, zouden ze later tijd hebben voor dat soort confidenties. En als ze het niet werden, had Chris liever dat Rebecca zo min mogelijk over haar wist. 'Wat doet Mason?' vroeg Chris, ondanks zichzelf nieuwsgierig.

'Te veel. Ik geef hem al jaren op zijn kop dat hij zo'n Joris Goedbloed is. Iemand hoeft maar iets te vragen, en hij krijgt het.' Rebecca zette haar kopje op tafel en boog zich naar voren. 'Om nog even op dat bal terug te komen, ik weet dat Mason het nooit zal vragen, zeker niet als jullie al hebben afgesproken dat je in sociaal opzicht niet op elkaars tenen zult trappen, maar het zou veel voor hem betekenen als je –'

'Daar wil ik nu echt niet over praten,' zei Chris. Ze weigerde zich in een hoek te laten drukken in een kamer waarvan ze het bestaan niet gekend had. Alleen al de gedachte dat ze een avond zou moeten doorbrengen met klonen van Mason, was voldoende om haar de stuipen op het lijf te jagen; tien jaar van dergelijke avonden zouden een volslagen idioot van haar maken. 'Dit is iets dat Mason en ik zullen moeten bespreken. Ik ben dit niet begonnen om zijn metgezellin te worden.'

'Je hebt gelijk,' zei Rebecca. 'Jij en Mason moeten dit samen oplossen. Ik ben er alleen over begonnen omdat ik wist dat hij het niet zou doen, en ik vond het belangrijk dat je alle informatie kreeg die je nodig had om een weloverwogen besluit te nemen.' Ze leunde achterover in haar stoel. 'Eerlijk gezegd, heb ik de neiging om te proberen Mason te beschermen – soms ook tegen zichzelf.'

Chris keek haar aan. 'En je vindt dat hij tegen mij beschermd moet worden?'

'Alleen tot je hem leert kennen,' gaf ze toe. 'Als dat gebeurt, zal hij mij niet meer nodig hebben.'

'Ik waardeer je oprechtheid.'

'Dat ik Masons vriendin ben wil niet zeggen dat ik niet ook jouw vriendin kan zijn.'

'Je zult vast wel begrijpen dat ik een tijdje nodig heb om dat te accepteren,' zei Chris.

'Oké. Dat is redelijk. Zullen we het nu over het huis hebben? Je zult beslist wel honderd dingen te doen hebben vandaag.'

Chris zette de tere porseleinen kop en schotel op het blad. 'En een van de voornaamste daarvan is dat ik het huis graag wil zien zolang het nog licht is.' Onmiddellijk kwam haar woede over Masons eigengereide optreden weer boven.

'Goed idee,' zei Rebecca enthousiast, Chris' wisselende stemming negerend. 'Je zult het een verrukkelijk huis vinden.' Ze stond op en liep naar haar bureau. 'Kevin ook.'

Ze pakte een bruine envelop uit de bovenste la, kwam terug en overhandigde hem aan Chris. 'Alles wat je nodig hebt zit hierin, inclusief de namen van een paar verhuizers en binnenhuisarchitecten. Het grootste deel van het huis is in goede conditie, maar ik heb zo'n idee dat je iets zult willen doen aan de keuken en de zonnekamer.'

Chris slikte haar woede in. Tegen Rebecca tekeergaan over Masons arrogante gedrag zou niet alleen een averechtse uitwerking hebben, het was ook niet eerlijk. 'Nu hoef ik alleen nog maar te weten waar het is.'

Rebecca lachte. 'Neem me niet kwalijk, ik nam aan dat Mason het je had verteld. Hij was zo enthousiast dat hij het huis had gevonden, dat het me verbaast dat hij het niet van de daken heeft geschreeuwd.'

Chris begon te denken dat er twee Masons waren, degene die Rebecca kende en degene met wie zij was omgegaan. In Chris' wildste dromen kon ze zich geen Mason voorstellen die zich opwond over een nieuw huis. 'Wat is er voor bijzonders aan?' vroeg ze argwanend.

'Het is maar anderhalf blok van je huidige adres.'

Chris was sprakeloos. Toen ze eindelijk weer bij haar positieven was, kon ze het voor de hand liggende niet geloven en vroeg: 'Waarom was dat zo belangrijk voor Mason?'

Rebecca fronste haar wenkbrauwen, alsof ze die vraag niet begreep. 'Hij wilde niet dat jij en Kevin meer ontworteld zouden raken dan absoluut noodzakelijk was.'

'Maar ik dacht...' Chris schudde haar hoofd. 'Laat maar.'

Een begrijpende blik kwam in de plaats van de frons. 'Je hebt een hoop te leren over Mason,' zei ze zachtjes.

'Dat merk ik,' antwoordde Chris, volkomen uit haar evenwicht gebracht.

Voordat Chris naar het huis ging dat haar volgende decennium van herinneringen zou bevatten, reed ze rond in Sacramento, bezocht de plaatsen van haar eigen jeugd, probeerde te ontdekken wie en wat ze werkelijk was.

Ze stopte, en dronk haar zevende kop, nu cafeïnevrije koffie, terwijl ze haar toevlucht zocht in het isolement van de voortdurend wisselende menigte. Toen ze de envelop openmaakte die Rebecca haar gegeven had, ontdekte ze dat die weinig verrassingen bevatte. Een kort, zakelijk briefje van Mason, met de instructie alles wat ze nodig had voor het nieuwe huis op zijn rekening te laten schrijven, gevolgd door een lijst met winkels in en rond Sacramento, waarvan ze er slechts één vaag kende, alleen vanwege de uitverkoop twee keer per jaar.

Ze had een gevoel alsof ze in een oude Volkswagen op de snelste rijbaan reed. Hoe moest ze het allemaal bijhouden? Ze dacht aan haar aandringen om de helft van de huishoudelijke rekeningen te betalen, wat haar nu even belachelijk voorkwam als het Mason moest hebben geleken na hun eerste ontmoeting een week geleden in de kamer van Harold McCormick. Huizen met gescheiden vleugels hadden natuurlijk enorme vaste lasten.

Wat had ze zich in haar hoofd gehaald? In welke wolken liep ze met haar hoofd?

Belangrijker nog, wat kon ze er nu nog aan doen?

Ze besefte dat ze het onvermijdelijke slechts uitstelde, stopte de papieren weer in de envelop en verliet de koffieshop.

Een merkwaardige mengeling van emoties ging door Chris heen toen ze door J Street reed en overstak naar M. Slechts één emotie probeerde ze te ontkennen.

Ergens onder al haar angst en woede en ongerustheid was een kiem van opwinding. Ze had het huis dat Mason had gekocht herkend op hetzelfde ogenblik dat Rebecca haar het adres had gegeven. Ze was er honderd keer langsgelopen tijdens haar avondwandelingen, en als ze zichzelf toestond over dergelijke dingen te dromen, was het uitgerekend dat huis waarvan ze droomde dat ze er eens in zou wonen.

Het was gebouwd in koloniale stijl, met een bakstenen gevel, witte luiken, en een leien dak, en het straalde een kalme elegantie uit die 'welkom' zei. Er stond een perfect gevormde, zeveneneenhalve meter hoge spar in de zijtuin en een vijftigjarige iep in de voortuin. Perken met azalea's omzoomden de oprit en zorgden voor dichte rijen kleur in maart en april.

Chris was nog nooit binnen geweest. Hoewel het maar anderhalf blok verder was dan haar eigen huis, waren de huizen hier vier en vijf maal zo groot, en de eigenaars ervan behoorden tot de sociale elite van de stad.

Ze had niet eens geweten dat het huis te koop was.

En nu zou ze hier komen wonen.

Ze stopte voor het huis en parkeerde in de straat. De wind joeg haar jas open toen ze uit de auto stapte, en ze voelde zo'n koude windvlaag dat haar tanden klapperden. Minutenlang bleef ze in de kou op het trottoir staan en staarde naar het huis.

Hoe luidde dat gezegde ook weer? Pas op wat je wenst. Je wens zou in vervulling kunnen gaan.

Hoofdstuk vijfentwintig

Mason leunde met zijn hoofd achterover tegen de rug van zijn stoel, deed zijn ogen dicht en probeerde zich te concentreren op het geronk van de vliegtuigmotor. De zes dagen die hij in Santa Barbara had doorgebracht hadden hem uitgeput, en hem zoveel energie gekost dat hij 's ochtends moeite had om op te staan.

Hij had iemand kunnen aannemen om te doen wat hij had gedaan – praten met de mensen van de kamer van koophandel, bouwplaatsen bezoeken en het oor te luisteren leggen, de sfeer proeven van een stad die leed onder een tekort aan water – maar hoe gedetailleerd het rapport ook zou zijn, het zou niet de nuances van de gesprekken hebben overgebracht, die soms belangrijker waren dan wat er gezegd werd.

Elke aannemer die gevestigd was in een stad die vastbesloten was de toekomstige groei te beperken, moest het effect ervan voelen. Maar Mason was niet zo naïef om te denken dat het de enige reden kon zijn waarom zijn vader en broer een gooi deden naar zijn waterkantproject. Als Southwest Construction moest uitbreiden om een gezond bedrijf te blijven, dan waren er heel wat gemakkelijkere plaatsen in Sacramento.

Mason had ontdekt dat, ook al had de droogte een paar ernstige problemen veroorzaakt, de bouwindustrie er niet zo onder te lijden had gehad als hij had verwacht. Om het verlies op andere terreinen te dekken, was Southwest overgegaan op restauratie; ze verbouwden bungalows van driehonderdduizend dollar tot iets grotere bungalows van drie miljoen dollar.

De grootste verrassing voor hem kwam op een avond toen hij in zijn eentje in het hotel dineerde. Het was een van die onthullingen die, als ze tot je doordrongen, zo voor de hand lagen dat hij zich een idioot voelde dat hij het niet eerder had opgemerkt. Zijn vader en broer waren niet de bouwgiganten die hij zich herinnerde. Vergeleken met Winter Construction waren ze niet meer dan middelmatig, bijna van ondergeschikt belang.

Dit feit maakte hun bemoeienissen met het waterkantproject nog onbegrijpelijker en in zekere zin nog bedreigender. Handelden zijn vader en broer als stroman voor iemand anders? Of misschien wachtte een andere aannemer achter de schermen tot ze het terrein in handen hadden?

Wat het ook was, Mason besefte nu dat zijn theorie niet opging dat ze het project gebruikten om een enorme publiciteit te krijgen als ze naar Sacramento verhuisden.

Mason verliet Santa Barbara met het gevoel van een kind dat bezig is met een legpuzzel zonder het plaatje op het deksel bij de hand te hebben. Hij had alle stukjes met de rechte kanten aan elkaar gelegd, waardoor hij een kader kreeg, maar zonder enig idee hoe de stukjes in het midden in elkaar pasten.

Het vliegtuig zette de landing in, en hij keek uit het raam. Hij zag een glimp van zijn kantoorgebouw en kreeg plotseling een gevoel of hij thuiskwam. Hij hield van zijn geadopteerde stad, van de opwinding van de groei, de trots van de zich ontwikkelende skyline, de vastberadenheid waarmee het gemeenschapsgevoel in stand werd gehouden, hoe groot de stad ook werd.

Ook al beangstigde het hem nog steeds een beetje, hij probeerde niet te ontkennen dat er nog een andere reden was waarom hij het fijn vond om thuis te komen. Hij wendde zich weer van het raam af en gaf zichzelf een standje. Hij moest eerlijk zijn tegen zichzelf: zijn emotionele band met Kevin maakte hem bevreesd. Alleen al door in dezelfde stad te zijn als zijn vader en broer had hij beseft hoe kwetsbaar hij was geworden door Kevin. Toen Diane hem in de steek had gelaten, had hij gezworen dat hij niemand meer zo dicht bij zich zou toelaten.

En kijk nu eens.

Het enige gunstige aspect was dat Kevin hem niet in de steek zou laten. Op een dag zou hij weggaan – dat deden alle kinderen – maar dat zou nog jaren duren. Mason had de tijd om zich voor te bereiden, zich te wapenen tegen de eenzaamheid.

Mason was niet zo dom om te hopen dat Kevin bij hem zou blijven als hij was opgegroeid. Dat gebeurde niet meer. Hij had de mannen en vrouwen die voor hem werkten vaak genoeg horen klagen dat als hun kinderen naar college gingen, ze voorgoed uit huis gingen. Goed, als het zover was, zou hij daarop voorbereid zijn. Een gewaarschuwd man telt voor twee.

Mason maakte zijn riem los toen het toestel stilstond, pakte zijn handbagage, nam zijn regenjas over zijn arm en sloot zich aan bij de rij uitstappende passagiers. Aan het eind van de tunnel zag hij Travis staan wachten.

Hij had Rebecca gevraagd een auto naar de luchthaven te sturen, maar hij was blij dat Travis was gekomen. Hij had een hoop met hem te bespreken.

'Ik neem aan dat je niet veel tijd hebt gehad voor het strand toen je daar was,' zei Travis. 'Je bent nog even wit als toen je een week geleden wegging.'

Mason lachte. 'Ik vind het ook leuk jou weer te zien.'

'En, hoe was het?' vroeg Travis, terwijl hij met zijn hand over zijn baard streek. 'Even slecht als je dacht?'

'Ik ben er kwaad naartoe gegaan en verbijsterd teruggekomen.' Hij nam zijn tas in de andere hand en liep door de terminal naar de roltrap. 'Er klopt iets niet. Waar niemand van ons aan gedacht heeft is dat Southwest niet groot genoeg is voor dat waterkantproject. Ze zouden de financiering of de mankracht niet op kunnen brengen. Ze moeten als stroman optreden.'

'Wie?' vroeg Travis. 'Beter nog, waarom? Je vader is nooit het type geweest om iemand ergens bij te betrekken, als het niet hoog nodig was. Dat hoor jij toch zeker te weten.'

'Dat is niet wat me dwarszit. Telkens als ik een nieuwe weg insla, komt die weer uit op hetzelfde idee dat dit iets persoonlijks is, dat Southwest –' Hij deed een stap opzij om een vrouw in een rolstoel te laten passeren. 'Verdraaid, ik weet niet hoe ik dat moet zeggen – dat mijn vader en broer erop uit zijn me de nek om te draaien.' Hij grinnikte verlegen. 'Klinkt een beetje paranoïde, hè?'

'Misschien is het brok dat je in hun keel hebt gestopt ten slotte te groot geworden om door te slikken.'

'Maar waarom juist nu, na al die tijd?'

'Weet je veel met die twee? Ze hebben nog nooit iets op een normale manier gedaan. En niemand heeft ze er ooit van beschuldigd dat ze bij de Mensa* hoorden.'

Ze waren bij de ingang van de straat. Mason keek naar buiten, zag de regen langs de lichten omlaagstromen en bleef staan om zijn regenjas aan te trekken.

'Ik vind dit vreselijk,' zei hij. 'Ik heb zoveel te doen, en nu moet ik mijn tijd verspillen aan een paar kleine aannemers, die vooruit willen in de wereld.'

Travis grinnikte. 'Ik heb nooit gedacht dat er nog eens een moment zou komen waarop je op die manier over die twee zou praten. Het klinkt me goed in de oren.'

Mason deed de deur open voor zijn vriend en volgde hem naar bui-

* Mensa: vereniging van mensen met een hoog IQ

ten. De ijskoude lucht sloeg hen tegemoet, en met gebogen rug liepen ze tegen de storm in naar de overkant van de straat. 'Verdraaid,' zei Mason. 'Is het aldoor zulk rotweer geweest terwijl ik weg was?'

'Zo ongeveer, ja.'

'Wat betekent dat de stenen niet gezet zijn op de bouwplaats aan Watt Avenue.'

Travis haalde zijn schouders op en trok als een schildpad zijn hoofd omlaag in zijn jas. 'Als je soms denkt dat ik van plan ben hier dood te vriezen, terwijl er een verwarmde auto op me staat te wachten op de parkeerplaats, ben je niet goed bij je hoofd.'

'Je wordt oud, Travis.'

'Misschien, maar ik kan het nog steeds tegen je opnemen.'

Mason lachte bij zichzelf toen hij Travis zwijgend en met gebogen hoofd volgde. God, wat was het goed om thuis te komen.

Chris trok het scherm van de open haard opzij en gooide er nog een paar houtblokken op. Het aanmaakhout dat ze die ochtend had laten bezorgen was zo droog als ze besteld had, en de eikehouten blokken brandden met mooie dansende vlammen.

Behaaglijk voor het knetterende haardvuur op een stormachtige avond in het huis van haar dromen met Kevin naast zich – wat kon ze nog meer verlangen?

Ja, wat nog meer? Misschien dat het geen illusie was?

Illusie of niet, vanavond was haar avond. Na vijf dagen hard werken om het huis op orde te krijgen, zou ze één avond vrij nemen om uit te rusten en te genieten van haar werk. Morgen zou ze weer achter de computer zitten en proberen de opdrachten in te halen die ze de hele week links had laten liggen.

In ieder geval kon je zien dat ze hard gewerkt had. Het huis zag er fantastisch uit, al paste misschien niet alles bij elkaar. Toen ze Masons appartement voor het eerst zag, had ze gedacht dat ze zijn meubels onmogelijk tot een harmonieus geheel kon combineren met de hare. Maar toen de verhuizers alles hadden neergezet, en zij en Mary twee dagen bezig waren geweest met het uitproberen van verschillende combinaties en arrangementen, was ze tot de verrassende ontdekking gekomen dat haar eigen meubels stijlvoller leken en die van Mason meer warmte kregen.

Rebecca was twee keer langsgekomen, één keer om post voor Mason te brengen en de tweede keer om te zien hoe Chris en Kevin het maakten. De eerste keer hadden ze, gezeten op kartonnen dozen, broodjes tonijn gegeten; de tweede keer had Chris in de zitkamer thee geserveerd met Mary's eigengebakken koekjes. Beide keren was Rebecca naar behoren verrast geweest en had ze Chris een complimentje gegeven dat ze zoveel bereikt had in het huis.

Een paar keer tijdens beide bezoeken had het op het puntje van Chris' tong gelegen om te bekennen dat ze er nog eens over had nagedacht en bereid was met Mason naar het liefdadigheidsbal te gaan. Ze vond dat ze hem meer schuldig was dan een simpel bedankje voor het huis, waardoor Kevin in zijn eigen buurt kon blijven wonen. Met hem naar het bal gaan zou een goede manier zijn om haar dankbaarheid te tonen.

Toen ze eindelijk besloten had erheen te gaan, hield ze zich voor dat het niet alleen was om Mason te bedanken, maar ook omdat het doel van de organisatie die het bal sponsorde haar volledige goedkeuring kon wegdragen. Tijdens Kevins verblijf in het ziekenhuis lag een klein meisje, dat nog geen anderhalf pond woog, in de isoleerkamer naast Kevin. Omdat de moeder verslaafd was aan heroïne leed de baby de pijn en het trauma van de ontwenningsverschijnselen. Ze stierf twee weken later, zonder door iemand anders dan het ziekenhuispersoneel te zijn aangeraakt. Haar korte leventje en tragische dood waren onuitwisbaar in Chris' geheugen gegrift. Hoewel ze niet geloofde dat een bal noodzakelijk was om drugverslaafde baby's te helpen, kon het nooit kwaad de aandacht op het probleem te vestigen.

Zoals altijd als iets een herinnering wekte aan de tijd die Chris met Kevin in het ziekenhuis had doorgebracht, ging ze hem zoeken om zichzelf gerust te stellen. Ze vond hem nog steeds op dezelfde plaats als een uur geleden, languit op de grond, bezig een schilderijtje te maken voor Masons kantoor.

Een gevoel van tevredenheid ging door haar heen toen ze het scherm weer voor de haard zette en naar de keuken ging om het eten klaar te maken.

Travis zette Mason tegen zes uur af bij zijn kantoor. Toen Mason de lift uitliep, werd hij begroet door de nachtwaker, die hem vertelde dat verscheidene straten overstroomd waren, en Rebecca opdracht had gegeven dat alle employés naar huis moesten zodra hun werk het toeliet. Teleurgesteld dat hij haar was misgelopen was Mason naar binnen gegaan om te zien welke boodschappen en berichten er voor hem waren.

Toen hij door de gang naar zijn kantoor liep, was hij even van plan Rebecca te bellen en haar te vragen met hem te gaan eten. Ze hadden in het kort al besproken wat hij in Santa Barbara aan de weet was gekomen, maar hij wilde graag weten of ze, na er ampel over gedacht te hebben, nog nieuwe conclusies had getrokken.

Zijn plannen voor het diner vielen in duigen toen hij zijn bureaulamp aanknipte en haar briefje vond dat ze een afspraak had en hij niet hoefde te proberen die avond contact met haar op te nemen, omdat ze niet zeker wist hoe laat ze thuis zou zijn.

Snel keek hij de post door en raadpleegde toen zijn agenda voor zijn afspraken de volgende week. Toen hij bij donderdag keek en het hart zag dat Janet had getekend met het woord 'Bal' in het midden, kreunde hij. Van alle gelegenheden die hij bij moest wonen, trok deze hem wel het minst aan. Harten en cupido's waren niet zijn stijl. Niet meer tenminste. Dat deel van hem was gestorven met Susan, was heel even weer tot leven gekomen met Diane, en toen voorgoed verdwenen.

Maar meer dan de harten en cupido's was het de dag zelf die hem hinderde. Van alle dagen van het jaar om een keus uit te maken, had Susan juist 14 februari gekozen om te trouwen. Na haar dood was alleen al het doorkomen van die dag een groot deel geweest van zijn zelf voorgeschreven therapie. Toen hij Valentijnsdag eindelijk meer als lastig dan als een herdenking begon te ervaren, wist hij dat hij op de goede weg was.

Een manier vinden om zijn gezonde verstand te behouden na het verlies van Susan en toen van Diane had een hoge tol geëist, een prijs die hij niet van plan was ooit nog te betalen.

Zijn vermoeidheid leidde tot een depressie, en Mason schoof zijn stoel achteruit en liep zijn kantoor uit, de trap op naar zijn appartement. Zijn eerste gedachte toen hij de deur opendeed en de lege zitkamer zag, was dat hij bestolen was. En toen wist hij het plotseling weer.

Chris.

Op de een of andere manier moest ze zich in haar hoofd hebben gezet dat het feit dat hij bij Kevin ging wonen, betekende dat hij van plan was zijn appartement op te geven. Wat moest hij in vredesnaam beginnen met een ongemeubileerd appartement?

Het duurde niet lang voor de ironie tot hem doordrong. Dit was precies wat hij gewild had – een excuus om dat afgrijselijke meubilair kwijt te raken. Hij mocht niet vergeten Chris te bedanken.

Maar voor hij dat deed, moest hij nog één ding afhandelen. Hij liep naar de slaapkamer om te telefoneren, dankbaar toen hij zag dat ze òf de vooruitziende blik, òf de tijd niet had gehad om de telefoon te laten afsluiten.

Hij zat met gekruiste benen op de grond, belde Kelly Whitefields nummer en wachtte. 'Kelly, met Mason,' zei hij in antwoord op haar hese hallo.

'Mason wie?' antwoordde ze plagerig.

'Ik weet het, het is te lang geleden. Maar ik bel om dat goed te maken. Aanstaande donderdag is er een bal in het Crocker...'

'Dat is Valentijnsdag.'

Hij aarzelde even, alsof hij het nakeek. 'Verhip, je hebt gelijk.'

'Je denkt toch zeker niet dat ik nog geen afspraak heb voor Valentijnsdag, hè?'

'Ik had gehoopt je een aanbod te doen dat je niet kunt weigeren.'

'Hmmm ... en wat mag dat dan wel zijn?'

'Zeg maar.'

Er viel een lange stilte. 'Zodra het redelijkerwijs mogelijk is, verlaten we het bal, en is het de rest van de nacht alleen jij en ik.'

Haar voorstel had hem moeten opwinden, maar hij voelde niets. Hij kwam tot de conclusie dat hij nog vermoeider moest zijn dan hij dacht. 'Voor elkaar.'

'Ik moet die dag in de stad zijn, dus zie ik je wel bij het museum.'

'Weet je zeker dat je niet eerst ergens wilt gaan eten? Het zou weleens een lange nacht kunnen worden.'

Ze liet haar stem dalen tot een zacht spinnend geluid. 'Ik zal zorgen dat er hier iets voor ons klaarstaat. Aardbeien en champagne. Hoe klinkt dat?'

Hij wist dat ze een of andere reactie verwachtte, maar kon het niet opbrengen. 'Ik verheug me erop,' zei hij tam. Hij wilde ophangen, en ging toen op naar hij hoopte verleidelijke toon verder. 'Als je niet wilt dat ik je te eten geef, zorg er dan in ieder geval voor dat je de avond ervoor voldoende slaap krijgt.'

Hij hoorde dat ze haar adem inhield en wist dat het hem gelukt was. Hij nam afscheid en hing op.

Toen dat laatste karweitje was geklaard, had hij geen enkele reden meer om nog langer in het appartement te blijven, maar toch kon hij niet de energie opbrengen om te vertrekken.

Wat, toen hij erover nadacht, nergens op sloeg.

De hele weg naar huis had hij gepopeld van ongeduld om Kevin weer te zien. Mason leunde tegen de koude muur en staarde naar het lege vertrek.

Na maandenlang met zijn hoofd tegen Chris' betonnen muur te zijn gelopen, had hij nu precies wat hij had willen hebben. Nu was het tijd om door te zetten. Hij kon zich niet langer verbergen achter het excuus dat hij op part-timebasis geen echte vader kon zijn.

Maar als de aanvankelijke begroeting bij de deur voorbij was, wat deed een echte vader dan precies als hij thuiskwam na een week te zijn weg geweest? En wat deed hij elke dag daarna?

Waarom was het zo gemakkelijk voor Chris? Hoe had zij haar carrière de rug kunnen toekeren en in de moederrol stappen, schijnbaar zonder meer moeite dan het kostte om een mantelpakje te verwisselen voor een spijkerbroek?

Of was dat wel zo? Was hem niet iets ontgaan? Waren er verborgen scheurtjes in de band die Chris en Kevin bijeenhield? Hij wilde het maar al te graag geloven. Het zou helpen als hij wist dat zij een klein beetje had doorgemaakt van wat hij nu voelde.

Jammer dat hij het haar niet kon vragen.

Hoofdstuk zesentwintig

Chris was bezig de aardappelen in een schaal over te doen toen de bel van de voordeur ging.

'Zal ik opendoen?' vroeg Kevin, die de laatste hand legde aan het kunstwerk voor zijn vader, dat hij mee naar de keuken had genomen om bij Chris te zijn terwijl ze de tafel dekte voor het eten.

'Laat maar, ik ga wel.' Ze pakte een handdoek en droogde haar handen af terwijl ze naar de deur liep. Turend door het spionnetje zag ze tot haar ontzetting dat Mason voor de deur stond.

'Waarom heb je je sleutel niet gebruikt?' vroeg ze, toen ze opendeed. 'Je hebt er toch ook één?'

'Ik wilde je waarschuwen dat ik er was.'

Wat had hij in vredesnaam gedacht dat ze aan het doen was? 'Waarom?' snauwde ze. 'Zodat ik de dope tijdig kon opbergen?'

Hij negeerde haar sarcasme en liep de zitkamer in. 'Waar is Kevin?' vroeg hij, om zich heen kijkend.

Ze haalde diep adem om kalm te blijven. Ze hadden nog heel wat jaren voor de boeg. Als ze een manier konden vinden om deze eerste avond enigszins vriendschappelijk door te komen, zou dat misschien een precedent scheppen.

Ze pakte zijn jas aan en hing hem in de kast. 'Ik heb een groot stuk vlees gebraden. Eet je mee?'

'Ik heb in het vliegtuig al gegeten,' antwoordde hij te snel.

'Wat? Pinda's en koffie?'

'Hoor eens, we moeten één ding duidelijk afspreken. Ik heb erin toegestemd om een huis te *delen*, niet om samen een huishoudinkje op te zetten.'

Ze moest zichzelf eraan herinneren dat ze een intense hekel had aan geweld, dat het nooit iets oploste en de laagste menselijke instincten vertegenwoordigde. Maar in haar hart had ze hem het liefst een stomp op zijn neus gegeven. 'Probeer voor één keer in je leven eens te denken met je hoofd, en niet met dat ding tussen je benen. Ik heb je een maaltijd aangeboden, niet de sleutel van mijn slaapkamer.'

Mason streek met zijn hand over zijn voorhoofd en door zijn natte haar, zweeg even en staarde om zich heen in de kamer. 'Het spijt me. Ik ging over de schreef. Het zal niet meer gebeuren.'

'Wat even waarschijnlijk is als dat de zon 's morgens niet op zal komen,' antwoordde ze.

Hij overrompelde haar met zijn glimlach. 'Niet bijster origineel,' zei hij op zachte, vriendelijke toon. 'Ik ben beter van je gaan verwachten.'

Ondanks zichzelf lachte ze terug. 'Geef me een minuut of twee, dan bedenk ik wel wat beters.'

Er gingen een paar pijnlijke seconden voorbij, en toen zei Mason: 'Eigenlijk heb ik wel honger.'

Als hij het kon proberen, kon zij dat ook. 'Het is niets bijzonders, gewoon een simpel, ouderwets maal – vlees, worteltjes, aardappelen en jus.'

'Klinkt geweldig. Het zal me goeddoen om eens iets anders te eten dan kreeft en kaviaar.'

Ze hield haar hoofd schuin alsof ze aandachtig luisterde. 'Was dat een poging tot humor?'

'Niet van mij. Ik heb mijn imago op te houden.'

In de hoop de wankele wapenstilstand voort te zetten, besloot Chris tot een volgende toenadering. 'Ga mee naar de keuken. Kevin brandt van verlangen je te zien.'

'God, wat heb ik hem gemist.'

'Hij heeft een verrassing voor je,' zei ze, terwijl ze hem voorging.

'O? Geen cadeautje, hoop ik. Vooral niet omdat ik je raad heb opgevolgd en niets voor hem heb meegebracht.'

Kevin keek op van zijn tekening toen Chris binnenkwam. 'Kijk eens wie er is,' zei ze.

Zodra Kevin Mason zag, gaf hij een juichkreet, sprong overeind en holde de kamer door.

Mason tilde hem op en drukte hem dicht tegen zich aan.

Vreemd genoeg voelde Chris niets van de pijnlijke wrok die ze gewoonlijk koesterde als Kevin op Mason afsprong. Toen ze naar hun begroeting keek, zag ze dat Mason zijn ogen sloot, alsof hij niet wilde dat ze zou zien hoe diep ontroerd hij was. Ze verbaasde zich over zijn reactie, maar minder dan over de angst die ze in zijn ogen had gezien voordat hij haar buitensloot. Waar kon hij nu in vredesnaam nog bang voor zijn? Hij had immers gewonnen.

Een zoemer achter haar trok haar aandacht. Ze pakte een ovenhandschoen en deed de oven open.

'En koekjes?' vroeg Mason. 'Dat doet me denken aan de maaltijden die mijn moeder klaarmaakte toen ik nog klein was.' Hij schoof een stoel naar achteren en ging zitten, met Kevin op schoot.

Chris haalde de koekjes van het bakblik en legde ze in een rieten mandje dat bekleed was een geruit servet. 'Kom je uit een groot gezin?'

Hij zweeg even, alsof hij naar een antwoord zocht. 'Doorsnee.'

De blik die hij haar toewierp waarschuwde haar niet verder te informeren naar zijn familie. Ze hield zich bezig met het dekken van een derde plaats aan tafel, terwijl ze probeerde iets anders te bedenken. 'Hoe was je reis?' vroeg ze ten slotte, in de veronderstelling dat dat het veiligste onderwerp was.

'Goed,' antwoordde hij kortaf, en sloot ook die deur.

Ze keek naar hem, zich afvragend of het een reactie was op haar of op haar vragen.

'Waarom ben je naar Santa Barbara gegaan?' mengde Kevin zich in het gesprek, Chris tijdelijk van de verantwoordelijkheid ontheffend het gesprek gaande te houden.

'Ik moest een paar mensen opzoeken,' zei Mason. Zijn stem klonk wat vriendelijker, maar zijn antwoord was even ontwijkend.

'Waarom?' drong Kevin aan.

'Zaken.'

Kevin reikte met zijn hand over de tafel om zijn tekening te pakken. 'Wat voor zaken?'

Chris zag dat Mason moeite had met het antwoord. Blijkbaar wilde hij niet praten over deze reis en wat hij had gedaan, maar hij wilde Kevin niet het zwijgen opleggen of hem een leugen vertellen.

'Ik wilde zien... of ik erachter kon komen waarom... eh, waarom een ander bouwbedrijf probeert een terrein te kopen dat ik zelf wil kopen.'

'En ben je erachter?' vroeg Chris, terwijl ze haar intense nieuwsgierigheid probeerde te verbergen achter een schijn van achteloosheid.

'Niet naar volle tevredenheid.'

'Wil je zien wat ik voor je heb gemaakt?' viel Kevin hen in de rede. Hij hield de tekening op om te laten zien. 'Hij is voor je kantoor. Zoals die boven de tafel.'

'Hij lijkt er inderdaad op,' zei Mason, Kevins kunstwerk bewonderend. 'Ik denk niet dat John Baldesari zelf het je had kunnen verbeteren.'

Chris was klaar met het snijden van het vlees. 'Laten we gaan eten,' stelde ze voor.

Toen ze aan tafel zaten, keek Mason naar Chris en zei: 'Als het lijkt dat ik nogal zwijgzaam ben over mijn reis, komt dat omdat ik niet gewend ben aan vragen waar ik naartoe ga en wat ik doe. Als het dingen zijn die jou en Kevin aangaan, zal ik proberen voortaan wat openhartiger te zijn.'

Haar vork bleef halverwege haar mond in de lucht steken. Hij had een verbluffend vermogen om te doen of hij zwichtte, terwijl hij in werkelijk een deur dichtgooide. 'Met andere woorden,' zei ze kalm, want ze wilde niet dat Kevin de spanning tussen haar en Mason zou aanvoelen, 'bemoei je niet met mijn zaken.'

'Misschien, als je me kunt vertellen waarom je dat zou doen,' antwoordde hij even minzaam, 'zou je me kunnen overhalen van mening te veranderen.'

Hij had haar beet. Wat voor reden kon ze opgeven dat ze wilde weten wat hij deed buiten de kunstmatige omgeving die ze voor zichzelf hadden gecreëerd? Doelloze nieuwsgierigheid? Dat geloofde ze zelf niet. Hoe moest ze hem overtuigen? En waarom wilde ze dat?

'Nog aardappelen?' vroeg ze, het onderwerp voorlopig met rust latend.

Na het eten hielp Mason de tafel afruimen, en veegde het fornuis en aanrecht schoon, terwijl Chris de vaatwasser inruimde. Het duurde niet lang of een verstikkend gevoel van huiselijkheid maakte zich van hem meester, dat het verlangen bij hem wekte om hard weg te hollen. Hij excuseerde zich, en zei dat hij een paar telefoontjes moest afhandelen. De blik waarmee Chris naar hem keek ontnam hem elke illusie dat ze zijn excuus geloofde.

Mason was halverwege de kamer die hij in gedachten voor zichzelf had gereserveerd, toen het bij hem opkwam dat Chris dat deel van het huis misschien voor zichzelf had uitgekozen. Hij had geen aanspraak gemaakt op bepaalde kamers, dus hoe had ze dat moeten weten? Maar toen hij de deur van de slaapkamer opende en de omtrekken van zijn meubels in het halfduister zag, ontdekte hij dat ze instinctief hetzelfde besluit had genomen.

Hij schudde verbaasd zijn hoofd. Was het mogelijk dat ze nu en dan werkelijk op dezelfde golflengte zaten?

Onwaarschijnlijk.

Hij deed het licht aan. Dezelfde meubels. Ze had zelfs de gordijnen die voor de ramen van zijn slaapkamer hingen meegenomen. Zou hij er dan nooit aan kunnen ontsnappen?

In tegenstelling tot de rest van het huis, heerste hier geen enkel gevoel van warmte. Eerst wist hij niet waarom, maar toen drong het plotseling tot hem door. Dit was de enige kamer die niet had geprofiteerd van de vermenging van zijn meubelair met dat van Chris.

Hij grinnikte, zich afvragend hoe de binnenhuisarchitect die zijn appartement had ingericht zou reageren als hij zag hoe Chris alles had gecombineerd. Hij dacht aan de slotverklaring van Roberts – dat het hele appartement was ingericht met een 'puurheid van ontwerp' in gedachten, en dat elk meubelstuk moest blijven staan waar het stond omdat het afhankelijk was van het volgende meubel om de juiste sfeer te scheppen – en dacht dat de zitkamer die Chris had ingericht waarschijnlijk voldoende zou zijn om de architect in het ziekenhuis te doen belanden. Hij zou ervoor moeten zorgen dat Roberts van de lijst mensen werd geschrapt die in zijn nieuwe huis zouden worden uitgenodigd. Het zou een domper zetten op het feest als een van de gasten zou overlijden aan een hartverlamming.

Hij verstarde. Wat haalde hij in zijn hoofd? Hij zou geen feesten geven in dit huis, in ieder geval niet voor zijn vrienden.

Mason had zijn jasje uitgetrokken en was bezig zijn das af te doen, toen Kevin de kamer binnenholde en op bed sprong, waarbij hij de strenge, geometrische lijnen van de handgemaakte sprei verstoorde. Na de tirade van de brave oude Roberts over de ongelooflijke kwaliteit van de zijde die gebruikt was voor de sprei, en de enorme inspanning die hij zich had getroost om precies de goede naaister te vinden om het materiaal te verwerken, was Mason zelfs nooit op zijn eigen bed gaan zitten om zijn schoenen vast te maken.

En nu rolde Kevin met schoenen en al op het bed rond of hij op het grasveld voor het huis lag.

'Mama zei dat je me een verhaaltje voor kon lezen als je wilde,' zei hij, en haalde een verfomfaaid boek onder zijn T-shirt te voorschijn.

Mason staarde naar zijn zoon, naar zijn gretig opgeheven gezichtje, zijn stralende ogen en ten slotte, onvermijdelijk, naar zijn vuile tennisschoenen. 'Dat zal ik graag doen,' zei hij.

Hij voelde zich als een veroordeelde die plotseling wordt vrijgelaten toen hij naar het bed liep en naast Kevin ging zitten. Met een zucht van voldoening koesterde hij zich in de warmte die dat kleine wezentje in de kamer en in zijn leven bracht.

Alle twijfels die hem in de afgelopen week hadden bevangen, verdwenen als sneeuw voor de zon toen hij de kussens tegen het hoofdeinde van het bed propte, behaaglijk naast Kevin neerstreek op de kostbare sprei, het boek opensloeg en hardop voorlas hoe Winnie de Poeh op bezoek ging, te veel honing at en bleef steken in Konijns voordeur.

Hoofdstuk zevenentwintig

De volgende dag ging Chris winkelen, om een jurk te kopen voor het bal. Ze begon bij Nordstrom's, waar ze genoot van een fantastisch behulpzame verkoopster, die haar hielp met het passen van diverse geschikte jurken, de een nog mooier dan de ander.

Er ontstond een probleem in de kleedkamer toen Chris besefte dat ze zich door haar enthousiasme had laten meeslepen en vergeten was naar de prijskaartjes te kijken. Toen ze aan haar winkeltocht begon, was haar enige doel geweest de spectaculairste jurk in Sacramento te vinden. In dit ene geval was de prijs bijzaak. Zo nodig zou ze haar spaarpot aanspreken; als het nodig was, wilde ze tot vijfhonderd dollar gaan.

Het bleek dat vijfhonderd dollar niet eens een behoorlijke aanbetaling was voor de jurk met lovertjes waarop ten slotte haar keus viel. In een pijnlijk moment zowel voor haarzelf als voor de verkoopster liep Chris met lege handen de winkel uit.

Na het hele Pavilions-winkelcentrum, Sacramento's antwoord op Rodeo Drive, te hebben afgeschuimd, en vervolgens I. Magnin en Macy's en verschillende kleine gespecialiseerde zaken in geselecteerde winkelwijken van de stad, gaf Chris het op en belde Mary om advies.

Na haar te hebben verteld dat ze haar de reden waarom ze de jurk wilde hebben later zou uitleggen, wist Chris informatie van Mary los te krijgen zonder die te geven – een eerste keer in hun vriendschap. Niet dat Chris het voor haar geheim wilde houden, maar ze wist dat Mary zou twijfelen aan de juistheid van haar besluit om met Mason naar een sociaal evenement te gaan.

Na de preken die Chris al van Mary had gehad, dat ze niet in de schijnwerpers moest gaan staan als ze niet van plan was daar te blijven, wist Chris dat het zinloos zou zijn haar ervan te overtuigen dat haar debuut in de society van Sacramento tevens haar zwanezang zou zijn.

Chris begreep Mary's aarzeling en de redenen waarom ze bang was voor de publiciteit. Als dochter van de gouverneur had ze voortdurend in de publieke belangstelling gestaan en ze had schoon genoeg van al die aandacht. Maar Chris was slechts de vrouw van een plaatselijke aannemer. Zodra het bal voorbij was, zou alle eventuele nieuwsgierigheid van Masons vrienden verdwijnen. Ze zou weer terugkeren naar haar eigen leven, en Mason kon het zijne voortzetten.

Chris huiverde bij de gedachte dat ze Mary de waarheid moest vertellen: dat ze besloten had met Mason naar het bal te gaan, omdat ze vond dat ze hem iets schuldig was en dat dit de beste manier was om het goed te maken.

Soms was het beter om maar een klein geheim te bewaren; Chris had geen enkele behoefte aan nog meer wrijving in haar leven.

Die avond ging Chris op Mary's advies naar Loehmann's, een zaak die restanten verkocht van couturekleding met labels van beroemde ontwerpers. De jurk was lang, volledig geborduurd met rode en witte lovertjes die in een stervormig patroon op één schouder begonnen, dat helemaal omlaagliep naar de zoom. De jurk omspande haar als een tweede huid. Het was jaren geleden dat ze zoiets moois had gedragen. Ze staarde naar haar beeld in de driedelige spiegel, en moest onwillig toegeven dat het een heerlijk gevoel was om weer eens iets anders te dragen dan spijkerbroeken en joggingpakken. En het mooiste was nog dat haar strooptocht in de wereld van de chic haar slechts tweehonderdvijftig dollar kostte – de helft van wat ze als maximum had gesteld.

Nu hoefde ze alleen nog maar een manier te vinden om Mason te vertellen dat ze met hem meeging, zonder de indruk te wekken dat ze van plan was er een gewoonte van te maken om met hem naar dergelijke sociale evenementen te gaan.

Die avond, toen het duidelijk werd dat Mason niet thuis zou komen voordat Chris en Kevin al naar bed waren, schreef Chris hem een briefje om hem te vertellen dat ze besloten had de volgende avond met hem mee te gaan naar het bal. Ze liet het door Kevin op het tafeltje naast Masons bed leggen, en gaf hem toestemming om er zelf een paar regels aan toe te voegen.

Toen ze de volgende ochtend opstond was hij al naar zijn werk. Ze probeerde hem op kantoor te bereiken om te horen hoe laat ze naar het bal zouden gaan, maar Janet vertelde haar dat hij die dag niet op kantoor zou zijn en pas laat in de middag terug verwacht werd. Chris voelde zich te verlegen om een persoonlijke boodschap bij Janet achter te laten en vond het te pijnlijk om toe te geven dat ze het nummer van de autotelefoon van haar eigen man niet kende. Ze hing op na te hebben gezegd dat het niet belangrijk was en dat ze hem later zou bellen.

Maar dat deed ze niet.

Het was een halfuur vóór wat Chris een fatsoenlijke tijd leek voor een bal om te beginnen. Ze was klaar en zat te wachten, zenuwachtiger dan ze ooit voor een schoolbal was geweest, geïrriteerd dat ze zich zo nerveus maakte, terwijl ze al die tijd probeerde te ontkennen dat ze dat deed.

Eindelijk besloot ze nog een keer zijn kantoor te bellen, toen ze de sleutel in het slot hoorde. Ze keek op en zag Mason binnenkomen. Hij had kennelijk haast, trok snel zijn jas uit, hing hem op en wilde door de zitkamer lopen. Toen hij haar eindelijk zag, bleef hij pardoes staan en staarde haar aan, zo ongeveer als ze dacht dat hij zou hebben gekeken als ze tijdens zijn afwezigheid een tweede hoofd zou hebben gekregen.

'Waarom die jurk?' vroeg hij, zich beheersend.

'Die is voor het bal vanavond. Dat lijkt me nogal duidelijk.'

'Welk bal?' vroeg hij.

'Het Valentijnsbal in het Crocker Art Museum,' zei ze. Ze voelde zich allesbehalve op haar gemak. 'Je weet wel, zoals ik gisteren in mijn briefje schreef.'

'Welk briefje?'

'Dat ik gisteravond in je slaapkamer heb gelegd.'

Hij fronste zijn wenkbrauwen. 'Het enige briefje dat ik heb gevonden was van Kevin.'

Het duurde even voor ze zich realiseerde wat er gebeurd was. 'Je hebt zeker niet de moeite genomen het papier om te draaien en aan de achterkant te kijken?'

'Nee, waarom zou ik?'

'Omdat ik daar had geschreven dat ik vanavond met je mee zou gaan naar het bal. Het briefje was niet van Kevin; het was van mij.'

'Hoe wist je het van het bal?'

Chris kreeg een misselijk gevoel in haar maag. 'Dat heeft Rebecca me verteld.'

Hij stopte zijn handen in zijn zakken en zuchtte. 'Dat had ze niet moeten doen.'

Nu was het haar beurt om te vragen. 'Waarom niet?'

'Omdat je niets te maken hebt op dat bal.'

De beste manier om Chris opstandig te maken was haar te zeggen dat ze iets niet kon doen. 'O? En waarom niet?'

'Om te beginnen ben je niet uitgenodigd. Verder zou je er niet passen.'

'O, nee? Dat moet dan iets heel nieuws zijn. Een uitnodiging die met opzet de echtgenote buitensluit.'

Hij keek haar aan. 'Wat voor spelletje speel je, Chris? Jij wilt evenmin een avond met mij doorbrengen als ik met jou.'

Ze voelde zich niet alleen in haar waardigheid gekwetst, maar ook in haar trots. Ze richtte zich in haar volle lengte op en trok haar schouders recht. 'Vroeg of laat zullen de mensen ontdekken dat we getrouwd zijn. Ik geef de voorkeur aan vroeg. Als het eenmaal bekend is hoef ik niet langer te wachten tot het zover is en kan ik doorgaan met mijn leven.'

Hij wilde iets zeggen, maar besloot het niet te doen. De klok op de schoorsteenmantel tikte luid in de stilte, terwijl hij haar aanstaarde.

'Zoals je wilt,' zei hij ten slotte, en liep langs haar heen naar zijn slaapkamer.

Daarna wisselden ze geen woord meer, zelfs niet toen ze naar buiten gingen om in de auto te stappen. Hoewel het maar een kwartier was naar het museum, leek het Chris meer dan een uur. Toen de auto eenmaal reed, dacht ze aan honderd redenen waarom ze thuis had moeten blijven, waarvan niet de minste was haar neiging om te gaan huilen als ze echt kwaad was. Ze zwoer dat ze een gat in haar lip zou bijten vóór Mason ook maar één traan van haar zou zien.

Hoe had ze zich in deze situatie weten te manoeuvreren? En waarom had ze zich steeds dieper erin gewerkt? Zonder die domme trots van haar zou ze er bijtijds tussenuit zijn geknepen, voordat het zover was gekomen. Maar nee, daar was ze te koppig voor. Ze moest zich bewijzen.

Alleen kon ze zich nu niet meer herinneren waarom.

Mason sloot zich aan bij de rij auto's die wachtten tot een bediende hun auto zou parkeren. Vastbesloten naar alles te kijken behalve naar hem, staarde Chris uit het raam en keek naar de mensen die op het trottoir liepen of uit hun auto stapten.

Eerst vond ze het een beetje vreemd wat ze zag.

Toen begon ze zich af te vragen of het een bizar toeval was.

En toen drong de waarheid tot haar door met de klap van een honkbalknuppel.

Iedereen was in dezelfde twee kleuren gekleed omdat het jaarlijkse Valentijnsbal in Sacramento de versie was van een zwart-witbal. Ze draaide zich om naar Mason.

'Schoft,' siste ze, 'waarom heb je dat niet gezegd?'

'Als ik het me goed herinner, heb ik dat gedaan. Ik zei dat je er niet zou passen, maar je wilde niet luisteren.' Hij zette de motor af en gaf haar de sleutels. 'Ik zie je thuis wel,' zei hij, haar achteloos wegsturend of ze een piccolo was. 'Wacht alsjeblieft niet op me. Ik kom laat. Heel erg laat.'

Toen ze niet onmiddellijk de sleutels aanpakte, liet hij ze op haar schoot vallen. 'Ik neem aan dat je weet hoe je met de hand moet schakelen? Anders kan de portier een taxi voor je bellen.'

'Waarom?' was alles wat ze kon vragen.

Hij stak zijn hand uit naar de knop van het portier. 'Ik meende het toen ik zei dat ik geen vader en moedertje wilde spelen. Ik heb alle huiselijkheid gehad die ik in dit leven verlang. Ons samenwonen is niet meer dan een middel tot het doel.'

'Dus je wilde me een lesje leren door me hierheen te rijden en te bewijzen hoe belachelijk ik me heb gemaakt? Je kunt doodvallen, Mason Winter. Ik ben hier en ik blijf hier.' Ze gooide hem de sleutels toe, deed het portier open en stapte uit.

Mason haalde haar onder aan de trap in. 'Ga mee terug naar de auto,' zei hij zo zacht dat alleen zij het kon horen.

'Ik neem nog liever een slok brandspiritus.'

Hij pakte haar arm vast. 'Je weet niet wat je doet. De mensen binnen zullen –'

'Zullen wat?' snauwde ze. 'Me als een lepralijder behandelen? Als een paria? Of, de hemel verhoede, me het gevoel geven dat ik er niet bijhoor?' Ze rukte zich los uit zijn greep. 'Ik ben er immuun voor geworden, Mason. Niemand daarbinnen kan me iets doen dat jij niet al dubbel en dwars hebt gedaan.' Ze trok haar rok op en holde de trap op.

Mason stond op het trottoir en zag haar verdwijnen in het mooie oude Victoriaanse huis dat het hoofdgebouw was van het museumcomplex. Hij voelde zich een schoft. Wat was het toch in Chris dat de ergste kant van zijn karakter naar voren bracht? Telkens als het leek of ze een kans hadden om vrienden te worden, gedroeg hij zich als de schoft waarvoor ze hem aanzag.

Hij gooide de parkeerwacht zijn sleutels toe, knikte verstrooid tegen degenen die hem groetten en liep de trap op om Chris te zoeken. Hij zag Rebecca met Walt Bianchi en zijn vrouw in de grote balzaal, en dook in een van de zijvertrekken om hen te ontlopen. Rebecca zou hem de huid volschelden als ze ook maar iets vermoedde van wat er tussen hem en Chris was voorgevallen, en hij kon maar één razende, razend makende vrouw tegelijk aan. Hij en Rebecca zouden het er nog over hebben – en òf ze het erover zouden hebben – hoe ze hem in deze situatie gemanoeuveerd had, maar niet vanavond.

Mason ging van de ene zaal naar de andere, bleef nu en dan staan om mensen te begroeten, en liep dan weer verder. Zoals Chris gekleed was, had ze moeten opvallen als een rozeknop in een tarweveld, maar hij kon haar nergens vinden.

Toen hij elke zaal twee keer was doorgelopen, en dan voor alle zekerheid nòg een keer, kwam hij tot de conclusie dat ze zijn advies blijkbaar had opgevolgd en naar huis was gegaan.

Hij keek op zijn horloge, pakte een glas wijn van het blad van een passerende kelner, en ging naar de grote balzaal om op Kelly te wachten.

Een halfuur later stond hij op het podium, dat was opgericht voor het orkest, met Travis en Walt te praten, toen een paar witgehandschoende handen zachtjes voor zijn ogen werden gelegd.

'Raad eens?' vroeg een verleidelijke vrouwenstem.

Hij aarzelde, alsof hij nadacht. 'Barbara Bush?'

Kelly lachte. Ze legde haar handen op zijn schouders, draaide hem om, en gaf hem een zoen. 'Sorry dat ik zo laat ben,' zei ze. 'Heb je me gemist?'

Uit zijn ooghoek zag hij dat Travis en Walt naar hem staarden, kennelijk niet op hun gemak. 'Ik dacht al dat je niet zou komen,' zei hij tegen Kelly.

'Je bent mal.' Ze leunde tegen hem aan en fluisterde: 'Ik heb vandaag verrukkelijke aardbeien gevonden bij David Berkley's. De champagne staat koel... ik had deze avond voor geen goud ter wereld willen missen.'

Mason luisterde maar half. Staande op het podium stond hij hoog genoeg om een flits van rood te zien in het veld van zwart en wit in de zaal.

Dus ze was niet weggegaan. Zijn hart begon sneller te kloppen. Hij deed het af als woede, al was het geen woede die hij voelde.

Toen hij Chris eenmaal gezien had, kon hij zijn ogen niet meer van haar afhouden. Terwijl hij keek zag hij hoe ze stelselmatig door alle groepjes werd buitengesloten, niet opvallend – de mensen die deze feesten bijwoonden gedroegen zich niet onbeschoft – maar met een verkillende precisie. Eerst keerde de een haar de rug toe, alsof hij of zij met een ander wilde praten, dan deed een ander hetzelfde. Even later stond ze buiten de kring, alleen.

Hij werd misselijk bij de gedachte hoe vaak ze dit ongetwijfeld al had meegemaakt in de anderhalf uur dat ze op het feest was.

Zijn hart ging naar haar uit. Hij wist wat het was om buitengesloten te zijn, alleen had hij die ervaring niet verwerkt met Chris' gratie en vastberadenheid. Hoewel Chris' houding voor de oppervlakkige waarnemer niets nederigs of terneergeslagens had, deed ze hem denken aan een eenzaam kind dat zichzelf ervan overtuigd had dat er ergens iemand was die aardig tegen haar zou zijn, omdat iedere andere gedachte betekende dat ze een deel van zichzelf prijs gaf.

Hoe deed ze het?

Beter nog, waarom deed ze het?

'Mason,' zei Kelly, zijn aandacht trekkend. 'Is er iets mis?'

Hij keek haar aan en zag de bezorgde uitdrukking op haar gezicht. Hij besefte dat hij een heel lang moment verdiept was geraakt in zijn eigen gedachtenwereld. 'Er is een hele hoop mis vanavond,' gaf hij onwillig toe. 'Maar ik kan er nu niet over praten.'

Ze gaf hem een arm. 'Als je dan niet wilt praten,' zei ze, 'zullen we dan dansen?'

'Ik kan niet, Kelly. Niet vanavond. Vergeef me alsjeblieft.' Hij draaide zich om naar Walt. 'Wil je dit alsjeblieft voor me waarnemen?'

Walts mond viel open en sloot zich weer. 'Mag ik?' vroeg hij op precies de juiste galante toon. 'Het zou voor mij het hoogtepunt van de avond zijn.'

Travis sloeg zijn armen over elkaar. 'Laat Denise dat maar niet horen,' zei hij, met een nadrukkelijke blik op Mason. 'Echtgenotes hebben een vreemde manier om te denken dat je zoiets voor hen dient te reserveren.'

Toen Walt en Kelly buiten gehoorsafstand waren, zei Mason tegen Travis: 'Dus jij hebt haar ook gezien.'

'Zoals zij gekleed is, kun je haar moeilijk over het hoofd zien in deze menigte. Wat is er in vredesnaam aan de hand, Mason? Je moet hebben geweten wat er zou gebeuren als je haar in die jurk hier mee naartoe nam.'

'Het is een lang verhaal,' zei hij vermoeid. 'En ik ben er niet erg trots op.' Hij keek naar de plaats waar hij Chris het laatst had gezien, maar ze was verdwenen. Wanhopig keek hij de zaal door; hij voelde plotseling een dringende behoefte om haar te vinden. Eindelijk zag hij haar staan naast een palm, een verlaten eiland in een zee van mensen.

'Dat verbaast me niets,' zei Travis met openlijke woede. 'Je gedraagt je als een schoft ten opzichte van dat meisje. Als je me eens vertelde wat ze heeft gedaan om deze behandeling te verdienen?'

Alsof Chris voelde dat hij naar haar keek, draaide ze haar hoofd om en keek hem recht in de ogen. Secondenlang staarden ze elkaar aan. 'Ze heeft niets gedaan,' zei Mason zacht.

'Maar waarom –'

'Laat het gaan, Travis.'

'Dat kan ik niet. Deze keer niet. Ik heb gezien hoe je het beste deel van jezelf nu al bijna zes jaar hebt weggesloten, en het wordt hoog tijd dat ik er iets aan doe.'

'Je kunt niets doen,' zei Mason. 'Het beste deel van mezelf is niet weggesloten, Travis. Het is dood.'

'Dat denk je maar!'

'Dit huwelijk was een vergissing. Als het niet voor Kevin was, zou ik er morgen een eind aan maken.'

'Vergissing of geen vergissing, er is geen reden waarom je die mensen ongestraft hun gang laat gaan –'

'Ik weet het.' Mason legde zijn hand op Travis' schouder. 'Ik ben van plan er onmiddellijk iets aan te doen.'

Hoofdstuk achtentwintig

Mason liep naar de uit acht man bestaande band, praatte een minuut met de leider, pakte de microfoon en wachtte tot de muziek zou stoppen.

'Dames en heren,' zei hij. 'Mag ik even uw aandacht? Ik hoop dat u me wilt vergeven dat ik een ogenblik toegeef aan mijn eigen verlangens, maar ik wilde graag een aankondiging doen.' Hij wachtte tot het laatste geroezemoes was weggestorven.

'Dit is een heel bijzondere avond voor me, één die ik met u wilde delen, vrienden.' Hij was pragmatisch genoeg om het huichelachtige ervan over het hoofd te kunnen zien.

'Twee weken geleden, tijdens een rustige, intieme plechtigheid, ben ik in het huwelijk getreden.' Hij moest bijna lachen om de onderdrukte kreten van verbazing. De reactie die hij op Kelly's gezicht zag was minder grappig. Hij verdiende alles wat ze dacht, en meer.

'En omdat dit de perfecte dag en de perfecte omgeving is, heb ik tot vanavond gewacht om mijn mooie bruid aan u voor te stellen.' Hoofden gingen heen en weer, zoekend naar een onbekend gezicht. Mason staarde naar Chris, haar in stilte smekend om zich staande te houden. Hij gaf haar de mogelijkheid in handen om een lange neus te trekken tegen degenen die haar de rug hadden toegekeerd. Nu lag het bij haar.

'Op mijn verzoek heeft ze het traditionele zwart en wit verwisseld voor rood.' Langzaam en dramatisch gleed de schijnwerper, die gericht was op Mason en de band, door de zaal naar Chris.

'Dames en heren – vrienden – het is mij een eer en genoegen u mijn vrouw voor te stellen, Christine Winter.'

Met toenemende bewondering zag hij hoe Chris zich niet alleen staande hield, maar zelfs haar schouders rechttrok en haar kin in de lucht stak, bereid alles te accepteren wat hij haar toe zou werpen. Hij kon haar intense blik voelen, al wist hij dat ze hem niet kon zien in het felle licht van de schijnwerper.

Hij wachtte tot het applaus was weggestorven voor hij verder ging: 'En nu, als ik je niet al te veel in verlegenheid heb gebracht, Chris,' zei hij, en liet zijn stem dalen tot een intiem gemompel terwijl hij rechtstreeks tot haar sprak, 'vraag ik nog één gunst van je. Mag ik de volgende dans van je?'

Weer begonnen de aanwezigen te applaudisseren.

Mason wachtte.

Het applaus werd luider.

Nog steeds wachtte hij op een teken van haar.

Ten slotte boog ze instemmend haar hoofd. Mason stapte van het podium af en liep naar haar toe. Hij glimlachte toen hij zag dat ze niet van plan was hem halverwege tegemoet te komen; hij moest naar haar toe.

Het zij zo. Ze verdiende het, en nog een hele hoop meer.

De menigte op de dansvloer week uiteen om hem door te laten. Hij deed het langzaam, liet haar in de schijnwerper staan, dwong degenen die haar genegeerd hadden haar al hun aandacht te schenken.

Toen hij eindelijk voor haar stond, hield hij met opzet zijn armen langs zijn zij en deed geen poging haar naar de dansvloer te leiden. De laatste beslissing was aan haar.

Even was ze niet op haar hoede en kon hij de angst zien achter haar bravoure. Hij keek haar aan met een blik die haar smeekte hem te vertrouwen. Ze reageerde door haar hand naar hem uit te steken.

Hij nam hem aan, draaide de palm omhoog en bracht die aan zijn lippen. Om hen heen zuchtten de mensen alsof ze gezamenlijk hun adem hadden ingehouden.

Zwijgend leidde Mason Chris naar het midden van de dansvloer. Toen hij haar in zijn armen nam, begon de band te spelen. De melodie was *Lady in Red.*

Toen hij zeker wist dat niemand hen kon horen boog Mason zijn hoofd en fluisterde in Chris' oor. Haar zachte haren streken langs zijn wang, de geur van haar parfum bedwelmde hem. 'Het spijt me vreselijk,' zei hij.

Haar starre lichaam verslapte. Ze boog achterover en keek naar hem op met ogen die glinsterden van onvergoten tranen. 'Zo kan ik niet leven, Mason,' zei ze. 'Ik wil het huwelijk laten annuleren.'

Hoofdstuk negenentwintig

De muziek speelde onverbiddelijk verder. Mason zag de gekwelde blik in Chris' ogen en wist dat het zijn schuld was. Het stemde hem tot nadenken. Haar woede kon hij verdragen – soms leek hij zelfs een pervers behagen te scheppen in de ruzies met haar – maar dit was iets anders. Hij had haar gekwetst, en daar was geen rechtvaardiging voor, zelfs de woede en wrok niet die hij bijna vanaf de eerste dag tegen haar gekoesterd had.

Al begreep hij zijn woede niet goed, hij wist dat die veroorzaakt werd door meer dan de dagelijkse ergernissen en meningsverschillen tussen hen. Die dingen vergat hij bijna even snel als ze waren voorgevallen. Als hij om kon gaan met mensen die helemaal niets voor hem betekenden – waardeloze aannemers op het werk en vrouwen op feesten die hun IQ in hun bustehouder droegen – waarom kon hij dan niet overweg met Chris, de moeder van zijn zoon? Het was of hij bezig was met een campagne om haar weg te jagen.

'Kunnen we het hier later over hebben?' vroeg hij, om tijd te winnen. Hij wist misschien niet wat hij van haar wilde, maar hij wilde beslist geen annulering.

Chris sloot haar ogen en leunde met haar hoofd tegen zijn schouder. Even dacht hij dat ze zou flauwvallen maar toen besefte hij dat het was omdat haar strijdlust was verdwenen. Terwijl ze zwijgend bewogen op de maat van de muziek, hun lichamen in een schijn van intimiteit tegen elkaar gedrukt, zei hij: 'Je hebt die mensen in de palm van je hand. Nu hoef je alleen nog maar te bedenken wat je met ze wilt doen. Je kunt je hand tot een vuist ballen of je kunt je hand opsteken en ze door de wind laten meevoeren.'

'En hoe staat het met jou?' vroeg ze.

'Mij geef je een tweede kans. Niet omdat ik die verdien, maar omdat je nu eenmaal zo bent.'

Ze keek naar hem op. 'Hoe weet je dat?'

'Dat vraag ik mezelf ook af. Ik weet het gewoon.'

De muziek stopte. Hij begreep niet veel van deze avond, maar hij wist wel dat hij meer dan wat ook wilde dat ze hem zou vergeven. Hij nam haar gezicht tussen zijn handen, hield haar stil, dwong haar hem aan te kijken.

'Alsjeblieft...' zei hij. 'We kunnen het redden.'

Een traan rolde uit haar ooghoek. 'Je weet niet wat je vraagt.'

Hij werd zich acuut bewust van de warmte van haar lichaam tegen het zijne, van haar zachte huid onder zijn handen, de geur van haar parfum. Hij voelde een overweldigend verlangen haar te kussen, haar zachte lippen onder de zijne te voelen, haar op zijn tong te proeven, haar adem op zijn wang te voelen. Verbijsterd door zijn impuls deed hij een stap achteruit.

Iemand tikte hem op zijn schouder. 'Ik dacht niet dat het mogelijk was in deze stad een geheim te bewaren,' dreunde een mannenstem. 'Wat voor verrassingen heb je nog meer voor ons in petto?'

De betovering was verbroken. Mason voelde zijn publieke masker weer op zijn plaats glijden. 'Perfectie probeer je niet te overtreffen,' zei hij glimlachend, terwijl hij zich omdraaide naar Felix Schrager, president van de grootste bank in Sacramento Valley.

'Ik wilde alleen even persoonlijk worden voorgesteld aan de vrouw die erin geslaagd is vóór elkaar te krijgen wat iedereen in deze stad had gewed dat nooit zou gebeuren.'

Mason keek naar Chris. De beslissing was aan haar. Ze kon tegen Felix zeggen dat hij wat haar betrof kon opvliegen, en zich omdraaien en weggaan, of ze kon blijven en het spelletje meespelen. Hij zou niets doen om haar beslissing te beïnvloeden.

Ze dacht er even over na, terwijl tegenstrijdige emoties zich op haar gezicht aftekenden. Ten slotte keek ze naar Felix met een charmante, zij het enigszins moeizame glimlach, en stak haar hand uit. 'Christine Taylor,' zei ze, en verbeterde zichzelf toen. 'Winter.'

'Aha, de dubbele naam. Ik heb begrepen dat het weer heel populair aan het worden is. Aangenaam u te ontmoeten, Christine Taylor Winter,' zei hij, haar woorden op zijn eigen manier interpreterend. 'Mijn naam is Felix Schrager. Ik vertrouw dat we elkaar van nu af aan vaak zullen ontmoeten. Ik kan je niet zeggen hoe blij ik ben met dat vooruitzicht. Ik begin schoon genoeg te krijgen van altijd diezelfde gezichten.'

Er had zich een kleine menigte om hen heen verzameld. Dezelfde mensen die Chris hadden genegeerd wilden nu niets liever dan haar ontmoeten en in hun intieme kring binnenhalen.

Mason sloeg een beschermende, platonische arm om haar schouders. 'Ben je ertegen opgewassen?' vroeg hij zacht.

Ze keek naar hem op met een glimlach die zich niet in haar ogen weerspiegelde. 'Is er een elegante manier om eraan te ontkomen?'

'Geef het een kwartier, dan kunnen we weg.'

Ze knikte. De menigte drong naar voren.

Het kwartier werd een uur. Als Mason er geen eind aan had gemaakt, zou het de hele nacht zijn doorgegaan.

Op weg naar huis zei Chris: 'We hadden moeten zeggen dat we terug moesten naar Kevin. Niemand zou ons vertrek dan hebben willen beletten.'

'Ik wil niet dat ze van zijn bestaan weten.'

'Ben je van plan hem verborgen te houden?' vroeg ze verbijsterd.

'Ik wil hem zo ver mogelijk bij alles wat je vanavond gezien hebt vandaan houden. Ik wil niet dat hij ooit eraan hoeft te twijfelen waarom iemand zijn vriend wil zijn.'

'Hoe wil je voorkomen dat hij het zelf aan iedereen vertelt? Hij is trots op je en hij wil dat de hele wereld weet dat hij eindelijk een papa heeft, net als al zijn vriendjes.'

'Zolang dat het enige is dat ik voor hem ben, hoort er geen probleem te zijn.'

'Maar dat is niet het enige dat je bent. Dat heb ik vanavond zelf ontdekt – op een ongemakkelijke manier.' Ze draaide zich om en keek uit het raam. De regen die de hele dag had gedreigd was eindelijk gekomen en deed de straten glinsteren met juwelen van weerkaatst licht. 'Niet één mens die ik op dat bal benaderde wilde iets met me te maken hebben, tot ze ontdekten dat ik jouw aanhang was.'

'Je bent niemands aanhang,' zei hij nijdig. 'En zeker niet de mijne.'

Ze was het er bij zichzelf nog steeds niet over eens wat ze precies voelde over die afwijzing en later die acceptatie door de mensen op dat feest, en tot ze dat wist wilde ze er met niemand over praten.

'Wie was die vrouw?' vroeg Chris om van onderwerp te veranderen. Pas toen ze de woorden hardop zei, besefte ze hoe gemakkelijk ze verkeerd konden worden geïnterpreteerd.

'Kelly Whitefield,' antwoordde hij zonder haar te vragen duidelijker te zijn, ook al waren er meer dan tweehonderd vrouwen op het bal. 'We zijn al heel lang vrienden.'

'Je had me moeten vertellen dat je haar daar zou ontmoeten. Het zou ons alle drie een hoop narigheid hebben bespaard – en jou later een hoop uitleg.'

'Ik ben Kelly geen uitleg schuldig.'

Chris lachte vreugdeloos. 'Ik zou niet zo begrijpend zijn in haar plaats.'

'Er is niets waar ze begrijpend over hoeft te zijn. We zijn vrienden, meer niet.'

Een van de rode lovertjes op haar jurk raakte los; ze dacht erover hem aan te naaien als ze thuiskwam en zette dat idee toen weer uit haar hoofd. Ze zou die jurk nooit meer dragen. 'Dat is een vrij onhoffelijke manier om over een minnares te spreken,' zei ze toonloos.

Hij keek haar van terzijde aan. 'Waarom denk je dat we minnaars zijn?'

Niet alleen ging het haar niets aan, als ze niet oppaste, zou hij nog de indruk krijgen dat het haar iets kon schelen. 'Wilde je het soms ontkennen?' vroeg ze, ondanks zichzelf erop doorgaand.

'Nee, alleen vragen hoe je het wist.'

'Door de manier waarop ze naar je keek... en naar mij.' Verduiveld, misschien kon ze hem voor de gek houden, maar zichzelf niet. Het kon haar wel degelijk schelen, en het maakte dat ze een hekel had aan zichzelf. Ze draaide zich om en keek weer naar buiten. 'Ze is mooi,' zei ze, terwijl haar adem het raam besloeg.

'Kelly lijkt op geen enkele andere vrouw die ik ooit heb gekend. Ze is –' Hij haalde zijn schouders op. 'Ze is anders, dat is alles.'

Prachtig, precies wat ze nodig had, moeten aanhoren hoe Mason de lof zong van een andere vrouw. 'Het was dom van je om met mij te trouwen en de kans te lopen haar kwijt te raken.'

'Ik raak haar niet kwijt.'

'O, ik begrijp het.' Ze dwong zich hem aan te kijken. Met een beetje geluk zou wat ze daar zag hard genoeg aankomen om haar in staat te stellen weg te lopen. Maar ze zag geen zelfingenomen of triomfantelijke Mason; integendeel, hij leek bezorgd, verward.

'Je kunt niet kwijtraken wat je nooit bezeten hebt,' zei hij.'Kelly en ik zijn echt alleen maar vrienden... ook al zijn er momenten waarop onze vriendschap intiem wordt,' voegde hij er met brute eerlijkheid aan toe.

Ze vertrouwde haar stem niet om nog meer te zeggen. De rest van de weg legden ze zwijgend af, maar toen ze thuis waren keek Mason naar Chris en zei: 'Voor ik vergeet het je te zeggen, ik was erg trots op je vanavond.'

Iets van haar vroegere ergernis vlamde weer op. 'Waarom denk je dat je het recht hebt trots te zijn op iets wat ik doe?'

In plaats van tegen haar in te gaan, trok hij zich terug. 'Ik bedoelde het niet zoals het klonk. Ik wilde alleen dat je wist dat ik geïmponeerd was door... Nee, laat ik het anders formuleren: ik *bewonderde* je moed.'

Beseffend dat het niet zijn bedoeling was geweest neerbuigend te zijn, evenmin als het haar bedoeling was om op een zeepkist te klimmen en feministische frases te spuien, glimlachte ze verontschuldigend.

'Wat zou je zeggen als ik je vertelde dat mijn moed stamde uit het feit dat ik nooit heb leren rijden in een auto die ik met de hand moet schakelen.'

Hij keek haar aan. 'Ik zou zeggen dat je jokte.'

De klok op de schoorsteenmantel sloeg twee uur. 'Het is laat,' zei ze. Ze had het gevoel dat de muren van de kamer op haar afkwamen. Ze moest alleen zijn, nadenken over wat er die avond gebeurd was, besluiten wat ze moest doen. 'En ik moet morgenochtend vroeg op.'

'Ga nog niet,' zei hij.

Iets in zijn stem bracht haar tot staan. 'Ik heb je vanavond verder niets te zeggen, Mason. Bovendien, vind je niet dat je nu met Kelly hoort te praten en niet met mij?'

Hij sloeg zijn ogen neer. 'Je hebt gelijk,' zei hij. 'Ook al verwacht ze die niet, ze verdient een verklaring.' Vermoeid pakte hij zijn jas en liep naar de deur. 'Tot morgenochtend.'

Chris vocht tegen de teleurstelling die haar dreigde te overmeesteren. 'Als ik niet hier ben als je terugkomt,' zei ze opgewekt, vastbesloten hem niet te laten merken dat het haar iets kon schelen, 'ben ik bij Mary om Kevin te halen.'

Hij draaide zich met een verbaasd gezicht om. 'Ga je hem vanavond halen?'

'Nee, morgenochtend.'

Hij begreep het. 'Ik ben allang vóór die tijd terug,' zei hij.

Een golf van opluchting ging door haar heen. 'Dat hoeft niet. Niet ter wille van mij. De afspraak was dat we allebei ons eigen leven zouden leiden, zonder vragen.'

'Ik ga niet als –'

Ze kon het niet langer verdragen. Als ze hem werkelijk eens zou zeggen dat ze niet wilde dat hij ging? Wat dan? Wat zou het voor verschil kunnen maken? 'Wil je alsjeblieft gewoon weggaan? Ik ben moe en ik wil naar bed.'

Hij pakte de deurknop vast. 'Chris –' zei hij, met zijn rug naar haar toe.

'Ja?'

'Over die annulering.'

'Wat is daarmee?'

'Wil je het nog een maand uitstellen? Als we het dan niet tot je tevredenheid hebben kunnen regelen, zal ik je niet in de weg staan.' Er ging lange tijd voorbij, toen voegde hij eraan toe: 'Ik wil Kevin niet verliezen.'

'Een maand van goed gedrag en dan wat?' Ook al was Mason zelden thuis geweest in de afgelopen twee weken, toch waren hij en Kevin onafscheidelijk. Als ze hen nu zou scheiden, zou Kevin het haar nooit vergeven.

'Dat laat ik aan jou over,' zei hij, zonder zich om te draaien.

De grond was onder haar voeten weggeslagen. Ze voelde zich als een stripfiguur die van een rots was gestapt en omlaag had gekeken. Over een seconde zou ze vallen. En het deed er niet toe of ze wist hoe diep ze zou vallen; ze had geen enkel houvast, dus maakte het geen verschil. 'Goed,' zei ze. 'Maar verwacht niet dat ik naar nog meer feesten ga.'

Toen hij de deur opende en naar buiten ging, wist ze niet zeker of het zijn zucht van opluchting was die ze hoorde of de wind.

Hoofdstuk dertig

Mason, die de nacht na het bal niet had kunnen slapen, ging 's ochtends vroeg naar zijn werk, met de raampjes van zijn auto omlaaggedraaid en met zijn gedachten een miljoen kilometer ver weg. Hij merkte pas dat hij honger had – hij had een karige lunch gegeten en het diner de vorige dag overgeslagen – toen hij langs de New Roma Bakery kwam en de geur rook van versgebakken brood.

Reuk was altijd zijn meest suggestieve zintuig geweest, dat eerder dan iets anders herinneringen bij hem opriep. Diane had hem het genot leren kennen van brood dat vers uit de oven kwam en nog warm was. Ze was de hele ochtend bezig met mengen en kneden en vormen van het deeg. Als het in de oven stond wierp ze in het begin een snelle blik op het brood om te zien hoe het eruitzag. Dan stond ze met gesloten ogen en een verzaligde glimlach bij de deur van de oven en haalde heel diep adem. Eén keer had ze zich naar hem omgedraaid en gezegd: 'Als de hemel is zoals hij wordt geprezen, ruikt het er net zo.'

Had je gelijk, Diane?

Zodra het brood klaar was en uit de vorm op een rooster gekeerd om af te koelen, pakte ze een mes en sneed de kantjes van het brood, heel behoedzaam, om die eerste broze stukjes niet te verkruimelen. Daarna kwam de boter, niet die kleine blokjes die je in restaurants op je bord kreeg, maar royale porties die in het brood drongen en soms erlangs dropen op je vinger.

Dan kwam het proeven van de resultaten van Dianes vier uur durende, liefdevolle arbeid. Ze hield het brood voor hem vast terwijl hij een hap nam, en sloeg hem aandachtig gade. Zoals altijd genoot ze ervan om het hem naar de zin te maken.

Er waren verschillende pogingen voor nodig om Mason Dianes liefde voor versgebakken brood, die bijna een obsessie was, te leren appreciëren, maar toen raakte hij er dan ook aan verslaafd. Omdat ze beiden een druk leven leidden, had de tijdrovende procedure niet meer dan eens per week plaats, meestal op zondag, maar soms ook op een zaterdag, om te experimenteren met kaneel- of volkorenbroodjes.

Daarna waren er onherroepelijk sporen van gesmolten boter rond Dianes mondhoeken. Voor ze die kon afvegen, eiste hij ze op; zijn tong raakte de gevoelige huid aan en gleed tussen haar lippen naar binnen om het brood te proeven zoals zij het zelf had geproefd. Soms werd de kus hartstochtelijk en vrijden ze samen, soms bleven ze rustig in elkaars armen zitten en praatten over de afgelopen en de komende week, en soms, als het nodig was, gingen ze hun eigen weg. En wat er verder die dag ook gebeurde, het werd altijd beter door de ochtend die ze samen in de keuken hadden doorgebracht.

Nu had hij alleen nog maar de herinneringen, en wat hem vroeger zoveel vreugde had bereid, bracht nu alleen nog maar verdriet. Zelfs zijn liefde voor Kevin was overschaduwd. Hoe kon hij zich volledig overgeven aan dat geluk, als hij wist dat het hem alleen vergund was door Dianes offer? Maar als dat haar bedoeling was geweest, hoe kon hij er dan niet gelukkig mee zijn?

Hij stopte voor een rood licht en wreef vermoeid in zijn ogen. Zelfs liefdevolle, goede geesten konden weleens hinderlijk worden.

Zoals altijd wekte die gedachte schuldgevoelens. Als híj de herinnering aan Susan en Diane niet levend hield, wie dan wel?

Welk recht had hij om te klagen als zijn geest en zijn leven daarbij een beetje overbevolkt raakten? Hij leefde toch nog?

Maar tegen welke prijs? Hij had verdriet gehad, maar dat gaf hem niet het recht anderen verdriet te doen. Zeker Chris niet. Ze had niets gedaan wat zijn gedrag gisteravond kon rechtvaardigen – niets, behalve misschien dat ze een beetje te dicht bij hem kwam. Hij moest haar duidelijk maken dat de manier waarop hij dacht en voelde, de man die hij was, niets te maken had met haar.

Het minste wat hij kon doen was beleefd zijn tegen haar en ophouden haar het leven onmogelijk te maken. Het zou geen kwaad kunnen om althans een greintje waardering te tonen voor wat ze voor zijn zoon had gedaan, wat ze nog steeds deed. Hij was al die jaren met Rebecca bevriend geweest en had altijd een emotionele afstand bewaard. Waarom niet met Chris?

Toen hij eenmaal dat besluit genomen had, voelde hij een bijna overweldigende aandrang er zo gauw mogelijk iets aan te doen. Toen het licht op groen sprong reed Mason niet rechtdoor, maar om het blok heen, terug naar de bakker. Hij ging naar binnen en bestelde een assortiment verse, hartige en zoete broodjes, heel snel, zodat hij geen tijd had zich te bedenken.

Toen hij een kwartier later weer thuiskwam, was hij niet verbaasd dat

Chris nog in bed lag. Ze hoefde Kevin en Tracy pas over een uur op te halen om ze naar school te brengen. Waarom zou je niet uitslapen, als het enige waarvoor je moest opstaan een leeg huis en nare herinneringen aan de vorige avond waren?

Hij zette koffie, legde de broodjes op een schaal en haalde toen impulsief een dienblad uit de kast. Plotseling leek het een goed gebaar om Chris ontbijt op bed te brengen. Hij hoopte dat ze het zou opvatten zoals het bedoeld was: verzoenend en niet uit eigenbelang. Al wilde hij graag voorkomen dat ze een verzoek zou indienen om het huwelijk te annuleren, hij wilde ook zijn spijt betuigen.

Terwijl hij wachtte tot de koffie was doorgelopen, keek hij uit het raam van de keuken en zag dat de eerste narcissen waren uitgekomen. Hij glimlachte toen hij de keukenla opentrok en er een mes uithaalde. Diane had van narcissen gehouden; misschien hield Chris er ook van.

Hij kon geen vaas vinden, dus nam hij een glas. Het zag er wat minder elegant uit dan hij had gewild, maar over het geheel genomen beviel het hem wel. Met een voldaan gevoel pakte hij het blad op en liep de keuken uit.

Tot de deur van Chris' slaapkamer.

Met de hand op de knop bleef hij staan en keek naar het blad, naar de zorgvuldig opgevouwen servetten, de bontgekleurde bekers, de broodjes en de boter, en de gele narcis in het glas. Zijn nekharen gingen overeind staan. Waar was hij in godsnaam mee bezig?

Hij keek naar de deur. Wat bevond zich aan de andere kant? Waarom moest hij zo nodig naar binnen?

Niet weer, riep een inwendige stem. Bescherm jezelf. Ga weg nu je nog kunt.

Weglopen voor Chris? Dat was onzinnig. Hij probeerde zijn angst te analyseren. Wat hij voor Chris voelde was een krankzinnige combinatie van pijnlijke verlegenheid over de manier waarop hij haar had behandeld en dankbaarheid voor de liefde en zorg die ze aan Kevin had besteed, meer niet.

Waarom aarzelde hij dan?

Omdat ze het verkeerd zou kunnen opvatten, en wat moest hij dan?

Rustig liep hij terug naar de keuken, ruimde op en legde de broodjes terug in de roze doos. Janet zou misschien een beetje vreemd opkijken als hij ze aan haar gaf om in de koffiekamer klaar te zetten, maar ze zou nooit iets vragen of vermoeden waarom hij ze had gekocht.

Mason stapte in zijn auto en voelde zijn beschermende mantel weer op zijn plaats vallen, wat gepaard ging met een merkwaardig gevoel van verlies. Terwijl hij naar het centrum reed, bleef een gedachte in zijn hoofd rondmalen. Wat zou hij aan de andere kant van Chris' deur hebben gevonden? Zou ze hem welkom hebben geheten?

Ze zou hem eerder iets naar zijn hoofd hebben gegooid.
Maar als ze dat eens niet had gedaan?
Niet gewend om zich bezig te houden met 'als' en 'maar', dwong Mason zich te denken aan het werk dat vóór hem lag. Maar zoals hij algauw ontdekte was dat gemakkelijker gezegd dan gedaan.

Toen Chris Mason hoorde instappen en vertrekken, draaide ze zich om en keek op de wekker. Hij ging laat weg, waarschijnlijk omdat hij langer bij Kelly was gebleven dan hij van plan was.
Woedend op zichzelf omdat ze zich er genoeg van aantrok om het zich zelfs maar af te vragen, zwaaide ze haar benen over de rand van het bed en stond op. Wat kon het haar schelen of hij de hele nacht was gebleven of niet?
Omdat ze niet wilde dat Kevin zijn vader zou zien als een geile tiener, redeneerde ze, terwijl ze haar ochtendjas aantrok.
Ze ging naar de badkamer om haar tanden te poetsen. Toen ze in de spiegel keek en de gekwelde ogen zag die haar aanstaarden, kon ze de waarheid niet langer verbergen.
Haar gevoelens hadden niets met Kevin te maken.
Met gebogen hoofd leunde ze tegen het aanrecht. Wat moest ze beginnen? Hoe kon ze verliefd worden op een man die haar bekeek of ze iets was dat aan de schaduwzijde van een boom groeide? Had ze niet al genoeg verdriet gehad in haar leven?
Waar had dit perverse aspect van haar persoonlijkheid zich verborgen gehouden? Sinds wanneer viel ze voor het zich op de borst slaande, egocentrische Mason Winter-type?
Sinds het moment waarop ze bij zichzelf had toegegeven dat de enkele glimp die ze achter de façade had opgevangen, de echte Mason was, beantwoordde ze haar eigen vraag. Zuiver objectief gezien was Mason rijk en machtig, en zonder meer de knapste man die ze ooit buiten de film had gezien. Imponerender was dat hij zich volslagen onbewust leek te zijn van zijn uiterlijk en van de vrouwen die hem met extra aandacht bekeken als ze hem tegenkwamen en zich op straat omdraaiden om hem na te kijken.
Dat alles vond Chris onbelangrijk. Ze zou hem haar leven lang geen tweede blik hebben gegund als het niet voor Kevin was geweest. En in de tijd dat ze vader en zoon samen had gezien, had ze een verrassende waarheid ontdekt. Een man die zichzelf vergat in zijn liefde voor een kind had iets wezenlijk aantrekkelijks. Mason werd een ander mens als hij samen met Kevin was. Hij leefde op, en gaf zichzelf zonder er iets voor terug te verwachten. Hij glimlachte, en hij lachte, en als hij dacht dat niemand het kon zien, keek hij met zo'n hunkerende blik naar Kevin dat Chris haar adem inhield.

En dan het huis. Chris had altijd geloofd dat je mensen niet moest beoordelen naar wat ze zeiden, maar naar wat ze deden. Al had ze zich eerst geërgerd dat Mason het huis had gekocht zonder haar te raadplegen, de gevoeligheid en bedachtzaamheid waarmee hij zijn keus had bepaald hadden dat ruimschoots goedgemaakt.

En de manier waarop hij haar gisteravond te hulp was gekomen, haar de mogelijkheid had gegeven haar waardigheid te hervinden, terwijl, als ze eerlijk was, zij degene was geweest die hun afspraak om een gescheiden leven te leiden had verbroken.

Ze had geweigerd Masons goede en vriendelijke kant te zien. Ze veronderstelde nu dat ze domweg zichzelf had beschermd. De reden deed er niet toe. Wat ze aan dat nieuwe inzicht deed wel.

Ze borg haar tandenborstel in het medicijnkastje, maakte de wasbak schoon en liep naar de keuken. De geur van versgezette koffie drong in haar neus zodra ze binnenkwam. Maar de pot was leeg, schijnbaar ongebruikt. Ze keek om zich heen. Alles was nog precies zoals het de vorige avond geweest was, en toch voelde ze dat Mason er was geweest.

Ze liep naar de gootsteen om de koffiepot te vullen en liet het water een paar seconden doorstromen om de buizen schoon te spoelen. Toen ze de pot onder de kraan hield, zag ze iets geels dat onder het deksel van de vuilnisbak uitstak. Het was een narcis.

Wat deed een narcis in vredesnaam in de vuilnisbak?

Toen Mason naar buiten ging om te lunchen keek hij op toen de liftdeuren dichtgingen en Rebecca naar hem toekwam. Hij blokkeerde de deur en wachtte op haar. 'We hebben je vanmorgen gemist op de vergadering,' zei hij vriendelijk.

Ze liep naar binnen en wierp hem een zijdelingse blik toe. 'Omdat je me daar niet nodig had, besloot ik weg te blijven.'

'Een speciale reden?' vroeg hij, wetend dat Rebecca zelden iets oversloeg.

'Ik dacht dat het maar beter was als we elkaar vandaag niet vaker zagen dan strikt nodig is.'

Dus dat was het. Ze dacht dat hij nog steeds geërgerd was over het feest van gisteravond. 'Ik ben niet kwaad op je,' zei hij. 'Niet meer tenminste.'

'Aardig van je,' zei ze ijzig.

Hij sperde belangstellend zijn ogen open toen hij haar toon hoorde. 'Ik veronderstel dat er nog iets is dat je dwarszit?'

'Niets wat een excuus en een beetje kruipen niet kan goedmaken. Tenminste, ik hoop dat er niets meer voor nodig is.'

'Ik verwacht geen excuus,' zei hij grootmoedig.

Ze draaide zich met een ruk naar hem om. 'Dat is dan maar goed ook, want dat is wel het laatste waar ik aan denk.'

'Zou je me dan misschien willen vertellen waar je het eigenlijk over hebt?' zei hij. Zijn geduld begon op te raken.

'Ik heb een afspraak met Chris voor de lunch,' zei ze veelbetekenend.

Nu was hij werkelijk in de war. 'Waarom?'

'Om te trachten haar ervan te overtuigen dat ik niets te maken had met wat er gisteravond gebeurd is.'

Mason stopte zijn handen in zijn broekzakken en staarde naar de nummers van de verdiepingen. 'Ze neemt het jou niet kwalijk,' zei hij vol overtuiging.

'Heeft ze dat gezegd?'

'Nee, maar er is geen enkele reden –'

'Dat dacht ik ook.'

'Hoor eens, je zult me wat dit betreft moeten vertrouwen, want ik ben niet van plan er dieper op in te gaan.' Hij haalde diep adem voor hij verder ging. 'Wat er gisteravond gebeurd is was volledig mijn schuld.'

De lift stopte om een andere passagier binnen te laten, wat een eind maakte aan hun gesprek. Toen ze op de benedenverdieping waren, trok Rebecca Mason opzij. 'Ik weet dat het mij niets aangaat, maar waarom streef je er zo hardnekkig naar Chris ervan te overtuigen dat je een eersteklas schoft bent?'

Hij bedacht een tiental verschillende antwoorden op haar vraag en besloot eindelijk tot de waarheid. 'Ik weet het niet,' gaf hij onwillig toe.

Een langzame glimlach verscheen op Rebecca's gezicht. 'Wil je een beetje hulp om erachter te komen?'

Hij trok zijn wenkbrauwen op. 'Heb ik een keus?'

'Je bent bezig verliefd op haar te worden.'

'In geen miljoen jaar,' zei hij, te snel om een van beiden te overtuigen.

'Vertel het me nog eens over zes maanden, dan zal ik je geloven.'

'Dat hoeft niet,' zei hij. 'Iets zegt me dat mijn huwelijk dan al verleden tijd is.'

'Niet als je dat niet wilt,' hield Rebecca vol.

'Ik begin te geloven dat dat precies is wat ik wil,' zei hij. Toen ze wilde antwoorden, wimpelde hij haar af. Hij had niet de tijd of de energie of de wil om het gesprek voort te zetten. 'Doe Chris de groeten,' zei hij. 'En zeg dat ik vanavond niet thuiskom.'

'Als dat zo is,' zei Rebecca, haar woede onderdrukkend, 'dan zul je haar die boodschap zelf moeten geven.' Ze draaide zich met een ruk om en liet hem staan.

Mason keek haar na en vroeg zich af hoeveel dieper hij het gat nog kon graven waarin hij zich bevond voor het boven zijn hoofd instortte.

Hoofdstuk eenendertig

Chris werd op een zaterdagochtend wakker met een rusteloos gevoel, zonder te weten wat ze wilde doen, behalve dat ze er even tussenuit moest. Er waren negen dagen voorbijgegaan sinds het Valentijnsbal, en elke dag was de spanning toegenomen. Toen Kevin een halfuur later de keuken binnenkwam, keek ze naar hem en bedacht hoe vrij en spontaan ze vroeger hadden geleefd.

Ze bukte zich om hem een zoen op zijn wang te geven toen hij langskwam. 'Laten we wat gaan doen vandaag,' zei ze. 'Iets leuks.'

'Wat?' vroeg hij, minder enthousiast dan ze graag gewild had, maar ook zonder het idee te verwerpen.

'O, ik weet niet...' Toen kwam het plotseling bij haar op. 'Laten we gaan picknicken. Jij zoekt de plaats uit en ik het eten.'

Hij dacht even na en er verscheen een glimp van belangstelling in zijn ogen. 'Laten we naar zee gaan,' opperde hij, eindelijk een beetje opgewonden. 'Dan nemen we mijn vlieger mee. En brood voor de meeuwen.' Met elk nieuw idee werd hij enthousiaster. 'En mijn emmer en schepje. En een zak voor de schelpen die we vinden.'

Chris boog zich over de gootsteen om uit het raam te kijken. 'Dat lijkt me een geweldig idee. Het is een mooie dag. Als we meteen weggaan, hebben we de hele middag.'

'Ik ga papa halen.' Hij sprong van de kruk en liep naar Masons slaapkamer.

'Nee, Kevin – stop,' zei ze.

Hij bleef staan en keek met een verbaasde frons om. 'Waarom?'

'Ik dacht dat we vandaag misschien eens samen konden gaan,' zei ze, met een geforceerde vrolijkheid die ze zelf ook onecht vond klinken. Ze pakte een doek en begon het schone aanrecht af te vegen. 'Je weet wel, zoals vroeger. Dan heeft Mason wat tijd voor zichzelf. Ik weet zeker dat hij hopen dingen wil doen zonder dat wij hem voor de voeten lopen.'

'Hij heeft vandaag niets te doen,' antwoordde Kevin zelfverzekerd. 'Ik heb het hem gisteravond gevraagd.'

Wanhopig zocht Chris naar een andere reden om Mason achter te laten, maar ze wist niets te bedenken. 'Dan zullen we hem waarschijnlijk moeten vragen om mee te gaan,' zei ze. Haar blijdschap veranderde in een grimmige berusting.

Toen Kevin weg was haalde ze de picknickmand uit de bijkeuken en begon die te vullen met bekers en borden en servetten. Ze was bezig restjes kip van de vorige avond in plastic te pakken, toen Kevin terugkwam.

'Papa wil niet mee,' zei hij, terwijl hij één been over de stoelleuning zwaaide.

'Wat jammer,' zei ze medelijdend, terwijl ze probeerde haar opluchting te verbergen. 'Hij zal een heel gezellig uitstapje missen.'

'Ik wil ook niet meer.'

'Natuurlijk wel,' zei ze vleiend. 'We stoppen onderweg bij de Nut Tree en dan mag je een nieuw stukje speelgoed uitzoeken om in de auto mee te spelen.' Ze verslikte zich bijna toen ze besefte wat ze gedaan had. Omkoperij? Kon ze werkelijk zo laag zijn gezonken dat ze probeerde haar eigen zoon om te kopen om met haar mee te gaan picknicken?

'Ik wil geen nieuw speelgoed.'

'Goed dan,' zei ze. Ze accepteerde haar nederlaag en verzette zich tegen de impuls om te gaan gillen. 'Misschien volgende week.' Ze smeet de kip weer in de kom en zette de kom in de ijskast. 'Wil je ontbijten?'

'Ik heb geen honger. Ik ga weer naar bed om mijn boek te lezen.'

Ze woelde door zijn haar toen hij langsliep. 'Zullen we vanmiddag samen naar het park gaan om de eendjes te voeren? Er zijn niet zoveel mensen die daar in deze tijd van het jaar aan denken, dus waarschijnlijk hebben ze honger.'

'Oké,' zei hij. Zijn voeten maakten een schuifelend geluid toen hij naar de deur liep.

Chris telde tot tien, wachtte tot Kevin buiten gehoorsafstand was voor ze de mand opensloeg en het bestek begon terug te leggen in de la. In gedachten vloekte ze alles bij elkaar, toen Mason binnenkwam.

'Wat doe je?' vroeg hij, terwijl hij bleef staan om naar haar te kijken.

'Precies wat het lijkt,' snauwde ze.

'Maar ik dacht dat jij en Kevin vandaag ergens heen gingen.'

Ze keek hem woedend aan. 'Kevin heeft zich bedacht.'

'Door mij?'

'Nee, omdat hij ontdekte dat ik van plan was hem weer kip te laten eten.' Ze zette de borden terug in de kast. 'Natuurlijk door jou. Wat anders?'

'Het spijt me. Ik wilde alleen maar helpen. Ik dacht dat als ik zei dat ik niet mee wilde, jullie de kans zouden hebben weer eens samen uit te gaan.'

Ze keek hem achterdochtig aan. 'Waarom zou je dat doen?'

Hij opende de ijskast, haalde het sinaasappelsap eruit en schonk een glas voor zichzelf in, terwijl hij haar bleef aankijken. 'Je mag me echt niet, hè?'

Ze voelde zich niet op haar gemak onder zijn doordringende blik, liep langs hem heen en zette de mand weer in de bijkeuken. 'Of ik je wel of niet mag heeft niets te maken met mijn gevoel op dit moment.'

'En dat is?'

'Gefrustreerd,' barstte ze uit. 'En ik kan er niets aan doen. Ik wilde dat alles weer zoals vroeger was, maar dat kan niet. Je bent hier, en zelfs al zou je morgen verdwijnen, dan kunnen Kevin en ik onmogelijk meer terug. Op de een of andere manier hoor je nu bij ons.'

Ze had eraan toe kunnen voegen dat ze zich een paar keer had afgevraagd of ze de dingen wel zou veranderen als ze de kans daartoe zou krijgen. Ondanks alle negatieve invloeden die Kevin in de afgelopen zeven maanden in zijn leven had meegemaakt, kon ze niet ontkennen dat hij meer had gewonnen dan verloren. Hij vond het heerlijk om een vader te hebben. Nee – ze moest eerlijk zijn, al was het alleen maar tegenover zichzelf – het was veel meer dan het idee om een vader te hebben dat Kevin heerlijk vond, het was Mason zelf.

'Dat klinkt of je in de val zit.'

'In zekere zin is dat ook zo.'

De sfeer raakte gespannen. 'Zou het helpen als ik wegging?' vroeg hij.

Ze was verbijsterd. Het was niets voor Mason om zich zo bloot te geven. Hij zei het of de woorden uit zijn mond getrokken werden, en ze twijfelde er niet aan of hij meende het. Ze hoefde het maar te vragen, en hij was weg. 'Nee,' zei ze.

'Nee, het zou niet helpen, of, nee, ga niet weg?' vroeg hij zacht.

'Kevin zou het me nooit vergeven.'

'Vergeet Kevin even. Wat vind jij?'

Wat wilde hij van haar, een bekentenis dat het haar iets kon schelen? Ze kon zich precies voorstellen hoe hij dat zou gebruiken, dat boven haar hoofd zou houden. 'Ik heb je nog een maand beloofd,' zei ze, een rechtstreeks antwoord vermijdend. 'Ik kom nooit terug op een belofte.'

Hij knikte, alsof hij inzag dat hij meer niet van haar los zou krijgen. Na een paar seconden liep hij naar de bijkeuken, haalde de mand te voorschijn en zette hem op het aanrecht. 'Ik heb zin in een picknick,' zei hij. 'Zin om mee te gaan?'

Wat was dat nu weer? Probeerde hij het goed te maken omdat hij haar eigen picknickplannen had bedorven? Of was het een poging tot vriendschap? Hoewel het kleed niet onder haar voeten vandaan was getrokken, had Chris toch het gevoel dat Mason er een stevige ruk aan had gegeven. Ze slikte haar plotselinge blijdschap weer in. 'Waar had je naar toe gewild?' vroeg ze.

'Ik dacht misschien naar zee. In deze tijd van het jaar hebben we het strand waarschijnlijk voor ons alleen.'

'Grappig, dat je dat zegt. Nog niet zo lang geleden had ik precies hetzelfde idee. Denk je dat we Kevin kunnen overhalen om mee te gaan?'

'Mag ik hem vertellen dat we de kip van gisteravond hier laten en onderweg stoppen om sandwiches te kopen?'

Ondanks alles moest ze lachen. 'Ik heb zelf ook een beetje genoeg van kip,' gaf ze toe.

'Afgesproken dus.' Hij maakte een lichte buiging en liep naar Kevins kamer. Hij was de deur al uit toen hij bleef staan, zich omdraaide en terugkwam. 'Chris?'

Ze stopte waar ze mee bezig was en keek hem aandachtig aan. 'Ja?'

Te oordelen naar zijn gezicht viel het hem niet gemakkelijk haar te zeggen wat hij op zijn hart had. Hij haalde zijn schouders op. 'Ik wilde je eigenlijk alleen maar bedanken. Dat had ik al lang geleden moeten doen.'

'Waarvoor?'

'Dat je het gemakkelijker maakt dan je had hoeven doen.'

Verlegen maakte ze een afwerend gebaar. 'Ik was de eerste die een picknick wilde houden, weet je wel?'

'Ik heb het niet over de picknick.' Hij wreef over de achterkant van zijn hals. 'Vanaf de eerste dag dat je hem met me mee liet gaan heb je niet geprobeerd de manier waarop Kevin over me denkt en wat hij voor me voelt te beïnvloeden of te hinderen. Het duurde even om te begrijpen waarom je wachtte tot we alleen waren om me te vertellen wat een rotzak je me vond.'

Ze wist niet wat ze moest zeggen, want ze had geen idee gehad dat haar pogingen om hem te helpen een band met Kevin te krijgen hem zelfs maar waren opgevallen, laat staan dat hij ze gewaardeerd had. 'Wat had je dan verwacht, Mason?'

'In het begin was ik bang dat je Kevin tegen me op zou zetten. Maar ik hoefde alleen maar de tijd te nemen om goed te luisteren naar Kevin als hij het over jou had, om te ontdekken dat je nooit iets slechts over me zei als jij en Kevin alleen waren, zelfs niet toen je ervan overtuigd was dat ik het slechtste was wat hem had kunnen overkomen.'

'Waarom zou ik willen dat Kevin slecht zou denken over zijn eigen vader?' vroeg ze, oprecht verward over zijn dankbaarheid voor iets dat voor haar een essentieel onderdeel was van het ouderschap. 'Wat zou dat voor zin hebben?'

Hij staarde haar lang en intens aan, alsof hij probeerde te ontdekken of het koketterie van haar was. 'Als ik er niet ben, zou je hem weer helemaal voor jezelf kunnen hebben.'

Dus dat was het. Hoe had ze zo kortzichtig kunnen zijn dat ze dat niet eerder gezien had. Het waren niet alleen de voor de hand liggende redenen geweest waarom Mason zoveel mogelijk tijd met Kevin wilde doorbrengen. Hij had willen bewijzen dat hij niet de man was zoals hij meende dat Chris hem afschilderde.

'Dat zou ik hem niet willen aandoen, Mason. Dat is iets waar hij zelf over moet oordelen.' Er speelde een verlegen glimlachje om haar lippen. 'Ik had eigenlijk geen reden Kevin te beletten je te leren kennen, toen ik er eenmaal van overtuigd was dat je niet het monster was dat ik had gedacht.'

'Wanneer ben je daarachter gekomen?'

Ze grinnikte vol zelfspot. 'Die overtuiging is heel langzaam gegroeid, maar een paar weken geleden heb ik het eindelijk voor mezelf toegegeven.'

'Wat heb ik gedaan om je van mening te doen veranderen? Ik weet dat het niet het huwelijk was.'

'Het huis.'

Nu was het zijn beurt om verbaasd te kijken. 'Het huis? Dat begrijp ik niet.'

'Je had honderd andere huizen kunnen kiezen om –'

'Wat zou dat voor zin hebben gehad?' viel hij haar in de rede. 'Waarom zou ik jou en Kevin onnodig ontwortelen?'

'Precies,' zei ze. 'Zonder je er zelf van bewust te zijn, dacht je eerst aan ons.'

'Iets anders zou onlogisch zijn geweest,' zei hij. Het was duidelijk dat hij zijn best deed om haar redenering te volgen. Hij maakte een grimas. 'Hemel, ik lijk dr. Spock wel.'

'Als we niet opschieten,' zei ze, een beetje geschrokken van de gedachte dat ze in haar hart het liefst met hem bleef praten, 'is het al donker voor we op het strand zijn.'

'Welk strand had je in gedachten?'

'Stinson, is dat goed?'

'Mijn lievelingsstrand.'

Ze lachte. 'Leugenaar. Ik durf te wedden dat je er nog nooit geweest bent. Meer nog. Ik durf te wedden dat je geen dag hebt vrij genomen sinds je in Sacramento bent komen wonen.'

'Oké, ik ben er nooit geweest, maar ik heb er wel over gehoord. En je vergist je wat die vrije dagen betreft.' Met een scheef glimlachje ging hij verder. 'Ik vind het vervelend om er nu over te beginnen, maar als je je goed herinnert, hou ik van skiën.'

'Je hebt gelijk. Dat was ik vergeten.' Wat gebeurde er tussen hen? Ze voerden zowaar een normaal gesprek. Alsof ze elkaar aardig vonden. 'Wat maar weer bewijst dat ik niet het type ben om een wrok te koesteren.'

Spontaan pakte ze hem bij zijn arm en trok hem de kamer uit. Ze besefte pas hoe vertrouwd dat gebaar was toen ze hem aanraakte. Ze verwachtte dat hij zich zou terugtrekken, zoals hij vroeger deed, zo niet fysiek dan toch gevoelsmatig. Ze slaakte een onhoorbare zucht van verlichting toen dat niet gebeurde. 'Je was op weg naar Kevin, weet je nog?'

'Maak je over ons geen zorgen. Over een kwartier zijn we klaar en gereed om de deur uit te gaan,' zei hij met een uitdagende klank in zijn stem.

Met een geruster hart dan in maanden het geval was geweest, riep Chris tegen zijn verdwijnende rug: 'Ik ben over tien minuten al klaar!'

'Ik wed om een dessert op de terugweg dat het niet waar is.'

'Afgesproken,' zei ze, terwijl ze een doos crackers van het buffet greep en in de mand gooide.

Tien minuten en een aantal seconden later was ze bezig de voorraden in de achterbak van Masons truck te laden. 'Jij draait op voor het dessert,' zei ze met een zelfingenomen grijns.

'Zal ik ooit leren je niet te onderschatten?'

Het was het beste compliment dat hij haar had kunnen geven. Misschien zou de magie nog even blijven.

Die nacht kon Mason niet slapen. De dag die hij met Chris en Kevin had doorgebracht bleef door zijn hoofd malen, maar hij kon er niet toe komen met plezier terug te denken aan die aangename tijd. Hij bleef zich zorgen maken dat hij en Chris een doodlopende straat hadden genomen en dat ze vroeg of laat een hogere tol zouden moeten betalen dan een van beiden zich kon veroorloven.

Hij wilde haar niet misleiden, haar niet in de waan brengen dat wat ze vandaag samen hadden beleefd ooit tot iets diepers kon uitgroeien. Hun situatie was te pasklaar. Uiterlijk gezien waren ze de perfecte driehoek – moeder en vader en kind. Maar twee van die kanten zouden – nee, konden – elkaar nooit raken; de driehoek zou nooit compleet zijn. Ze zouden er binnenkort over moeten praten. Hij moest er zeker van zijn dat ze begreep hoe de dingen stonden en vooral, dat hij haar geen verdriet wilde doen.

Ten slotte kreeg hij er genoeg van om te proberen in slaap te komen en hij besloot om op te staan. Hij trok zijn badjas aan en liep naar de keuken. Misschien zou een biertje hem wat ontspannen. Toen hij naar binnen liep, zag hij dat Chris hem vóór was geweest. Ze stond bij het fornuis met een pak melk in de hand en een blik cacao op het aanrecht naast haar. Het flanellen nachthemd plakte aan haar heupen en billen, en eindigde halverwege haar dijen. Technisch gesproken was het niet onthullender dan iets dat hij haar ooit had zien dragen, minder dan de jurk die ze naar het bal had gedragen. Maar iets in het feit dat hij haar zag in de kleren die ze in bed droeg veroorzaakte een intense en onwelkome prikkeling in zijn lies.

Chris was niet mooi in de klassieke zin van het woord, niet zoals Susan en Diane waren geweest. Ze had niets fragiels of etherisch. De glinstering in haar ogen was meer ondeugend dan verleidelijk; de houding van haar hoofd was uitdagend, nooit toegeeflijk. Haar lichaam was even hard en gespierd als dat van hemzelf, en hij twijfelde er niet aan of ze kon even lang lopen en skiën als hijzelf, en met evenveel energie vrijen. Ze leek meer op Jeanne d'Arc dan op een madonna van Rafaël, typisch iemand die erop stond de picknickmand te dragen en niet alleen de deken.

Omdat hij zich haar gemakkelijker kon voorstellen als iemand die een draak verslaat, dan als iemand die zich laat meevoeren door een sprookjesprins, verbaasde het hem niets dat ze nooit getrouwd was. De enige reden waarom ze een man in haar leven zou toelaten was dat ze waanzinnig veel van hem hield – of dat hij de vader was van haar kind – nooit dat ze hem nodig had. Door zijn observatie van Rebecca en de mannen die ze in de loop der jaren had gehad, wist Mason dat er niet veel mannen waren die dat soort onafhankelijkheid in een vrouw konden accepteren. Hij had die redenering nooit helemaal kunnen begrijpen, maar hij had het te vaak gezien en gehoord om niet te geloven dat het waar was.

'Hoe lang ben je van plan daar te blijven staan zonder iets te zeggen?' vroeg Chris, zonder zich om te draaien.

'Hoe wist je dat ik er was?' vroeg hij, een antwoord vermijdend met een tegenvraag.

Ze draaide zich naar hem om. 'Ik hoorde de deur van je slaapkamer opengaan en jou door de gang lopen.'

'Ik kon niet slapen.'

Ze hield het pak melk omhoog. 'Je ziet, ik ook niet.' Ze ging op het aanrecht zitten, pakte een lepel en wrikte de bus cacao open. 'Jij ook?'

'Nee, dank je,' zei hij automatisch, en toen: 'Ach, waarom niet, een kop chocola klinkt beter dan een glas bier. Het is lang geleden...' Het lag op het puntje van zijn tong om eraan toe te voegen: 'Niet meer sinds Diane en ik bij elkaar waren,' maar hij slikte het weer in.

Ze probeerde het vlammetje onder de pan lager te draaien, maar het ging uit. Mopperend draaide ze de brander weer hoog en boog zich eroverheen om het te controleren. Daardoor schoof haar nachthemd omhoog, zodat er een reepje lavendelkleurig zijden ondergoed te zien kwam. Hij hoorde zich eigenlijk af te wenden, dacht hij, maar het voornemen ging verloren tussen denken en doen. Hij keek naar haar met gespannen aandacht en merkte tot zijn verbijstering dat hij een dringend verlangen voelde om naar haar toe te gaan en haar dij te strelen, de gladde huid onder zijn hand te voelen, het stukje lavendelkleurige zijde opzij te duwen, haar te horen zuchten bij zijn aanraking. Hij stelde zich voor hoe ze zich naar hem zou omdraaien...

Hij schudde zich inwendig door elkaar en zocht naar iets dat de betovering zou verbreken. 'Diane maakte altijd warme chocola als ze niet kon slapen.'

'Ik weet het,' antwoordde Chris. 'Dat had ze van mij geleerd.' Ze schonk nog een kopje melk in de pan, samen met twee volle lepels cacao.

'Jullie lijken niets op elkaar,' flapte hij eruit, nog steeds niet helemaal los van de verontrustende gedachte hoe het zou voelen als Chris op hem reageerde.

'Dat heb je al eens gezegd.'

'Ik bedoel het niet in vergelijkende zin,' voegde hij er snel aan toe, beseffend hoe gemakkelijk zijn opmerking verkeerd kon worden geïnterpreteerd.

Ze pakte nog een beker uit de kast. 'Maak je geen zorgen. Je bent niet de eerste die dat zegt. Ik ben eraan gewend.' Ze hield de beker tussen haar handen en voegde er zachtjes aan toe: 'Vroeger tenminste.'

Haar stem raakte een gevoelige snaar aan. 'Je mist haar nog steeds, hè?'

'Met Kevin om me aan haar te herinneren is het moeilijk om dat niet te doen. Maar het doet niet zoveel verdriet meer. Als ik nu aan haar denk, kan ik zelfs lachen over sommige herinneringen aan de dingen die we vroeger deden.'

Met Diane als buffer tussen hen in, kon hij naar Chris toe lopen en naast haar gaan staan. Hij had zich afgevraagd wat er zou kunnen gebeuren als hij zich te duidelijk herinnerde wat voor gevoel het was om Chris in zijn armen te houden. Hij had haar slechts voor de duur van een dans vastgehouden en het was tegen haar zin geweest, maar toch bleef de herinnering hangen. 'Het ontvangen van die brief was of ik Diane weer helemaal opnieuw verloor.'

'Alleen moest je deze keer ook nog een schuldgevoel verwerken,' zei ze scherpzinnig. 'Het moet niet gemakkelijk zijn geweest om te ontdekken dat ze al die verschrikkelijke dingen niet verdiende die je al die jaren over haar gedacht had.'

'Hoe wist je dat?'

Ze zuchtte. 'Waarschijnlijk omdat ik zelf op die manier zou hebben gereageerd.'

'Denk je dat we zo op elkaar lijken?' vroeg hij, intens geïnteresseerd in haar antwoord.

Ze hield haar blik strak op het fornuis gericht. 'Waarschijnlijk meer dan een van ons bereid is toe te geven.'

'Misschien is dat ons probleem. Tegengestelden trekken elkaar aan.'

Ze doopte haar pink in de chocola, draaide het gas uit en schonk de dampende chocola in de bekers. Toen ze de pan had omgespoeld en in de week gezet, haalde ze een zak mini-marshmallows van de plank boven haar hoofd.

Mason, die besefte wat het uitrekken met haar nachthemd zou doen, was druk bezig de bekers op tafel te zetten. Hij had die moeite niet hoeven doen. In gedachten zag hij het even duidelijk voor zich alsof hij had gekeken.

Hij was even verward door zijn eigen gevoelens als door de manier waarop Chris zich gedroeg. Tot vandaag had hij niets gedaan om haar ontspannen houding te verdienen; zijn gedrag op het bal had haar genoeg nieuwe munitie moeten geven voor minstens een maand of twee. Wat was er gebeurd dat ze bereid was hem weer te vertrouwen, alsof het bal nooit had plaatsgehad, hem ruim baan te geven terwijl hij nog geen centimeter verdiend had?

Toen viel er een bom zonder dat hij zelfs maar een waarschuwend gefluit had gehoord. 'Waarom voel je je meer op je gemak als we niet met elkaar overweg kunnen?'

Zijn mond viel open. 'Dat verbeeld je je –'

'Nee, dat doe ik niet,' zei ze kalm, terwijl ze marshmallows in de bekers strooide. 'Je wilt graag denken dat ik dat doe. Misschien zou het gemakkelijker zijn als het zo was, maar ik heb een perverse neiging om te vermijden de gemakkelijkste weg te kiezen.'

Om tijd te winnen ging hij zitten, pakte de bekers en schoof er een over de tafel naar de plaats waar Chris zou gaan zitten en sloeg zijn handen ineen of hij ze wilde warmen. 'Heb je daarom besloten Kevin zelf op te voeden in plaats van hem te laten adopteren?' vroeg hij, haar vraag vermijdend door een andere vraag te stellen waarvan hij wist dat ze zich gedwongen zou voelen die te beantwoorden.

Ze maakte de zak marshmallows dicht, gooide hem op het aanrecht en ging zitten. 'Ik hàd hem aangeboden voor adoptie, maar de beslissing was allesbehalve de gemakkelijkste oplossing.'

Dit was de eerste keer dat Mason hoorde dat er nóg iemand in Kevins leven was geweest. Hij was intens nieuwsgierig. 'Wat is er gebeurd?'

'De mensen die hem zouden nemen besloten dat ze geen zieke baby wilden,' zei ze. Na een paar seconden ging ze verder. 'Het was bijna of Kevin wist dat de enige manier waarop ik mezelf zou toestaan hem bij me te houden was als niemand anders hem zou willen.'

'Allemachtig.' Hij schudde zijn hoofd. 'Er is toen zoveel gebeurd waarvan ik niets weet.'

'Je weet alles wat je moet weten.' Ze nam een slokje en likte het laagje marshmallow van haar lippen.

Mason richtte zijn blik strak op haar mond. Hij werd bevangen door een overweldigend verlangen haar te kussen. Hij wilde haar proeven, wilde weten hoe haar lippen zouden reageren op zijn mond, haar warmte voelen. Hij probeerde de impuls toe te schrijven aan het mislukken van de avond die hij met Kelly gepland had, maar kon zichzelf niet overtuigen. Vooral niet toen hij moest toegeven dat wat hij voelde veel verder ging dan begrijpelijke wellust. Waar hij echt naar hunkerde, wat veel te lang in zijn leven ontbroken had, was het gevoel dat hij het recht had een vrouw intiem aan te raken en te weten dat zijn aanraking welkom was.

Het inzicht van dat verlangen versterkte het nog, verjoeg alle andere gedachten, tot het zo krachtig werd dat hij het gevoel had dat hij zou stikken als hij zich er niet van kon bevrijden. Hij haalde moeizaam adem.

'Het is laat,' zei hij, verbaasd dat hij de woorden eruit kon krijgen met al dat tumult in zijn hoofd. 'Als je het goedvindt neem ik mijn chocola mee naar mijn kamer en drink hem daar op.'

Haar teleurstelling was zichtbaar in de verwarde blik die ze hem toewierp. 'Natuurlijk vind ik het goed,' zei ze haastig. 'Ik dacht net hetzelfde. De enige keer dat ik de kans krijg om uit te slapen is als Kevin 's nachts bij de Hendricksons logeert.' Ze stond op en trok aan de zoom van haar nachthemd.

Hoewel zijn verklaring haar vertrek had verhaast, voelde Mason zich verontrust bij het vooruitzicht haar gezelschap kwijt te raken. Toen hij zag dat ze haar beker oppakte en naar de deur liep, vond hij het plotseling verschrikkelijk belangrijk haar duidelijk te maken dat ze niets had gedaan om die plotselinge ommekeer in hem te bewerkstelligen. 'Ik heb een heerlijke dag gehad,' zei hij, zonder de formele toon uit zijn stem te kunnen weren.

'Ik ook,' zei ze, en beloonde zijn inspanning met een glimlach.
'Misschien kunnen we het nog eens doen,' zei hij. Het klonk hem zelf belachelijk tam in de oren.
'Ik weet zeker dat Kevin dat graag zou willen.'
Hij knikte en hief zijn beker naar haar op. 'Tot morgenochtend.'
Ze legde haar hand op het lichtknopje. Het was duidelijk dat ze wachtte tot hij als eerste zou weggaan. Heel even stond hij zichzelf de vraag toe wat er zou gebeuren als hij haar volgde in plaats van haar de rug toe te keren en weg te lopen.
Terwijl hij naar zijn kamer liep, deed hij een belofte bij zichzelf. De volgende keer dat hij niet kon slapen zou hij schapen tellen. Geen ontmoetingen meer op de late avond. Het was niet eerlijk tegenover Chris, en het was heel beslist niet iets dat hij zelf nog een keer wilde doormaken.

Hoofdstuk tweeëndertig

Chris trok een sweatshirt met capuchon aan, ritste het dicht en ging op de rand van het bed zitten om haar joggingschoenen aan te trekken. Even wreef ze over het kippevel op haar blote benen. Ze keek op de klok. Over tien minuten had ze met Mary afgesproken om te gaan joggen. Ze hadden elkaar beloofd dat ze vanaf vanmorgen weer hun oude routine van zeven kilometer zouden volgen, in plaats van de vlugge drie kilometer die ze in de afgelopen maand hadden gelopen. Na minder dan drie uur slaap was Chris ervan overtuigd dat Mary nog voordat ze bij het park waren de paramedici zou moeten bellen.

Ze was nog even verbijsterd over de dag die ze met Mason had doorgebracht als toen ze gisteravond in bed was gestapt. Aan de ene kant was er Kevin, die gisteren een verrukkelijk kind was geweest, stralend als het vuur in een open haard. Aan de andere kant was er de vreemde manier waarop Mason had gereageerd op de vermindering van de spanning tussen hen.

Vermindering van de spanning? Wie probeerde ze voor de gek te houden? Een paar keer had het zelfs geleken of ze werkelijk het gezin waren dat ze voorwendden te zijn, de keren waarop Mason naar haar had gekeken met ogen waarin een hunkering lag naar de genegenheid die ze zo overvloedig aan haar zoon gaf. Maar altijd was die reserve er, die haar zei dat als ze het waagde erop te reageren, hij niet alleen zou vluchten, maar zou aanvallen voor hij wegliep.

Waarom voelde hij de behoefte zich tegen haar te beschermen? Wat dacht hij dat ze wilde, hem verleiden tot een relatie? Besefte hij dan niet dat zij evenmin als hij een potentiële vriendschap wilde bederven met iets fysieks? Alleen al de gedachte joeg haar angst aan.

Ze stopte met het vastmaken van haar schoenen en liep naar Kevins slaapkamer. Met haar hand op de deurknop bleef ze staan voor ze zich realiseerde dat ze hem niet wakker hoefde te maken om hem naar de Hendricksons te brengen. Het was zondag. Mason kon op hem passen terwijl zij met Mary ging joggen.

Ze begon een briefje te schrijven en hoorde Mason in zijn kamer. Toen het duidelijk werd dat hij niet meteen naar buiten zou komen, liep ze naar zijn kamer en klopte zachtjes op de deur.

Hij deed open in een spijkerbroek waarvan alleen de bovenste knoop dicht was. Hij kwam kennelijk net uit bed. Het feit dat hij bijna naakt was bracht Chris in de war en even vergat ze waarvoor ze gekomen was.

'Is er iets?' vroeg Mason, blijkbaar even verrast door haar bezoek als zij was door zijn kleding.

'Nee,' zei ze, zich beheersend. 'Ik wilde alleen weten of je voorlopig thuisbleef. Ik wil Kevin liever niet wakker maken en meenemen als het niet nodig is.'

Hij keek naar haar voeten, haar blote benen en toen weer naar haar gezicht. 'Ga je joggen?'

'Tegen beter weten in.'

'Ik vroeg me al af hoe je in zo'n goede conditie bleef.'

Ze lachte. 'Ik weet nooit wat ik op zo'n verklaring moet antwoorden.'

'Het was maar een opmerking.'

Ze kwam in de verleiding hem te vragen wat hij deed om eruit te zien of een sportzaal zijn tweede thuis was. Op zijn hele lichaam was geen greintje overtollig vet te bekennen. Ze kende zijn werkrooster en kon moeilijk geloven dat hij nog tijd overhield om te trainen, maar de gespierdheid van zijn armen en schouders kon nauwelijks natuurlijk zijn. Kevin had de bouw van zijn vader geërfd. Wilde dat zeggen dat hij uiteindelijk Masons brede borstkas en dikke blonde haar zou krijgen? Ze voelde zich niet op haar gemak met de richting die haar gedachten namen. Ze streek nerveus met haar handen langs haar short en stopte ze toen in de zakken van haar sweatshirt. 'Nou?' drong ze aan.

'Nou wat?'

'Blijf je thuis?'

'O, ja, ja.'

'Mooi.' Ze deed een stap naar achteren. 'Ik blijf niet lang weg.'

Hij ging in de deuropening staan en leunde tegen de deurpost. 'Haast je niet.'

Impulsief vroeg ze: 'Heb je zin om mee te gaan? John kan wel op Kevin passen.'

Hij grinnikte en schudde zijn hoofd. 'Op mijn lijst van favoriete bezigheden staat joggen vlak onder een kies laten trekken.'

Ze knipperde met geveinsde verbazing met haar ogen. 'Wauw, dat is een stuk hoger dan op mijn lijst.' De wetenschap dat Mary op haar wachtte gaf Chris het duwtje dat ze nodig had om weg te gaan. 'Zeg maar tegen Kevin dat ik bosbessenpannekoeken voor hem zal bakken als ik terugkom,' zei ze en draaide zich om.

Ze was bijna bij de voordeur toen ze hoorde dat hij haar riep. Ze liep terug door de zitkamer en zag hem aan het eind van de gang staan.

'Denk je dat Kevin zin zou hebben om vanmorgen te gaan brunchen?' Snel voegde hij eraan toe: 'Jij ook natuurlijk.'

'Dat lijkt me leuk,' zei ze, overdreven blij met zijn voorstel, ook al leek de uitnodiging aan haar een beetje achteraf bedacht.

'Ik zal iets bespreken.'

Ze wist niet wat ze verder nog moest zeggen, dus knikte ze en ging weg. Haar voeten leken centimeters boven het plaveisel te zweven toen ze naar Mary's huis rende.

Mason stond voor het raam en keek Chris na tot ze uit het gezicht verdwenen was. Toen ging hij terug naar zijn kamer om zich verder aan te kleden, verbaasd over het feit dat hij zo gemakkelijk afstand had gedaan van zijn nog slechts enkele uren oude voornemen om afstand te scheppen tussen zichzelf en Chris, en de gereserveerdheid in hun relatie te herstellen. Hoewel het voor Kevin goed kon zijn dat zijn ouders vadertje en moedertje speelden, was het bij lange na niet wat Mason wilde. Hij had het gevoel dat Chris het evenmin wilde.

Maar, redeneerde hij, een enkel uitje kon geen kwaad. Zolang ze zich beiden er maar van bewust waren dat ze het voor Kevin deden, was er geen enkele reden waarom ze niet zouden proberen een enkele keer eens een normale verhouding met elkaar te hebben. Het was altijd gemakkelijker om in rustig water te navigeren.

Zelfs als zou blijken dat Kevin eerder bestand was tegen de uiteindelijke scheiding dan hij of Chris verwachtte, zou dat toch nog jaren duren. Ze móesten een manier zien te vinden om met elkaar te communiceren. Dit weekend was een behoorlijk begin geweest. Als ze dit konden voortzetten, zouden ze elkaar op een dag misschien zelfs aardig gaan vinden en respect voor elkaar krijgen, zoals hij en Rebecca.

Dat was het – de perfecte oplossing. Van nu af aan zou hij, als hij aan Chris dacht, haar met Rebecca vergelijken.

Hij kreunde hardop bij de gedachte. Wilde hij werkelijk twee Rebecca's in zijn leven?

Meer nog, zei een hardnekkig inwendig stemmetje, niet één keer in al die jaren dat hij Rebecca kende was zijn hart sneller gaan kloppen als ze een kamer binnenkwam, zoals onveranderlijk het geval was als hij Chris zag.

'Wauw,' hijgde Mary, toen ze Chris inhaalde na hun derde rondje om de tennisbanen in het McKinley Park. 'Als ik... niet beter wist... zou ik denken... dat je vanmorgen... iets geslikt hebt. Ik heb je nog nooit... zo opgepept gezien.'

Chris lachte. 'Morgen kan ik waarschijnlijk mijn bed niet uitkomen.'
'Ik moet even rusten,' drong Mary aan. Ze bleef staan en boog voorover met haar handen op haar knieën. Een paar diepe ademhalingen later kwam ze weer overeind. 'Kunnen we even een eindje wandelen?'
'Zullen we niet liever teruggaan? Ik heb tegen Mason gezegd dat ik niet te lang weg zou blijven.'
'Neemt die man nooit een dag vrij?'
Chris aarzelde. Ze had geprobeerd een manier te vinden om te beginnen over wat er tussen haarzelf en Mason in de afgelopen twee dagen gebeurd was, maar ze kon de woorden niet vinden – hoogst waarschijnlijk, redeneerde ze, omdat ze niet zeker wist wát er gebeurd was. De week ervoor was Mary vreemd zwijgzaam geweest toen Chris haar had verteld over het bal. Haar enige commentaar was volkomen onverwacht: 'Wie had ooit kunnen denken dat Mason de rol van de redder in nood zou spelen.'
'Hij heeft gisteren de hele dag vrij genomen,' zei Chris. 'We hebben gepicknickt in Stinson's Beach.' Ze keek naar Mary om te zien wat voor reactie dat nieuws bij haar wekte.
De vermoeidheid maakte plaats voor openlijke nieuwsgierigheid. 'O?' zei Mary op gerekte toon.
'En we gaan vanmorgen met ons drieën buiten ontbijten – Masons voorstel, niet het mijne.'
Mary stopte en trok de haarband van haar hoofd. 'Heb ik iets gemist? Is dit dezelfde man die twee weken nadat hij met je getrouwd was een afspraak maakte met een andere vrouw?'
Chris haalde haar schouders op. 'Ik begrijp het ook niet.'
'Misschien is dit zijn manier om zich te verontschuldigen voor het feit dat hij zich als zo'n klootzak heeft gedragen.'
'Daar heb ik ook aan gedacht.'
'Maar?'
'Hij speelt voor een publiek dat al in zijn ban is. Waarom zou je tijd verknoeien aan rekwisieten als dat niet nodig is?'
Mary trok peinzend haar wenkbrauwen op. 'Iets zegt me dat hij eindelijk eens aandachtig heeft gekeken naar wat hem op een zilveren blaadje is aangeboden, en ontdekt heeft dat hij achteraf toch wel belangstelling heeft.'
Chris snoof minachtend. 'Vergeet het maar.'
'Nou, het zou wel leuk zijn als ik gelijk had,' zei Mary met een weemoedige klank in haar stem.
'Waarom?' vroeg Chris nieuwsgierig.
'Omdat jij al verliefd bent op hem, en ik niet wil dat je hart wordt gebroken.'

Chris hield verbaasd haar adem in. 'Waar haal je in vredesnaam dat krankzinnige idee vandaan?'
'Als je twee volle dagen besteedt aan het zoeken naar een jurk voor een bal, is dat een zeer duidelijke aanwijzing.'
'Ik kon niet anders. Ik moest me aan een budget houden.'
'Probeerde je daarom voor mij te verbergen wat je aan het doen was?'
'Ik heb het je niet verteld omdat ik wist dat jij zou zeggen dat ik een fout maakte.'
Mary keek haar aan. 'En dat was wel het laatste wat je wilde horen. Wat je wilde was een kans om Mason te verbluffen, en je wilde niet dat de stem van het verstand je daarbij hinderde.'
Goeie hemel, kon Mary gelijk hebben? Kon ze zo berekenend hebben gehandeld zonder zich er zelfs maar van bewust te zijn? 'Waarom zou ik dat doen?'
'Daargelaten het feit dat Mason Kevins vader is en dat het jullie leven een stuk gemakkelijker zou maken als je kon ophouden met een leugen te leven, is wat er overblijft nogal essentieel. Om het maar eens simpel uit te drukken, Mason is een stuk. Je mag dan in Californië wonen, dat betekent niet dat je bed niet verrekt koud kan worden in een eenzame winternacht.'
Chris stak het grasveld over en ging op een van de banken zitten. Wat Mary had gezegd was niets nieuws voor haar. In de een of andere vorm waren dezelfde gedachten al een paar weken lang door haar hoofd gegaan. Maar ze hardop horen uitspreken gaf ze een waarheid die ze nog niet onder ogen wilde zien. 'Ik ben er te oud voor,' kreunde ze.
Mary ging naast Chris zitten. 'Het zijn die verrekte hormonen,' zei ze met een glimlach. 'Ze krijgen je altijd weer te pakken.'
'Dat is alles? Geen wijze woorden? Geen aanbod om me te helpen een ontsnappingstunnel te graven?'
'Geef hem een kans,' zei Mary, weer serieus.
Er verstreken een paar seconden voor Chris antwoord gaf, en toen was het met een gesmoord gefluister. 'Die gedachte jaagt me de stuipen op het lijf.'
Ze bleven op de bank zitten, starend naar de stroom joggers die aanzwol en toen weer minderde. Ten slotte kregen ze het koud en gingen naar huis.

Terwijl Mason wachtte tot Chris terugkwam en Kevin wakker werd, zette hij koffie, maakte de haard aan en ging in de zitkamer de ochtendkrant lezen. Toen hij de krant uit had, raapte hij hem weer bij elkaar, en was bezig hem onder op het tafeltje te leggen toen hij het fotoalbum zag dat Chris hem op die tumultueuze dag in december had laten zien.

Hij staarde naar het album, zich bewust dat het een doos van Pandora vol emoties was, en verrast dat hij zich er tegelijk sterk toe aangetrokken en erdoor afgestoten voelde. Hij had eindelijk bij zichzelf toegegeven dat Chris de spijker op zijn kop had geslagen met haar analyse: hij was nog steeds bezig met het verwerken van zijn gevoelens voor Diane. De acht maanden sinds hij de ware reden had ontdekt waarom ze hem had verlaten, waren niet voldoende om over zijn schuldbesef heen te komen. Er waren zoveel onbeantwoorde vragen. Waarom had hij zo onmiddellijk geaccepteerd dat ze hem in de steek had gelaten, zonder zich verder iets af te vragen? Was zijn gevoel van eigenwaarde zo broos geweest dat hij niet alleen haar verhaal geloofd had dat ze niet meer van hem hield, maar het zelfs eigenlijk verwacht had?

Hij werd verteerd door een wanhopige behoefte om Diane te vertellen hoe het hem speet – dat hij de reden die ze voor haar vertrek opgaf had geloofd, dat hij zo in zijn eigen zaken verstrikt was geweest dat hij niet had gemerkt wat er met haar aan de hand was, en dat hij er niet geweest was toen ze eindelijk haar hand naar hem uitstak. Hij kon zich niet eens herinneren waarom hij toen in het buitenland was.

Beseffend dat het schuldbesef nooit zou minderen als hij weigerde het onder ogen te zien, pakte Mason het album en sloeg het open, begon weer bij het begin, dwong zich de foto's die hij al had gezien nog eens te bekijken, in de hoop dat de vertrouwdheid ervan het de tweede keer gemakkelijker zou maken.

Weer zag hij Diane als baby, en weer viel het hem op dat niets in haar uiterlijk haar met Kevin verbond. Hij raakte met de top van zijn vinger haar beeld aan, streelde het kind dat ze was geweest, en vertelde haar steeds opnieuw hoezeer het hem speet. Het leek op de een of andere manier zo verkeerd dat Kevin zijn stempel droeg en niet dat van haar. Wat had hij ooit gedaan dat goed genoeg was om een dergelijk geschenk te verdienen?

De kamer werd wazig door de tranen in zijn ogen. Het was de eerste keer sinds Diane hem had verlaten dat hij zich de luxe permitteerde om toe te geven wat een intens verdriet hij had gehad en hoe hij haar gemist had. Een band vormde zich om zijn borst en knelde hem bij elke ademhaling.

Achter zich hoorde hij Kevin door de keuken hollen. Snel veegde Mason zijn tranen weg en sloot het album.

Maar niet voordat Kevin binnen was gekomen en het had gezien. 'Wat is er, papa?' vroeg hij. Hij bleef op een afstandje staan en staarde hem aan.

Zeker tien leugens kwamen bij Mason op, geen van alle Kevin waardig. Hij besloot tot de waarheid. 'Ik keek naar foto's van je mama

Diane toen ze nog een klein meisje was, en dat maakte me erg bedroefd.'

'Hoe komt dat?' vroeg Kevin, die dichterbij kwam.

'Omdat ik van haar hield en ik haar iets wilde vertellen en dat niet kan.'

Kevin klom op de bank en ging vlak naast Mason zitten. 'Je kunt het mij vertellen,' zei hij met de perfecte logica van een kind.

Mason sloeg zijn arm om hem heen en trok hem dicht tegen zich aan. 'Ik vrees dat het niet hetzelfde zou zijn.'

'Hoe komt dat?' zei Kevin weer. Sommige kinderen vroegen 'waarom', bij Kevin was het altijd 'hoe komt dat?'

'Omdat –' Ach verdraaid, waarom zou hij het hem niet gewoon vertellen? 'Ik wil je mama Diane zeggen dat het me spijt dat ik al die jaren zo kwaad op haar ben geweest, terwijl ik niets van jouw bestaan wist.'

Kevin dacht even na en zei toen met volmaakt zelfvertrouwen: 'Ze zou zeggen dat het oké was.'

'Hoe weet je dat?' vroeg Mason met een bedroefde glimlach, verbluft hoe wanhopig graag hij wilde geloven wat Kevin hem vertelde.

'Mama zegt dat mijn mama Diane iemand was die van iedereen hield. Tracy is ook zo,' redeneerde hij. 'Als ik iets doe dat haar kwaad maakt, laat ze me nooit twee keer zeggen dat het me spijt.'

Hoe luidde dat oude gezegde ook weer? Uit de mond der kinderen? Mason bukte zich en gaf een zoen boven op Kevins hoofd. 'Dank je,' zei hij.

Kevin kronkelde naast hem. 'Waar is mama? Ik heb honger.'

Bij het horen van Chris' naam begon de band rond Masons borst weer te knellen. Hij had zijn verweer laten varen en op het punt gestaan een verschrikkelijke fout te maken ten opzichte van haar. Goddank had hij zich nog op tijd beheerst. 'Ze kan elk moment terugkomen,' zei hij. 'Zij en tante Mary zijn gaan joggen.'

Chris ging langzamer lopen toen ze de hoek om kwam en het huis zag. Nog verward door haar gesprek met Mary, zag ze ertegenop Mason weer zo snel terug te zien. Hoe moest ze, nu ze geconfronteerd was met haar gevoelens, binnenkomen en de draad weer opnemen waar ze gebleven waren, alsof er niets gebeurd was?

Dat was het probleem. Er was niets gebeurd – en toch was alles anders.

O, verroest, ze wílde niet verliefd worden op Mason Winter. Hij had het duidelijk gemaakt dat hij niets meer van haar verlangde dan dat ze een moeder voor zijn kind was. Zijn daden spraken duidelijker dan zijn woorden. Ze was niet dwaas genoeg om te denken dat hun uitstapje de vorige dag iets meer was dan een beleefd excuus voor de manier waarop hij zich ten aanzien van dat bal had gedragen.

En dat was niet eens zijn schuld geweest. O, hij had wat minder schofterig kunnen zijn, maar in wezen had hij niets gedaan om haar aan te moedigen of ook maar het geringste blijk gegeven dat ze in dat deel van zijn leven welkom zou zijn.

Dus waarom was ze naar het bal gegaan?

Ze stond voor de deur. Ze had geen enkele reden meer om niet naar binnen te gaan. Met een neutrale glimlach deed ze de deur open, en werd begroet door de geur van wentelteefjes.

'Hoi, mam,' riep Kevin. 'We zijn in de keuken.'

Verward bleef Chris staan. Had Mason niet gezegd dat hij buiten de deur wilde ontbijten? Ze keek op de klok op de schoorsteenmantel. Zó lang was ze niet weggebleven; ze hadden geen reden gehad om ongeduldig te worden.

Ze liep naar de keuken, zette haar capuchon af en ritste onder het lopen haar sweatshirt open. Mason en Kevin zaten aan tafel en waren bijna klaar met hun ontbijt. Hij keek op toen ze binnenkwam. 'Ik dacht dat –'

'Het spijt me dat ik vast ben begonnen,' zei Mason opgewekt. 'Ik wil vandaag een paar dingen afhandelen op kantoor, en ik besloot een beetje vroeg te beginnen.'

'Maar we hebben wat voor jou bewaard,' viel Kevin hem bij.

Haar teleurstelling was zo groot dat ze zich bijna verpletterd voelde. Nu pas besefte ze hoe ze zich verheugd had op hun ochtend samen. 'Ik dacht dat je zei dat je vandaag niets te doen had,' zei ze, woedend op zichzelf omdat ze een verraderlijke hapering in haar stem niet kon onderdrukken.

Mason bracht de borden van hemzelf en Kevin naar het aanrecht. 'Er is iets tussen gekomen.'

Ze weigerde hem te laten merken hoe ze het zich aantrok. 'Soms pakken de dingen gunstig uit,' zei ze, terwijl ze haar sweatshirt uittrok en het over de rug van de stoel hing. 'Mary wilde dat ik vanmorgen met haar ging winkelen. Ik vond het vervelend om haar te zeggen dat ik niet kon, en nu hoeft dat niet.'

Mason keek haar aan. Ze had het afschuwelijke gevoel dat hij geen woord geloofde van wat ze zei. Maar hij ging er niet op in. Hij knikte en zei: 'Je hebt gelijk. Soms pakken de dingen gunstig uit.'

Ze moest weg voordat ze zich als een idioot aanstelde. 'Ik ga een douche nemen,' zei ze zonder enige aanleiding.

'Ik ben waarschijnlijk al weg als je klaar bent.'

Wat zou ze niet hebben overgehad voor een goed afscheidswoord.

Toen ze er geen kon vinden, ging ze weg, bang dat als ze nog langer bleef, haar hart zou blijven stilstaan.

Mason kwam een uur later op kantoor, wuifde de bewaker weg en ging met zijn sleutel naar binnen. Voor het eerst sinds hij zich kon herinneren verheugde hij zich er niet op een dag in zijn eentje op kantoor door te brengen. In plaats van rechtstreeks naar zijn kamer te lopen, slenterde hij door de gangen. Hij keek verbaasd op toen hij zag dat Rebecca aan haar bureau zat te werken, maar hij was blij met het vooruitzicht gezelschap te hebben.

Ze keek op toen hij binnenkwam. 'Ik dacht dat je had gezegd dat je het weekend vrij zou nemen,' zei ze.

'Ik meen me te herinneren dat jij ook zoiets zei.'

'Ja, maar ik heb geen zoontje dat thuis op me wacht en denkt dat ik de grote tovenaar ben.' Ze schoof haar stoel achteruit en legde haar voeten op het bureau. 'Wat is jouw excuus?'

'Ik denk dat ik gewoon geen zin heb vandaag mee te doen.'

'Wel, wel, humor,' zei ze minachtend.

'Ben je vanmorgen met het verkeerde been uit bed gestapt, of ben je het hele weekend al zo?'

Ze schommelde naar achteren en zette met een luide plof haar voeten op de grond. 'Dit is geen goede dag voor ons om te praten, Mason. Ik kwam hier om alleen te zijn, omdat ik in de stemming waarin ik verkeer geen geschikt gezelschap ben.'

Hij kende Rebecca goed genoeg om haar waarschuwing serieus te nemen – ze zei dergelijke dingen niet zomaar. Maar hij mocht haar te graag om niet te proberen of hij iets kon doen om te helpen. Hij stak zijn duimen in de zakken van zijn spijkerbroek en spreidde zijn handen over zijn heupen. 'Wil je erover praten?'

'Je wilt vast niet horen wat ik te zeggen heb.'

'Ik dacht dat het over jou ging.'

'Dat doet het ook, maar wat ik voel ten aanzien van mezelf is onlosmakelijk verbonden met wat ik voel ten aanzien van jou.'

Hij haalde diep adem en bereidde zich voor. 'Kom maar voor de draad ermee. Ik hoor liever wat je te zeggen hebt dan het me te moeten voorstellen.'

'Herinner je je nog die man met wie ik de laatste paar maanden omging?'

'Die je in San Francisco hebt ontmoet?'

Ze knikte. 'Hij is getrouwd.'

'En dat heb je net ontdekt?'

Ze wendde zich van hem af en staarde uit het raam. 'Nee,' zei ze zonder enige emotie in haar stem. 'Ik heb het al die tijd geweten.'

Mason deed zijn uiterste best niet te laten merken hoe verbaasd hij was. Rebecca had een ijzeren regel wat betrof het uitgaan met getrouwde mannen. Tenminste, tot voor kort. 'En nu komt hij erop terug dat hij zijn vrouw in de steek wil laten?' Hij kon geen andere reden bedenken waarom ze zo van streek zou zijn.

'Hij was nooit van plan haar in de steek te laten.' Ze draaide zich met een ruk naar Mason om. 'Geshockeerd?'

Dat was hij, maar het was niet wat ze van hem wilde horen. 'Moet dat?'

'Ik ben eenzaam, Mason. En schijnbaar bereid genoegen te nemen met wat ik kan krijgen. Tenminste, tot vandaag. Vanochtend realiseerde ik me dat de prijs van mijn trots te hoog was.' Ze haalde haar schouders op. 'Dus keer ik terug naar mijn eenzaamheid.'

'En hoe pas ik in dit geheel?'

'Ik ben zo woedend op je dat ik nauwelijks naar je kan kijken. Jij hebt alles in je schoot geworpen gekregen waarvoor ik bereid was mijn integriteit op te geven, en je bent te koppig om het te appreciëren.'

Hij begreep haar woede. Wat hij niet begreep was haar redenering. 'Koppigheid heeft er niets mee te maken.'

'O, nee? Wat dan?'

Hij wilde antwoorden, maar kon de woorden niet hardop zeggen. 'Doet er niet toe.'

'Ze gaat niet dood, Mason.'

'Allemachtig, hoe weet jij dat?' snauwde hij, even kwaad over haar beschuldiging als over het feit dat hij zo doorzichtig was. 'Kun je me enige garantie geven dat het niet nog een keer gebeurt?'

'Niemand kan je die garantie geven. De dood hoort bij het leven, Mason. Uiteindelijk gaan we allemaal dood. In een hol kruipen en het leven voorbij zien gaan, is geen oplossing.'

'En jij denkt dat jij die oplossing weet?'

'Je moet een risico nemen –'

'Verdomme, ik hèb een risico genomen. En kijk eens waartoe dat geleid heeft.'

'Waar komt die plotselinge lafheid vandaan, Mason?'

Hij was nog nooit zo kwaad op haar geweest. Wat voor recht had ze hem te ondervragen? 'Van het zien sterven van de ene vrouw en je voorstellen dat de andere hetzelfde doet. Van de wetenschap dat ik niets kon doen om Susans dood te verhinderen, en dat Diane waarschijnlijk nog zou leven als ik niet had doorgezet dat we zouden vrijen toen ze vergat haar diafragma mee te nemen op die stomme weekendcruise.

Probeer me niet wijs te maken dat de bliksem niet twee keer op dezelfde plaats inslaat, Rebecca. Ik was erbij. Ik heb het zien gebeuren.' Hij draaide zich om en liep naar het raam.

Een paar ogenblikken later kwam Rebecca naar hem toe en stond zwijgend naast hem. Zonder haar aan te kijken, ging Mason verder. 'Ik wil het niet nog een derde keer meemaken. Dat kan ik niet.'

Hoofdstuk drieëndertig

De volgende twee weken gingen in een verstikkende formaliteit voorbij. Mason zorgde ervoor dat hij elke avond op tijd thuis was om minstens een uur met zijn zoon te kunnen doorbrengen voor Kevin naar bed ging. Twee keer gingen ze samen naar een basketbalwedstrijd van de Sacramento Kings; de derde keer nodigden ze Tracy en John uit om mee te gaan. Mary en Chris gingen die avond naar het Tower Theater om een film te zien met ondertiteling.

Mason had een gereserveerde, afstandelijke houding aangenomen ten opzichte van Chris, was beleefd tot op het stijve af, en was pijnlijk behoedzaam met vragen over het huishouden of Kevin. Het was of ze elkaar nooit hadden aangeraakt of iets anders dan onnozele opmerkingen tegen elkaar hadden gemaakt. In plaats dat de tijd die ze samen doorbrachten iets werd waarop ze konden voortbouwen, was die van een zinloze leegte. Na een tijdje begon Chris te twijfelen aan haar herinneringen aan het bal en de picknick op het strand.

De keren dat ze met hun drieën waren, was zij de buitenstaander. De wetenschap dat ze niet opzettelijk werd buitengesloten, dat het slechts een manifestatie was van Masons afstandelijkheid, maakte het niet minder kwetsend. Ze begreep niet waarom hij haar buiten zelfs de gewoonste aspecten van zijn leven sloot, maar ze vroeg hem er niet naar, bang dat hij het verkeerd zou interpreteren. Hij deed precies wat hij beloofd had. Wat deed het er dan toe of hij afstandelijk en gereserveerd was tegenover haar? Wat had haar de indruk gegeven dat ze het recht had iets anders te verwachten?

Hoewel de kunstmatige kalmte tussen haarzelf en Mason soms verontrustend was, gaf het Chris de kans om bij te komen met de opdrachten die ze tijdens de verhuizing en daarna had verwaarloosd. Haar aandringen dat het haar verantwoordelijkheid was om de normale huishoudelijke kosten voor haar rekening te nemen, terwijl Mason de hypotheek betaalde, had indertijd redelijk en rechtvaardig geleken. Ze had er geen rekening mee gehouden dat het feit dat er nog iemand bijkwam en het huis twee keer zo groot was betekende dat de gas- en elektriciteitsrekening meer dan twee keer zo hoog was. En bij tijd en wijle was er nog een extra eter. Als haar oude huis eenmaal verhuurd was, zou het geen probleem mee zijn. Tot die tijd zou ze haar uiterste best moeten doen om de touwtjes aan elkaar te knopen.

Het was een mooie, zonnige ochtend in maart, en in plaats van met Mary te gaan wandelen om de tulpenperken in de buurt te bewonderen, moest Chris zich dwingen binnen te blijven om de laatste hand te leggen aan een ongelooflijk vervelend persbericht voor een autobandenfirma. Ze haalde de laatste pagina uit de printer toen er gebeld werd.

Ze liet het vel papier op haar bureau vallen en holde naar de deur. Een van de dingen die haar het best bevielen van Mary was dat ze zelden een nee accepteerde als antwoord.

Maar het was niet Mary die op de stoep stond; het was een vrouw die Chris nooit eerder gezien had. Ze droeg een couturepakje en glimlachte aarzelend. Ze zag eruit of ze de fitnesscassette van Jane Fonda bezat en daar elke dag gebruik van maakte. Chris schatte haar op begin zestig. Op straat achter haar stond een taxi; de chauffeur stond op het trottoir en leunde tegen de voorbumper.

'Kan ik u helpen?' vroeg Chris.

'Ik zoek het huis van Mason Winter.'

Chris was ogenblikkelijk op haar hoede. Deze vrouw leek niets op de reporters die haar sinds het Valentijnsbal hadden achtervolgd voor een interview, maar het uiterlijk kon bedriegen. 'Verwacht hij u?'

'Dus dit is zijn huis?' vroeg de vrouw, de vraag met een vraag beantwoordend.

'Ja...' gaf Chris aarzelend toe.

De vrouw wenkte de chauffeur om door te rijden en draaide zich weer om naar Chris. 'Ik ben Masons moeder,' zei ze. 'En ik neem aan dat u zijn vrouw bent?'

Chris was te verbluft om te kunnen antwoorden. Wat had haar de indruk gegeven dat Mason geen familie had?

'Het spijt me dat ik onaangekondigd kom,' zei ze. 'Maar eerlijk gezegd was ik bang dat Mason me anders niet zou willen zien.'

'Hij... hij is nu niet thuis.'

'Dat weet ik. Ik heb zijn kantoor gebeld voor ik hier naartoe ging. Ik wilde een tijdje met je alleen zijn, zodat we kennis konden maken.'

'Mason heeft me nooit verteld –' Chris zweeg plotseling, beseffend wat ze op het punt had gestaan te zeggen. Ze verplaatste zich in de situatie van deze vrouw en probeerde zich voor te stellen hoe ze zich zou voelen als ze zou moeten horen dat Kevin haar naam nooit had genoemd tegen zijn vrouw.

'U hoeft het niet uit te leggen,' zei de vrouw. 'Ik had niet verwacht dat Mason u over mij of over zijn vader en broer zou hebben verteld.'

Chris had niet verbaasder kunnen zijn als Masons moeder verkleed als de paashaas had aangeklopt. Plotseling besefte ze dat ze nog steeds buiten stonden, en ze vroeg beleefd: 'Wilt u binnenkomen, mevrouw Winter?'

'Iris, alsjeblieft. En, ja, ik wil heel graag binnenkomen.'

Iris bleef midden in de zitkamer staan en keek om zich heen. 'Je hebt geen idee hoe vaak ik me heb afgevraagd in wat voor soort huis Mason zou wonen. Ik zag hem omringd door glas en koper, met leren meubels en een wit tapijt. Dat is niet zijn ware ik natuurlijk, maar in dat soort omgeving zou het gemakkelijk zijn om te verbergen wie hij werkelijk was. Ik ben blij te zien dat ik me vergis.'

Chris aarzelde. Daar Mason kennelijk niet op erg goede voet stond met zijn familie, leek het haar dat alle details over zijn privé-leven van hem moesten komen. 'We hebben onze meubels gecombineerd toen we trouwden,' zei Chris, de vraag ontwijkend.

Iris richtte haar blik op Chris. In haar blauwe ogen lag een intens verdrietige blik. 'Ik ben hier niet gekomen om je uit te horen,' zei ze. 'Ik wilde jou... en mijn kleinzoon... leren kennen. Waarschijnlijk weet je dat niet, maar hij is de eerste van zijn generatie in onze familie. Robert en Claudia, Masons broer en zijn vrouw, hebben besloten geen kinderen te krijgen.'

'U weet van Kevins bestaan?'

'Ja,' zei ze, met een klank van opwinding in haar stem. 'Maandenlang heb ik geprobeerd een manier te bedenken om hem te zien zonder dat mijn plotselinge verschijning een probleem zou veroorzaken. Maar er leek zich nooit een geschikt moment voor te doen, dus heb ik het maar opgegeven en ben gewoon in een vliegtuig gestapt. Ik heb begrepen dat hij precies op zijn vader lijkt.'

Nu was Chris echt in de war. 'Heeft Mason je over Kevin verteld?'

Ze schudde triest het hoofd. 'Mason en ik hebben elkaar in jaren niet gesproken.'

'Hoe –'

'Het is een lang verhaal.' Ze drukte de toppen van haar vingers tegen haar slapen alsof ze probeerde een hoofdpijn te verdrijven.

'Wil je een aspirientje?' vroeg Chris.

'Nee, maar graag een kop koffie als het kan. Ik ben bang dat ik verslaafd ben aan cafeïne. Zonder mijn vaste quota elke ochtend krijg ik een van die ellendige hoofdpijnen.'

'Ik wilde juist verse koffie zetten,' zei Chris. 'Maak het je gemakkelijk, dan kom ik zo terug.'

'Vind je het erg als ik meega?'

Het mysterie van wie Mason zijn afstandelijke beleefdheid had, was niet langer een mysterie. De meeste vrouwen die Chris kende zouden gewoon achter haar aan zijn gelopen. 'Niet als je het niet erg vindt om naar een gootsteen vol ontbijtrommel te kijken,' zei Chris, terwijl ze haar voorging naar de keuken. Ze had het gevoel dat het een eerste keer zou zijn voor Iris. Masons moeder leek het soort vrouw die elke dag onder het bed stofzuigde.

'Ik wed dat je denkt dat ik Masons ondergoed steef,' zei Iris terwijl ze haar volgde.

Chris bleef plotseling staan en veroorzaakte bijna een botsing. Ze draaide zich om naar Iris en zag een ondeugende glinstering in haar ogen. 'Over een ijsbreker gesproken.'

'Nou ja, een van ons beiden moest het doen.'

Chris lachte. 'Ik geloof dat ik jou wel aardig zal vinden, Iris.'

'Chris, ik verzeker je dat het gevoel wederzijds is.'

Toen ze met hun koffie aan de keukentafel gingen zitten, vroeg Iris: 'Hoeveel heeft Mason je over zichzelf verteld?'

Het was een van die 'Ben je opgehouden met je vrouw te slaan'-vragen. Wat Chris ook antwoordde, het zou verkeerd overkomen. Als ze toegaf dat hij haar niets had verteld, zou ze Iris net zo goed het hele verhaal van haar huwelijk kunnen vertellen. Als ze zei dat hij haar alles verteld had, zou ze over zichzelf struikelen in haar poging om haar deel van het gesprek op te houden. 'Ik denk dat je in feite wilt vragen hoeveel Mason me over jou verteld heeft.'

'Deels wel, denk ik. Ik ben nieuwsgierig wat hij zijn vrouw over zijn familie zou vertellen, maar wat ik echt wil weten is of hij je over Susan heeft verteld.'

'Susan?' flapte Chris eruit, onmiddellijk beseffend dat ze daarmee het antwoord verried.

'Daar was ik al bang voor,' zei Iris, haar koffie oppakkend. 'Ik weet waarom jij en Mason getrouwd zijn, Chris. En ik weet ook dat er alle reden is om aan te nemen dat het nooit meer dan een verstandshuwelijk zal worden, tenzij je begrijpt wat er met Mason gebeurd is, hoe hij de man is geworden die hij is.'

Chris was op haar hoede. 'Ik begrijp het niet goed. De indruk die ik krijg is dat er lange tijd geen enkel contact is geweest tussen jou en je zoon, en nu wil je me wijsmaken dat je je plotseling interesseert voor het succes van zijn huwelijk?'

Iris zette haar kopje onaangeroerd weer op tafel. 'Onze vervreemding is Masons toedoen, niet het mijne. Hij heeft nooit begrepen in welke situatie hij me plaatste toen hij me vroeg te kiezen tussen hem en zijn vader.' Ze keek Chris smekend aan. 'Hoe kon ik zijn kant kiezen en de man verliezen met wie ik mijn hele volwassen leven had doorgebracht, de man die oud zou worden met me, terwijl mijn zoon bezig was zijn eigen weg te zoeken?'

'Wie was Susan?' Nu ze toch eenmaal zo stom was geweest toe te geven dat ze het niet wist, kon ze net zo goed doorgaan.

'Masons vrouw.'

Chris verslikte zich bijna in haar koffie. 'Waar is ze nu?'

'Ze is gestorven.'

'Hoe?'

'Kanker.'

Stukjes en beetjes informatie die door Chris' hoofd hadden gedwarreld begonnen op hun plaats te vallen. Ze begreep nu waarom Mason zou hebben gewild dat Diane zich liet aborteren, en waarom Diane was vertrokken zonder hem te vertellen waarheen of waarom. In de ban van het verleden hadden ze niets anders kunnen doen dan wat ze hadden gedaan.

'Susan was een verbluffend dappere vrouw,' ging Iris verder. 'Ze heeft bijna drie jaar tegen haar ziekte gevochten... ze is naar klinieken hier en in Europa gegaan. En ze bleef erheen gaan, lang nadat ze zich bij het onvermijdelijke had neergelegd, alleen om Mason gerust te stellen dat ze niets onbeproefd hadden gelaten. Mason was ontroostbaar toen ze stierf. Ik dacht niet dat hij zichzelf ooit nog zou toestaan van een ander te gaan houden.'

'En toen kwam Diane,' zei Chris. Haar hart brak opnieuw voor haar zusje, alleen gold het verdriet dat ze voelde nu ook Mason. Twee keer had hij een vrouw verloren van wie hij hield, één omdat ze was gestorven, en één omdat ze hem had verlaten – of wat hij toen voor een verlating had aangezien. Wat was erger geweest?

En wie was dapperder geweest – Susan, die haar pijn had doorstaan met Mason naast zich, of Diane die haar pijn alleen had verdragen?

Deed het er iets toe?

'Ik was er zo zeker van dat het goed zou gaan met Diane en Mason,' zei Iris. 'Ze hielden zoveel van elkaar... tenminste dat heb ik gehoord.'

'Wie heeft het je verteld?' Ondanks hun verwijdering scheen Iris goed op de hoogte te zijn van Masons privé-leven.

'Dat is niet belangrijk.'

Chris had het gevoel dat het wel degelijk belangrijk was, maar aandringen op een antwoord dat Iris kennelijk niet bereid was te geven, zou haar alleen maar van Chris vervreemden.

'Je zei dat Mason je dwong te kiezen tussen hem en zijn vader,' zei Chris. 'Waarom? Wat is er gebeurd?' Verdiept in haar eigen wereld en haar eigen problemen, was Chris maar al te bereid geweest Mason te accepteren zoals hij zich voordeed. Ze was niet in staat of niet bereid geweest achter de façade te kijken. Was zij op haar manier even egocentrisch en in zichzelf verdiept geweest als ze hem had verweten?

'Ik vind dat hij je dat zelf moet vertellen.'

'Dat heeft hij tot dusver niet gedaan, en eerlijk gezegd betwijfel ik of hij dat ooit zal doen. Mason en ik praten niet over dergelijke dingen.'

'Ik ben geen onpartijdig waarnemer. Mijn versie zou natuurlijk bevooroordeeld zijn ten gunste van Stuart – Masons vader.Wat je in dit geval zou horen, zou je misschien tegen Mason in kunnen nemen.'

Haar redenering klonk logisch, zelfs overtuigend, maar Iris' weigering Chris te vertellen wat de scheuring in het gezin Winter had veroorzaakt, voelde vreemd aan. 'Ik geloof dat er meer achter zit,' zei Chris die weigerde het erbij te laten. Toen drong het tot haar door. 'Kan het zijn dat je het me niet wilt vertellen door de rol die jij daarbij hebt gespeeld?'

De vraag trof doel. Iris keek of de verwarming twintig graden hoger was gedraaid. 'Ik hoop dat jij en Mason tot een vergelijk kunnen komen,' zei ze. 'Je bent precies het soort vrouw dat hij nodig heeft.'

'Wat voor soort is dat?'

'Je bent zo hardnekkig als een bloedhond... en je geeft om mensen.'

'Ik hoop dat je niet een verkeerde indruk hebt gekregen over de reden waarom ik me de dingen aantrek,' voelde Chris zich verplicht te zeggen. 'Mason is Kevins vader. Ik heb hun relatie geaccepteerd, evenals het feit dat die wordt voortgezet. Als ik Kevin kan helpen door Mason te begrijpen, zal ik mijn best daarvoor doen.'

'Je gelooft echt dat dat alles is, hè?' vroeg Iris. Ze klonk oprecht verbaasd.

'Ik weet dat dat alles is.'

Iris knikte wijs.

Chris stond op en zette haar kopje in de grootsteen. Na een paar seconden draaide ze zich om en keek naar Iris. 'Het spijt me dat ik je moet teleurstellen,' zei ze, haar woorden zorgvuldig kiezend. 'Ik realiseer me dat je hier vandaag kwam in de hoop te ontdekken dat Mason eindelijk iemand had gevonden die hem gelukkig zou maken, en dat je naar huis kon gaan en niet langer hoefde te piekeren over wat voor onrecht je ook denkt dat je hem hebt aangedaan. Maar ik ben die vrouw niet, Iris.' Het was niet dat ze dat niet wilde zijn, had ze eraan toe kunnen voegen, maar dat deed ze niet. Toen Mary haar had gedwongen haar ware gevoelens voor Mason in te zien, had ze Chris geen dienst bewezen.

'Misschien zal Kevin die persoon zijn voor Mason,' ging Chris verder. 'Maar dat is een heel zware last om op een paar heel kleine schoudertjes te plaatsen.'

Iris staarde naar haar handen. 'Het is niet wat ik heb gedaan,' zei ze. 'Het is wat ik niet heb gedaan. Ik heb zwijgend toegekeken terwijl Masons vader en broer hem systematisch uit een bedrijf stootten, dat rechtens voor een derde van hem was.' Ze wreef weer over haar slapen.

'Voordat mijn eigen vader stierf, zei hij tegen Stuart dat, ook al had hij om juridische redenen Southwest Construction alleen aan hem nagelaten, het zijn bedoeling was dat het gelijkelijk zou worden verdeeld tussen Stuart en Robert en Mason.'

Chris goot de koud geworden koffie uit Iris' kopje in de gootsteen en vulde het opnieuw.

'Dank je,' zei Iris. Ze nam het kopje op en nam een slok.

'Dus het bedrijf was oorspronkelijk van je vader?' vroeg Chris.

'Mijn grootvader,' antwoordde Iris. 'Mason ging naar de middelbare school toen mijn vader stierf. Hij was aangenomen door Stanford, en ik haalde hem over eerst zijn diploma te halen voor hij bij het bedrijf kwam. Dat was verkeerd. Terwijl Mason weg was, groeiden Stuart en Robert naar elkaar toe. Toen Mason vier jaar later terugkwam, was hij onvermijdelijk de buitenstaander.

Stuart en Robert tolereerden hem een tijdje en lieten hem een paar van zijn eigen ideeën uitvoeren, voor zover die strookten met hun eigen plannen. Ze waren ervan overtuigd dat hij op zijn gezicht zou vallen en ze een excuus zouden hebben om van hem af te komen. Alleen viel Mason niet op zijn gezicht; hij vond een betonaannemer die zich uit zijn zaak terugtrok, kocht het terrein en de inventaris, en begon hoge pakhuizen te bouwen. Hij slaagde nog beter dan hij zelf verwacht had.' Ze streek met haar wijsvinger langs de rand van het kopje en verwijderde elk spoor van lippenstift.

'Ik was zo dom te geloven dat Stuart en Robert wel zouden bijdraaien als ze zagen hoe capabel Mason was. In plaats daarvan vormden ze een gesloten front tegen hem. Omdat er niet zwart op wit stond dat mijn vader Mason een derde van het bedrijf had gegeven, dachten Stuart en Robert dat ze hem gewoon konden ontslaan, en dan van hem af zouden zijn.'

'Mason kennende, neem ik aan dat ze zich vergisten,' zei Chris.

'Hij spande een rechtszaak tegen hen aan en won. Southwest heeft de schikking bijna niet overleefd.'

Chris floot zachtjes. Geen wonder dat Mason niet over zijn familie praatte.

Iris' stem daalde tot een hees gefluister. 'Mason vroeg me voor hem te getuigen, maar ik kon het gewoon niet. Achteraf gezien besef ik nu dat ik Mason verschrikkelijk onrecht heb gedaan. Ik stopte mijn hoofd in het zand en probeerde het te negeren, net te doen of het niet gebeurde.'

Het verdriet op Iris' gezicht was zo intens alsof het allemaal de vorige dag was gebeurd. De mannen in haar leven hadden haar in een onmogelijke situatie gebracht, veroordeeld door haar man en oudste zoon als ze deed wat Mason vroeg, veroordeeld door Mason als ze het niet deed. Er was geen vluchtroute voor haar geweest, geen manier om er ongedeerd doorheen te komen. Wat ze ook deed, uiteindelijk verloor ze.

Chris kon niets doen om te veranderen wat er gebeurd was, maar ze hoefde er niet aan deel te nemen. Ze ging naar de ingebouwde kast in de verste hoek van de keuken, opende de bovenste la en haalde er een envelop uit. Toen liep ze terug naar de tafel en legde de envelop voor Iris neer.

Iris keek vragend op.

'Foto's van Kevin,' zei Chris glimlachend. 'Hij lijkt inderdaad op zijn vader.'

Met bevende handen haalde Iris de foto's uit de envelop. Langzaam bekeek ze de ene foto na de andere, bestudeerde ze alsof ze elk detail in haar geheugen wilde prenten. Toen keek ze naar Chris. 'Dank je,' zei ze eenvoudig. 'Dat was het aardigste wat iemand in lange tijd voor me heeft gedaan.'

De uitdrukking op Iris' gezicht was alle dank die Chris nodig had.

Hoofdstuk vierendertig

Iris' bezoek gaf Chris stof tot nadenken. Er ging weer een week voorbij, zonder dat er veel veranderde. Mason bleef emotioneel op een afstand, maar werd steeds intiemer met Kevin. Beiden waren bezig een geschiedenis op te bouwen. Nu en dan bevatte hun gesprekken zelfs een 'weet je nog wel'.

Chris werd een objectieve waarnemer en ontdekte dat ze Mason anders bekeek dan ooit tevoren. Ze vroeg zich af hoeveel van zijn gedrag jegens haar een weerspiegeling was van wie ze was, en hoeveel ervan defensief was. Het was mogelijk – en waarschijnlijker dan ze wilde toegeven – dat hij haar gewoon niet aardig vond en dat ze nooit echt vrienden zouden worden.

Ze besloot hem niet te vertellen over Iris' bezoek, tenminste niet onmiddellijk. Om te voorkomen dat Kevin bij een stiekem gedoe werd betrokken, hadden zij en Iris afgesproken dat ze elkaar later op de dag 'toevallig' in het park tegen zouden komen. Toen ze elkaar in de rozentuin ontmoetten, vertelde Chris aan Kevin dat ze een vriendin was, niet direct een leugen, maar toch dichter erbij dan ze prettig vond.

Omdat Iris in Santa Barbara terug wilde zijn voordat iemand gemerkt had dat ze weg was, kon ze maar een uur met haar kleinzoon doorbrengen. Toen ze weg was keek ze met zo'n verlangen en spijt naar Kevin dat het Chris dagenlang bijbleef.

Na haar gesprek met Iris betrapte Chris zich erop dat ze geregeld piekerde over de ongelukkige familie-achtergrond die zij en Mason met elkaar gemeen hadden. Ze begon zich ongerust te maken dat ze bezig waren die twijfelachtige erfenis door te geven aan een nieuwe generatie. En als dat zo was, zou Kevin die op zijn beurt dan weer doorgeven aan zijn eigen kinderen?

Waar zou de cyclus eindigen?

Het was háár week om Kevin en Tracy naar school te brengen en te halen, en terwijl ze buiten stond te wachten tot de bel ging, dacht ze terug aan Iris' bezoek en de geestelijke ontreddering die het had veroorzaakt. Chris had het gevoel of ze in volle vaart over een snelweg reed en plotseling de keus kreeg tussen een reeks afslagen. Niet alleen werd ze geconfronteerd met de keus of ze al dan niet een afslag wilde nemen, maar ze moest ook bepalen waar die naartoe kon leiden en of er, als ze eenmaal van de snelweg was afgeweken, een mogelijkheid zou zijn er weer op terug te komen.

Begrip waarom Mason zich had gedragen zoals hij had gedaan, maakte dat haar opvatting over zijn gedrag milder werd. Ze vroeg zich niet langer af of zijn enorme behoefte om deel uit te maken van Kevins leven rond zijn eigen mannelijke ego draaide, of dat hij gehandeld had uit een dwangmatig verlangen om op te eisen wat van hem was, zonder zich erom te bekommeren wat het voor alle anderen voor gevolgen zou hebben. Ze besefte nu dat Kevin een veilige haven was voor Mason, een plaats waar hij gewenst en nodig was en niet in de steek zou worden gelaten. Mason reikte naar handen die niets liever wilden dan hem vasthouden; hij kon zichzelf geven zonder bang te hoeven zijn dat hij zou worden afgewezen.

De deur naar Masons eigen familie was voor hem gesloten, zodat hij nergens heen kon.

Tot Kevin in zijn leven kwam.

Nu had Mason een emotioneel thuis, en hij had de kans gekregen zijn eigen vader te tonen hoe een vader hoorde te zijn.

En Chris werd erbij genomen, niet omdat ze nodig of gewenst was, maar domweg omdat zij en Kevin een package deal waren.

Na wat er de afgelopen twee weken tussen hen was voorgevallen, had Chris geen enkele illusie meer dat Mason haar ooit in een ander licht zou zien; zelfs vriendschap leek onmogelijk. Hij was er de man niet naar om vrienden op een armlengte afstand te houden; daar waren Rebecca en Travis het bewijs van. Het was pijnlijk duidelijk dat Mason niet van plan was haar dichterbij te laten komen dan ze nu was.

Ze kon hem verdriet doen als ze wist wat zijn kwetsbare plekken waren, en dat zou hij niet laten gebeuren.

Jammer dat zij niet hetzelfde vermogen had zich te beschermen. Op de een of andere manier, toen ze even niet keek, was Mason langs haar verdediging geslipt en had hij zich een weg naar binnen gebaand. Nu moest ze alleen beslissen wat ze eraan zou doen – haar verlies nemen of zich de fantasie permitteren dat als ze maar lang genoeg wachtte, Mason op een goede dag niet langer de eik zou zijn, maar een wilg zou worden, en nu en dan naar haar zou overbuigen.

En als hij dat deed, wat dan? Wat wilde ze van hem? Als Mason nooit zou buigen, en Kevin was opgegroeid, en zij en Mason waren gescheiden, naar wiens huis moesten Kevin en zijn vrouw en hun kinderen dan in de vakanties? Zou zij of Mason degene zijn die de kerstdagen eenzaam doorbracht?

Was het werkelijk pas zeven maanden geleden dat haar leven even eenvoudig en ongecompliceerd en voorspelbaar had geleken als het feit dat de zomer volgde op de herfst?

De bel ging, en ze schrok op uit haar zorgelijke gedachten.

Tracy kwam uit juffrouw Abbotts klas gehuppeld, vol opgekropte energie. Chris keek naar de overige kinderen die naar buiten kwamen en een waarschuwend vlaggetje ging omhoog.

Kevin en Tracy hadden samen naar buiten moeten komen.

Eindelijk zag ze hem. Hij liep in plaats van te hollen, en droeg zijn rugzak in de hand in plaats van over zijn schouders, maar verder leek hij op het eerste gezicht hetzelfde kind dat ze vier uur eerder had afgezet. Pas toen hij in de auto stapte zag ze de glazige blik in zijn ogen.

'Wat is er, Kevin?' vroeg ze angstig. 'Voel je je niet goed?'

'Hij heeft overgegeven,' merkte Tracy op.

Chris' hart stond even stil. Ze had vanochtend in de krant gelezen dat er een nieuw type griep in Sacramento heerste. Ze legde haar hand op Kevins voorhoofd. Vochtig, maar niet heet. 'Hoe voel je je nu?' vroeg ze hem.

'Oké.'

'Niet waar,' zei Tracy. 'Ik heb hem tegen juffrouw Abbott horen zeggen dat hij buikpijn heeft.'

'Is dat zo, Kevin?'

'Het is al over,' zei hij, met een nijdige blik op Tracy.

'Misschien kunnen we voor alle zekerheid even langs dr. Caplan rijden,' zei Chris, en dwong zich kalm en op nuchtere toon te spreken. Zou ze nooit het verleden kwijtraken als het om Kevins gezondheid ging? Hij hoefde maar even buikpijn te hebben en ze was weer terug waar ze vijf jaar geleden was, met bonkend hart en in paniek.

'Ik ben oké,' zei hij ongeduldig.

'Toch –' begon Chris.

'O, mama,' jammerde hij gerekt. 'Hou toch op met me als een baby te behandelen.'

Ze klemde haar tanden op elkaar. Nog iets dat ik aan jou te danken heb, Mason – Kevins haast om op te groeien.

'Goed dan,' gaf ze toe. 'We zullen even afwachten. Maar je moet me beloven dat je het zult zeggen als je je niet goed voelt. Als we er meteen iets aan doen –'

'Eh-eh,' zei hij, en sloeg het portier met een harde klap dicht.

'Vertel eens wat jullie vandaag hebben gedaan,' zei Chris, nadrukkelijk van het onderwerp van Kevins gezondheid afstappend.

'We hebben bloemen gedroogd,' antwoordde Tracy. 'Maar we kunnen je niet vertellen waarom, want het moet een verrassing blijven.'

Chris glimlachte. Over minder dan twee maanden was het moederdag, dus had je niet veel hersens nodig om te raden wat dat geheim was.

De rest van de weg naar huis hield Tracy een lang verhaal over de moeilijke problemen van het uitzoeken en drogen van bloemen, terwijl Kevin uit het raam staarde.

Mason klopte op de deur van Rebecca's kantoor om haar aandacht te trekken. 'Heb je het rapport van Walt gezien over het hotel?' vroeg hij.

'Ik heb Randy gevraagd het vanmorgen aan Janet te geven. Heb je het haar gevraagd?'

'Ze is lunchen,' zei hij en wilde weggaan. 'Ik zal even op haar bureau kijken.'

'Mason?' riep ze tegen zijn verdwijnende rug.

'Ja?' zei hij ongeduldiger dan zijn bedoeling was. Hij had over vijftien minuten een bespreking met Travis, en hij wilde het rapport gelezen hebben.

'Ik heb een paar vreemde vibraties. Ik geloof dat er iets raars aan de hand is met Oscar Donaldson.'

De sandwich die Mason een paar minuten geleden had gegeten voelde als een bowlingbal in zijn maag. Rebecca zei dergelijke dingen niet voor de grap. Hij liep haar kantoor in, zonder de moeite te nemen de deur achter zich te sluiten. 'Ik dacht dat Oscar tegen Walt had gezegd dat hij zou tekenen, als we hem deze week de optie toestuurden.'

'Dat is zo. Maar dat was gisteren. Vanmorgen belde hij op en zei dat hij er nog wat langer over wilde nadenken.'

Hoewel Oscar Donaldsons grondstuk niet de spil was waar het waterkantproject om draaide, zou het project zonder dat stuk land een kroon worden zonder parel. Het bevatte een deel van het land dat vroeger een moeras was geweest, op zichzelf niet opmerkelijk, maar belangrijk omdat Mason van plan was geweest het in zijn oorspronkelijke staat te herstellen, zowel voor de esthetiek als om enige steun te krijgen van de milieubeschermers.

'Weet je zeker dat hij het niet doet om zich in een sterkere positie te manoeuvreren?'

'Hij heeft dat spelletje nooit eerder met ons gespeeld. Waarom zou hij daar nu mee beginnen?'

'Dus je denkt dat iemand van Southwest weer met hem heeft gesproken?' vroeg Mason op effen toon. Hij was al door een hel gegaan, in de verwachting dat de hemel zou instorten, ervan overtuigd dat elke knippering met de ogen van de landeigenaren betekende dat ze werden bewerkt door de 'boosaardige krachten' van Southwest. Hij wilde dat niet nog een keer doormaken met Rebecca als ze zijn paranoia doorzag.

'Waarom zou Oscar anders huiverig worden?'

'Misschien is hij benaderd door iemand van de Sierra Club.'

'Wees reëel, Mason. De man was gedagvaard wegens het gebruik van verboden chemicaliën.'

'Als je er vanmiddag eens naartoe ging, om te zien wat je te weten kunt komen? Doe net of je Ferguson wilde spreken en omdat je er toch bent, besloot om ook Oscar maar even een bezoek te brengen.'

Ze boog zich naar voren in haar stoel, leunde met haar ellebogen op het bureau en liet haar kin op haar gevouwen handen rusten. 'Omdat Oscar me specifiek gevraagd heeft uit zijn buurt te blijven. Hij zei dat hij me zou bellen als hij weer bereid was tot praten.'

'De klootzak,' zei Mason, niet langer in staat het voor de hand liggende te ontkennen. 'Ze hebben hem benaderd en hij wil niet dat wij weten dat hij hun aanbod in overweging neemt.'

'Dat denk ik ook. En wat gaan we eraan doen?'

'De inzet verhogen. Het onvoorwaardelijk kopen als het moet.'

'Dat meen je niet. De bank –'

'Ik zal de kosten zelf dekken.'

Rebecca stond op uit haar stoel. 'Dat is wel ongeveer het stomste wat ik je ooit heb horen zeggen. Ik laat je niet je eigen geld gebruiken om –'

'Laat me niet?' barstte Mason uit.

Niet in het minst onder de indruk van Masons woede, liep Rebecca vastberaden om het bureau heen. 'Ik heb in deze kwestie altijd achter je gestaan, maar als je niet oppast, raak je mij ook kwijt. Dat land kopen met je eigen geld zou krankzinnig zijn, en dat weet je. Tenminste, ik hoop bij alles wat me heilig is dat je niet zo verblind bent door dit project dat je niet inziet –'

'Sinds wanneer is het bezit van een stuk land krankzinnig?' vroeg hij, nog harder schreeuwend dan zij.

'Als het daar alleen om ging, dan zou het dat niet zijn. Maar je weet net zo goed als ik dat het daar niet bij zou blijven. Zodra de rest van die mensen daar contant geld ruiken, komen ze op je af als vlooien op een hond. Wat ga je dan doen? Ze allemaal uitkopen? Ze grijpen je bij je ballen en knijpen je tot je het uitgilt. Vooruit maar, Mason, eindig maar als een eunuch.'

'Aardige vergelijking,' zei hij sarcastisch.

'Het bevalt je niet, omdat je weet dat ik gelijk heb.' Haar aandacht werd getrokken door iemand achter Mason. 'Travis, kom binnen en steun me.'

'Waarin?' vroeg hij.

'Mason denkt dat hij het waterkantproject uit eigen zak kan financieren. Hij wil Oscar Donaldsons land met zijn eigen geld kopen – vandaag nog.'

Het bloed trok weg uit Travis' gezicht. Hij keek naar Mason. 'Allemachtig, wat heb jij in je koffie gedaan? Als je een van die mensen betaalt, moet je ze allemaal betalen. De enige manier om aan zoveel geld te komen is als –'

'Ik iets verkoop,' maakte Mason zijn zin af.

'En als je dat doet,' vulde Rebecca aan, 'zal iedereen denken dat je in moeilijkheden verkeert.'

'En het zal er niets toe doen of die moeilijkheden reëel zijn of niet,' ging Travis verder in hun verbale pingpongwedstrijd. 'Geen bank wil nog iets met je te maken hebben als dat bekend wordt.' Travis stopte zijn handen in zijn broekzak. 'Vervloekt, Mason, wanneer haal je je hoofd eens uit je kont wat dit project betreft? Je bent er nog niet groot genoeg voor. Als je het niet loslaat, sleept het je de afgrond in.'

Mason had gehoopt dat Travis uiteindelijk, als hij voldoende tijd kreeg, wel bij zou draaien en dat hij, zelfs al zou hij het project niet van harte steunen, in ieder geval zou ophouden als doemdenker op te treden. Tot dit project waren ze een bijna volmaakte combinatie geweest. Als Mason te hoog greep, was Travis er altijd om hem bij te sturen. Maar zonder Masons behoefte om hoger te reiken, zou het nog steeds het kleine bedrijfje zijn dat het in Los Angeles was geweest. Tot aan het waterkantproject was Travis nooit vierkant tegen een plan geweest dat Mason had voorgesteld.

Travis was behoedzaam geworden, òf omdat de inspanning te groot was, òf omdat de avontuurlijke geest begon te verzwakken, en zo nu en dan zei hij iets dat Mason de indruk gaf dat hij vond dat Winter Construction tevreden moest zijn met de plaats die ze inmiddels veroverd hadden.

'Dit is geen aandeelhoudersvergadering,' zei Mason, gefrustreerd door de ankers die Travis achter hen bleef uitgooien. 'De laatste keer dat ik keek stond mijn naam nog steeds op de voordeur.'

'Bedankt dat je me daaraan herinnert,' zei Travis. 'Ik zal het voortaan goed in gedachten houden.' Hij stormde het vertrek uit.

'Nu heb je het voor elkaar,' viel Rebecca uit. 'Wat hoopte je in godsnaam te bereiken met die rotopmerking?'

'Er was geen andere manier om te zorgen dat hij me met rust liet, zodat ik kan doen wat gedaan moet worden. Als het achter de rug is, zal ik hem mijn verontschuldigingen aanbieden.'

'En je denkt dat dat voldoende is?'

'Je gaat te ver, Rebecca,' waarschuwde Mason.

'Ik heb nog één ding te zeggen.'

'Zeg het dan en ga op weg. Ik wil vanavond weten wat er met Donaldson aan de hand is.'

Ze keek hem doordringend aan. 'De slimme ratten zijn de eersten die het zinkende schip verlaten, Mason. Als blijkt dat Travis gelijk had en dat je werkelijk schipbreuk lijdt, wil je dan echt alleen ondergaan?'

Hij verstarde onder de impact van haar woorden. 'Ze zijn nog nooit gesprongen,' zei hij behoedzaam, met tegenzin haar waarschuwing ter harte nemend. 'En als ik me goed herinner is dit niet de eerste keer dat we slagzij maken.'

'Omdat tot nu toe het respect dat werd gegeven tot trouw heeft geïnspireerd. Maar denk eraan dat zonder het één, het ander niet mogelijk is.'

Zoals gewoonlijk trof ze doel, met zachte munitie. 'Ik ga Travis zoeken,' zei hij, de noodzaak ervan inziend.

Ze knikte. 'En ik zal mijn best doen iets te weten te komen over Donaldson.'

Hij was al bijna de deur uit toen hij zich omdraaide en naar haar keek. 'Rebecca...'

'Ik weet het,' zei ze.

Deze keer stond hij zichzelf niet toe dat hij er zo gemakkelijk van afkwam. 'Je hebt me niet voor de gek kunnen houden, weet je,' zei hij. 'Wat er ook gebeurt, als ik onderga, zal ik niet alleen op het dek staan. Als ik je overboord gooide, zou je weer aan boord klimmen.' Verlegen door zijn woorden en zijn behoefte om ze hardop te zeggen, wendde hij zijn blik af, en toen, met het gevoel dat de daad op een of andere manier de zin ervan verminderde, dwong hij zich weer achterom te kijken.

Heel even, terwijl ze elkaar aankeken, meende hij tranen in haar ogen te zien glinsteren; toen knipperde ze en waren haar ogen weer even helder als altijd.

'Ik wilde alleen dat je dat wist,' zei hij, opgelucht toen hij zag dat ze glimlachte. Hij was tegen alles bestand, behalve tegen haar tranen.

'Je wilt alleen dat ik in de buurt blijf omdat ik weet waar de reddingsboeien zijn.'

'Je hebt het helemaal mis. Als ik op die grote zee moet ronddobberen, wil ik een interessant mens hebben om mee te praten,' zei hij, en liep opgewekter de deur uit dan hij vond dat hij verdiende.

Hoofdstuk vijfendertig

Mason zat in zijn kantoor toen Rebecca hem vier uur later via de autotelefoon belde.

'Zit je stevig?' vroeg ze.

'Kom maar op,' zei Mason, achteroverleunend in zijn stoel, uitgeput door de spanning van het wachten op haar telefoontje.

'Oscar Donaldson heeft een uur voordat ik er kwam zijn land rechtstreeks en in zijn geheel voor contant geld verkocht aan Southwest.'

'De schoft,' zei Mason hijgend. 'Waarom? Nee, laat maar – hoe?'

'Ze waren bereid hem vijfentwintig procent meer te betalen dan wat wij boden, maar alleen als hij vandaag tekende en zich niet met jou in verbinding stelde om je de kans te geven een tegenbod te doen. Donaldsons vrouw vertelde me dat de advocaten van Southwest als een zwerm sprinkhanen binnenkwamen zodra ze hoorden dat hij ons had verteld dat hij meer tijd wilde.'

'Wat? Zeg dat nog eens.'

'Welk deel?'

'Dat ze hoorden dat Oscar twijfelde.'

'O,' zei ze. 'Ik begrijp wat je bedoelt.'

'Zei je niet dat Oscar je vanmorgen gebeld heeft?'

'Mason, het bevalt me niet wat je denkt.'

'Geef me dan maar een andere verklaring.'

Er viel een lange stilte. 'Dat kan ik niet,' gaf ze toe. 'Maar wie zou zoiets doen?'

Mason sloeg zijn handen voor zijn ogen en sloot alles buiten behalve zijn gedachten. 'Ik heb een vrij goed idee.'

'Heus?' vroeg ze, kennelijk verrast. 'Vertel eens.'

'Als je terugkomt.' Hij had tijd nodig om zich te herstellen en weer nuchter te kunnen denken, en daarvoor moest hij alleen zijn.

'Ik kom zo gauw ik kan, maar het zal nog wel een halfuur duren. Het is erg druk op de weg.'

'Zeg dit tegen niemand, Rebecca,' voegde Mason er nog aan toe.
'Zelfs niet –'
'Niemand.'
'Mason, je denkt toch niet –'
'Ik vrees van wel,' zei hij. 'Kom zodra je terug bent naar mijn kantoor, dan kunnen we praten.'

Toen hij had opgehangen, bleef hij doodstil achter zijn bureau zitten. Zijn woede nam toe in directe verhouding tot zijn ergernis over zichzelf omdat hij zijn instinct niet had gevolgd. Misselijk van een woede die geen onmiddellijke uitlaat vond, pakte hij een stapel papieren op en gooide die tegen de muur. De stapel viel bij de klap uit elkaar en de grote witte bladen verspreidden zich als een gigantische confetti over de vloer.

Een paar minuten later werd er zachtjes op de deur geklopt. Voor Mason antwoord kon geven, keek Travis naar binnen. Hoewel ze vrede hadden gesloten, waren er nog littekens overgebleven van de strijd.

'Ik ga langs het hotel en dan naar huis. Wil je nog iets bespreken voor ik wegga?' Hij zag de op de grond verspreid liggende papieren. 'Hé, wat is hier gebeurd?'

'Kom binnen,' zei Mason, Travis' vragen negerend. 'En doe de deur achter je dicht.'

'Klinkt onheilspellend,' zei Travis, maar half schertsend.

'Ik wil met je praten over Walt.'

Travis kwam binnen. 'Wat is er met hem?'

'Toen je hem sprak, heb je hem toen verteld dat Oscar Donaldson begon te aarzelen of hij zou tekenen?'

Travis wipte van de ene voet op de andere. 'Waarom?'

'Omdat ik denk dat hij geheime informatie heeft doorgegeven aan Southwest.'

Voor de tweede keer die dag trok al het bloed uit Travis' gezicht weg. 'Wat is er gebeurd?'

'Oscar heeft het land aan mijn vader verkocht nog geen twee uur nadat hij vanmorgen met Rebecca had gesproken en haar had verteld dat hij nog een week wilde om ons aanbod te overwegen.'

'Ik begrijp niet hoe dat –'

'Mijn vader kan onmogelijk geweten hebben dat Oscar begon te weifelen, tenzij iemand van dit kantoor het hem heeft verteld.'

Travis slikte. 'Daar kun je gelijk in hebben, Mason, maar je zit er ver naast als je denkt dat Walt dat op zijn geweten heeft. Zoiets zou hij niet doen. Daar is hij het type niet voor.'

Mason stond op en begon te ijsberen, de afstand tussen zijn bureau en de bank in zes lange, nerveuze stappen afleggend. 'Ik heb het steeds weer overdacht en het is de enige mogelijkheid. Vanaf het eerste begin had hij iets dat me hinderde. Ik had meer aandacht moeten schenken aan mijn gevoel.'

'Nonsens,' hield Travis vol. 'Je geeft Walt hiervan de schuld omdat hij op je broer lijkt, dat is alles. Je hebt niet het geringste bewijs dat hij iets te maken had met wat er vanmiddag gebeurd is.'

'Hoe weet je zo zeker dat ik me vergis?' vroeg Mason effen.

'Ik weet het gewoon. Je móet me hierin vertrouwen.'

Mason hield op met ijsberen en staarde uit het raam naar het land dat hij die dag was kwijtgeraakt. Hij draaide zich om naar Travis. 'Als het Walt niet is, wie dan wel?' vroeg hij.

Travis drukte zijn hand tegen zijn voorhoofd, alsof hij probeerde iets binnen te houden of, bij gebrek daaraan, iets eruit te duwen. 'Hoe moet ik dat weten? Maar de schade is aangericht. Het heeft geen zin om een heksenjacht te beginnen.'

Er gingen een paar minuten voorbij voor een van beiden weer iets zei. Uiteindelijk was het Travis die de gespannen stilte verbrak. 'Misschien is het zo maar beter, Mason. Je ging te ver toen je jezelf persoonlijk hierbij betrokken liet raken. Nu het voorbij is, kun je verder gaan met je leven, op iets anders overstappen.'

'Het is niet voorbij,' zei Mason op dreigende toon. 'Nog lang niet.'

'Wat wil je doen?'

'Ik ga uitzoeken wie die informatie heeft laten uitlekken.'

'Hoe wil je dat doen?' vroeg Travis met een angstig gezicht.

'Ik ga mijn vader een bezoek brengen. Dat is iets dat ik al lang geleden had moeten doen. Maar voor ik ga, zijn er een paar dingen die ik hier moet afhandelen.'

'Wil je dat ik –'

'Nee, dank je, Travis. Ik apprecieer je aanbod, maar dit is iets dat ik zelf moet doen.'

'Zoals je wilt,' zei Travis, en wilde weggaan. Bij de deur draaide hij zich om. 'Weet je, Mason, sommige dingen in het leven kun je beter met rust laten.'

'Dit is niet één ervan, Travis.'

Hij knikte triest en ging weg.

Voor het eerst sinds het idee voor het waterkantproject bij Mason was opgekomen, maakte hij zich zorgen wat het hem zou gaan kosten. Alleen, in tegenstelling tot Travis, ging het hem niet om het geld.

Hoofdstuk zesendertig

Mason stapte uit de taxi, betaalde de chauffeur en liep over de oprit naar het huis van zijn vader. Veertien jaar was een lange tijd voor zo weinig veranderingen. Er stond een nieuwe palmboom in een hoek van de tuin en er lagen groene kiezelstenen waar vroeger gras had gegroeid; verder was er niets dat duidde op het verstrijken van de tijd.

Het huis zelf was rond een binnenplein gebouwd in de traditionele Spaanse stijl, met witgekalkte muren en een rood pannendak. Afhankelijk van hun stemming konden waarnemers naar het westen kijken en de golven van de zee naar de kust zien rollen, of naar het oosten en proberen de stadslichtjes op de heuvel te tellen.

Toen hij in dit huis was opgegroeid had hij al die schoonheid vanzelfsprekend gevonden. Pas in zijn tienerjaren was hij gaan beseffen dat hij een bevoorrecht bestaan had geleid, dat niet iedereen wakker werd bij het ruisen van de branding en het gekrijs van de meeuwen die door het raam van de slaapkamer naar binnen drongen, en dat dienstmeisjes en tuinlieden niet automatisch bij een huis hoorden.

Zijn herinneringen hadden goed moeten zijn. Er had geluk geheerst, tenminste dat vertelde hij zichzelf de paar keer dat hij nog aan het thuis van zijn jeugd dacht. Hij en Bobby moesten vroeger toch vrienden zijn geweest; per slot waren ze broers.

En zelfs al had zijn vader niet van zijn jongste zoon gehouden, er moest toch ook een tijd zijn geweest waarin hij hem niet haatte.

Waarom kon hij zich de verjaardagen en Kerstmis en het gelach om de zondagse stripverhalen niet herinneren, die dit huis toch moest hebben meegemaakt? Dacht zijn vader of zijn broer weleens aan die goede tijden? En, als ze dat deden, maakte hij dan deel uit van hun herinneringen, of wisten ze hem uit, zoals je een beeld uit een foto knipt?

Hoe zou Kevin zich zijn jeugd herinneren? Zou hij het moeilijk vinden de herinneringen aan goede tijden op te halen? In welk hoekje van zijn geheugen zou de dag worden opgeslagen die hij en Mason en Chris aan het strand hadden doorgebracht? Zou de dag komen waarop Kevin de manier waarop hij was opgevoed zou aanvechten, zoals Mason zelf had gedaan?

Mason liep naar de deur en drukte op de bel. Hij luisterde naar het vertrouwde geklingel, dat langer duurde dan dat van de meeste deurbellen, en vroeg zich af of zijn vader er met Halloween nog steeds gek van werd.

Op het moment dat de laatste toon wegstierf, ging de deur open.

Iris stond in een felblauwe jurk op de drempel. Ze droeg parels om haar hals en had een glas wijn in de hand. 'O, God,' fluisterde ze vol ontzag. 'Ben jij het echt, Mason?'

'Zo lang ben ik nog niet weg, moeder.'

Ze zette haar glas op het marmeren tafeltje naast de deur en strekte haar armen naar hem uit. 'Ik heb gehoopt en gebeden, maar ik heb nooit echt geloofd dat dit zou gebeuren.'

Mason deed een stap achteruit. 'Ik ben niet gekomen voor een familiereünie,' zei hij. 'Ik wil papa spreken.'

De teleurstelling verjoeg de opwinding uit haar ogen. Haar armen vielen slap langs haar zij. 'Natuurlijk,' zei ze, zich verschuilend achter haar bekakte stem. 'Hoe dom van me om iets anders te denken.'

Mason kromp ineen. Het was niet zijn bedoeling geweest om wreed te zijn. 'Is hij thuis?' vroeg hij, zijn eigen stem verzachtend.

'Ik verwacht hem elk moment. Wil je binnen op hem wachten?'

'Weet je zeker dat papa dat goedvindt?'

'Het kan me niet schelen of hij het goedvindt of niet. Dit is ook mijn huis, weet je.'

De jaren mochten het huis dan niet hebben veranderd, ze hadden wel invloed gehad op de vrouw die er woonde. Toen Mason uit huis wegging, zou ze nog niet de moed hebben gehad de rozen in haar tuin op te eisen, laat staan de helft van het huis. 'Sinds wanneer?' vroeg hij.

'Sinds de dag waarop het eindelijk tot me doordrong dat ik er steeds opnieuw voor betaald heb met de uren die ik aan de zorg ervan heb besteed. Dit huis vertegenwoordigt het salaris dat ik nooit heb gekregen. Wil je nu binnenkomen of wil je dat ik een paar tuinstoelen haal, zodat we hier kunnen zitten terwijl we op je vader wachten?'

'Ik kom binnen,' zei hij, zich verheugend bij de gedachte dat het een doorn in het oog van zijn vader zou zijn als hij thuiskwam en Mason hier vond, èn omdat zijn moeder het lef had gehad hem binnen te vragen.

In de zitkamer bood Iris Mason wijn aan, die hij weigerde, bracht hem naar een bank en ging naast hem zitten. Ze paste er echter voor op dat ze niet te dichtbij kwam, om geen berisping uit te lokken. 'Ik neem aan dat dit geen beleefdheidsbezoek is.'

'Het is persoonlijk.'

Ze sloeg haar handen stevig ineen en legde ze in haar schoot, alsof ze een manier zocht om ze stil te houden. 'Kom je daarom hier in plaats van naar het kantoor te gaan?'

Het was pijnlijk om te zien hoe ze haar best deed. 'Ik ben met een late vlucht uit Sacramento gekomen. Wat ik te zeggen heb kan niet tot morgen wachten.'

'Weet je zeker dat het gezegd moet worden?' vroeg ze kalm, maar haar stem logenstrafte de smekende blik in haar ogen.

'Je probeert nog steeds voor vredestichter te spelen, merk ik.'

Ze wilde zijn hand pakken, maar hij schoof opzij voor ze hem kon aanraken. 'Haat je me nog steeds zo erg?'

Ze was een onschuldige toeschouwer en hij behandelde haar alsof ze een medeplichtige was. 'Nee, moeder, ik haat je niet,' zei hij iets toegeeflijker. 'Ik vertrouw je alleen niet. Je loyaliteit –'

'Is verdeeld?' maakte ze zijn zin af. 'Hoe kan dat anders, Mason?' Ze zuchtte gefrustreerd. 'Nu je zelf een zoon hebt, bid ik dat je op een dag zult begrijpen in welke positie jij en je vader me hadden gemanoeuvreerd. Maar ik denk dat het daarvoor nog te vroeg is.'

'Hoe weet je dat ik een zoon heb?' vroeg hij. Hij moest zijn uiterste best doen om zijn stem in bedwang te houden. De blik op Iris' gezicht bewees dat ze zich bewust was van haar vergissing. De spanning tussen hen was te snijden.

'Dat kan ik je niet vertellen,' zei ze. 'Dan zou ik een vertrouwen schenden.'

Ze had alleen maar bevestigd wat Mason zelf al had uitgepuzzeld in het vliegtuig hierheen. Alleen zijn behoefte om de waarheid te ontkennen had hem ervan weerhouden het voor de hand liggende te zien.

Om iets te doen te hebben, stond hij op en liep naar de open haard. Hij leunde met zijn elleboog op de schoorsteenmantel en staarde zonder iets te zien naar het schilderij aan de muur erboven. 'Fascinerend als je eraan denkt,' zei hij. 'Degene die me verraadt inspireert mijn moeder tot trouw.'

'Je bent niet verraden.'

'O, nee? Hoe zou je het dan willen noemen?'

'Degene die me het heeft verteld van Kevin is iemand die heel veel om ons beiden geeft.'

Er klonken voetstappen in de betegelde gang. Een paar seconden later kwam Stuart Winter binnen.

Mason staarde naar zijn vader. De leeftijd had hem niet verzwakt; integendeel, hij was eerder nog ontzagwekkender geworden. Het laatste zwart was uit zijn haar verdwenen, en een krans van grijze manen omringde een gezicht dat verweerd en verhard was door het jarenlange werken in de buitenlucht. Zijn lichaam was nog even mager en onbuigzaam als altijd, zijn zelfgenoegzame lachje nog even denigrerend.

Stuart knoopte zijn jasje los en zette zijn handen op zijn heupen. 'Je gelooft die flauwekul toch niet, hè, jongen?' vroeg hij met een zelfingenomen grijns.

'Hoe lang heb je daar staan luisteren?' vroeg Iris.

Hij negeerde haar, en hield zijn aandacht op Mason gericht. 'Je weet dat ik nooit erg goed ben geweest in het geven van adviezen, maar vanavond is een bijzondere gelegenheid – nu je helemaal hier naartoe bent gekomen om goeiedag te zeggen – dus zal ik een uitzondering maken. Als ik jou was, zou ik erg oppassen voor elke man die me vertelde dat hij me een steek in de rug gaf voor mijn eigen bestwil.' Hij grinnikte. 'Dat is het soort mensen dat je goed in de gaten moet houden.'

'Hou op, Stuart,' zei Iris scherp, terwijl ze overeind sprong. 'Ik heb genoeg van je hatelijkheden.'

Zowel Mason als Stuart draaide zich verbluft naar haar om. De muis had niet alleen gebruld, maar zelfs aangevallen.

'Ik wil niet dat je op die manier tegen Mason praat,' ging ze verder voordat een van beiden zich voldoende beheerst had om commentaar te leveren op haar uitval. 'Je hebt hem genoeg verdriet gedaan. Het wordt tijd om eens en voor altijd een eind te maken aan die vete tussen jullie.'

Stuart keek zijn vrouw met woedend samengeknepen ogen aan. 'Ik ben nog niet eens begonnen met vechten,' zei hij dreigend. 'Die zoon van je zal een lesje leren aan de voeten van zijn vader – een lesje dat hem heel, heel lang zal heugen.'

'Waarom doe je me dit aan?' vroeg Mason, die zijn kans schoon zag om het onderwerp aan te snijden waarvoor hij gekomen was. 'Na al die tijd, waarom juist nu?'

Stuart gooide zijn hoofd in zijn nek en lachte, kennelijk genietend van wat hij aanzag voor een smekende klank in Masons stem. 'Omdat de gelegenheid zich voordeed, meneer de uitblinker.'

'Je zult het niet winnen,' waarschuwde Mason, ervoor zorgend dat er geen greintje twijfel in zijn stem klonk.

'Ik waarschuw je, Stuart,' zei Iris. 'Als je dit volhoudt, zal er –'

'Je hebt een mooi steentje gevonden voor je slinger, hè, Mason?' vroeg Stuart, Iris overstemmend. 'Nou, ik zou er maar niet op rekenen dat je dat twee keer lukt. Je mag misschien iets van een man lijken naast je papa, maar je bent geen David.'

'En jij bent Goliath?' vroeg Mason. 'Is dat zoals jij jezelf ziet?' Hij liep de kamer door. 'En wat is Bobby dan? Je schildknaap?'

'Je begint bang te worden.'

Mason grinnikte, maar paste op dat het niet te zelfverzekerd klonk. Het was belangrijk dat Stuart hem zag als dom en dapper, niet sluw en uitgerekend. 'Waarom denk je dat?'

'Waarom zou je anders hier zijn?'

'Om je te waarschuwen. Sacramento is van mij. Verhuis Southwest daarheen en ik vernietig je.' Ergens achter in het huis ging een telefoon.

'Hoe kun jij mij vernietigen als je niet eens je eigen zaken beheerst?' Stuart tikte met zijn vinger tegen Masons borst, om zijn gelijk op de meest vernederende wijze duidelijk te maken, en zich in de positie te plaatsen van een vader die zijn recalcitrante zoon op zijn plaats zet. 'Om nog maar te zwijgen over de mensen die voor je werken.'

'Wie heb je zover gekregen om het vuile werk voor je op te knappen?' vroeg Mason, wiens hartslag dreunend in zijn oren klonk. Hoewel het scenario zich precies zo ontwikkelde als hij gepland had, merkte hij dat hij zich door het drama liet meeslepen. Als hij niet oppaste, zou hij de beheersing verliezen die hij nodig had om in zijn opzet te slagen. Dat zijn vader een opgeblazen klootzak was, betekende nog niet dat hij ook dom was.

De telefoon bleef rinkelen, maar niemand lette erop.

Stuarts triomfantelijke glimlach liet tanden zien die bruin zagen door vijftig jaar sigaretten roken. 'Dat zou te gemakkelijk zijn. Waarom zou ik je vertellen wie die verrader is, als je jezelf gek kunt maken door het je af te vragen?'

'Omdat je, als je het niet zegt, de uitdrukking op mijn gezicht niet zult zien als ik het ontdek.'

Masons logica bracht Stuart even tot nadenken. In plaats van erop in te gaan keek hij naar Iris. 'Wil je alsjeblieft die verdomde telefoon aannemen?'

Ze keek naar haar zoon. 'Mason...'

'Het is in orde, moeder,' verzekerde hij haar, in erkenning van haar gift. Ze kon hem evenmin tegen Stuart beschermen als de loop van de gebeurtenissen veranderen. Het was voldoende dat ze hem had verdedigd, al was haar poging weinig effectief geweest.

'Nou?' vroeg Mason, toen ze de kamer uit was. 'Ga je het me vertellen?'

'Ik moet toegeven dat het verleidelijk is. Maar het zou voorbarig zijn om mijn informatiebron nu af te snijden.'

De zaak forceren was de enige manier waarop Mason zijn vader in de waan kon brengen dat hij nog niet had uitgepuzzeld wie hem informatie had toegespeeld. 'Je denkt toch zeker niet dat ik iets van belang toevertrouw aan iemand van mijn staf tot ik erachter ben.'

'Nog beter,' verkneukelde Stuart zich. 'Het zal interessant zijn om te zien hoe lang je het uithoudt, als je probeert de hele firma in je eentje te leiden.' Hij grinnikte. 'Om nog maar te zwijgen over de gevolgen die je toewijding aan je werk zal hebben voor je privé-leven. Dit wordt nog beter dan ik gehoopt had.'

Hij had een tere plek geraakt. 'Ik verkoop Winter Construction liever dan dat ik íets het leven van mijn zoon... of mijn vrouw zal laten beïnvloeden.'

Stuarts mond viel open van verbazing. De seconden die hij nodig had om zich te beheersen spraken boekdelen. Mason besefte dat zijn vader niets wist van Chris en Kevin. Maar toch wist hij schijnbaar alles over het waterkantproject. Wat enkele minuten geleden nog ongecompliceerd had geleken, werd nu ondoorzichtig.

Voordat Stuart iets kon zeggen in antwoord op Masons verspreking, kwam Iris met een ontsteld gezicht terug in de kamer. 'Mason, dat telefoontje was voor jou. Een zekere Rebecca belde op om te zeggen dat Kevin in het ziekenhuis ligt.'

Een misselijk gevoel van déjà vu maakte zich van Mason meester. Hij had moeite met ademhalen; het was of er een verpletterend gewicht op zijn borst rustte. 'Wat is er gebeurd?' vroeg hij, doodsbang, maar tegelijk wanhopig wachtend op haar antwoord.

'Ze zei dat hij griep heeft. Ze gaat nu naar het ziekenhuis om bij Chris te zijn.'

'Griep?' herhaalde hij wezenloos. Waarom zou Kevin in het ziekenhuis liggen voor zoiets simpels? Dat sloeg nergens op. En toen drong het tot hem door: de keren dat Chris overdreven leek te reageren als Kevin buikpijn had, zijn eis om met Kevin te gaan skiën en haar antwoord dat ze weigerde hem weer in een ziekenhuis te zien, haar angst om met hem in een grote menigte te komen... hemel, hij kende Chris nu te goed om nog steeds te denken dat ze paranoïde en overbeschermend was. Waarom had hij er zo lang over gedaan om te beseffen dat zijn zoon niet onsterfelijk was?

'Ik neem aan dat die Kevin-figuur je zoon is,' zei Stuart. Hij snoof verachtelijk. 'Om de een of andere reden verbaast het me niets dat jij een zwak kind ter wereld brengt.'

Mason draaide zich om naar zijn vader. 'Pas op je woorden, ouwe,' waarschuwde hij, met een dreigend gegrom.

'Mason,' schreeuwde Iris. Ze holde de kamer door en ging tussen de beide mannen in staan. 'Haal geen stommiteiten uit,' zei ze tegen Mason met een smekende blik. 'Hij is het niet waard.'

Ze keek Stuart recht in de ogen. 'Verdwijn,' zei ze.

'Niemand vertelt mij wat ik moet doen in mijn eigen huis,' antwoordde Stuart onmiddellijk.

Iris draaide zich weer om naar Mason en legde haar beide handen om zijn gezicht, hem dwingend haar aan te kijken. 'Mijn tas ligt in de gangkast,' zei ze, langzaam en duidelijk pratend, als tegen iemand die in shocktoestand verkeert. 'De sleutels van mijn Mercedes liggen binnen. Pak ze en rijd de auto de garage uit. Ik wacht op je op het trottoir.'

Mason knikte. Hij keek naar zijn vader. Pas toen diens blik ontbloot bleek van elk greintje meegevoel, besefte hij dat hij gedurende één dwaas moment had gehoopt een vonk van begrip te zien in die ogen, misschien zelfs een flits van bezorgdheid. Versuft deed Mason wat zijn moeder zei, zonder eraan te denken dat hij niet had afgemaakt waarvoor hij hier was gekomen.

Iris' bruine tas hing aan dezelfde haak die ze ervoor gebruikt had sinds hij een kind was. Hij maakte de rits open op weg naar de garage en zocht naar de sleutels. Toen hij naast de auto stond en ze nog steeds niet gevonden had, liep hij naar de werkbank en keerde de inhoud erop om. Er viel een foto uit op de grond. Mason bukte zich om hem op te rapen en keek tot zijn verbazing in Kevins lachende gezicht.

Slechts één mens kon Iris die foto hebben gegeven.

Hij sloot zijn ogen weer, wilde de pijnlijke wetenschap niet onder ogen zien. Niet Chris, riep een inwendige stem. Alsjeblieft... niet Chris. Hij had haar nodig, ze moest er voor hem zijn.

Was er dan helemaal niemand meer die hij kon vertrouwen?

Hoofdstuk zevenendertig

Chris hoorde snel naderbij komende voetstappen in de gang en keek op van het boek dat ze aan het lezen was toen Mason de deur van Kevins ziekenhuiskamer openduwde. In zijn ogen zag ze paniek en wanhoop, een blik die Chris herkende van de talloze keren dat ze diezelfde blik weerkaatst had gezien in een spiegel.

Mason was niet op kantoor toen ze eerder die dag gebeld had. Chris had de boodschap bij Rebecca, en niet bij Janet achtergelaten dat Kevin in het ziekenhuis lag, omdat het haar beter leek dat hij het zou horen van iemand die hem dierbaar was. Alleen was op de een of andere manier de informatie dat het niet ernstig was, en dat Kevin meer bij wijze van voorzorg was opgenomen, in de haast niet overgekomen.

Toen een wanhopige Rebecca nog geen uur later kwam en vertelde dat ze Mason in Santa Barbara in het huis van zijn ouders had opgespoord, besefte Chris instinctief welke kwellingen Mason zou doorstaan. Ze had erop aangedrongen dat ze zouden proberen hem onderweg te pakken te krijgen om hem te vertellen wat er werkelijk aan de hand was.

Na tientallen telefoontjes vernamen ze eindelijk dat hij een privévliegtuig had gecharterd om naar huis te vliegen en dat het onmogelijk was contact met hem te krijgen voor hij landde. Rebecca was naar de luchthaven gereden om hem af te halen. Ze had korte tijd geleden gebeld om te zeggen dat ze een paar minuten te laat was gekomen.

Chris zag dat Mason door de hel ging en haar hart ging naar hem uit. Ze stond op om hem tegemoet te gaan. 'Het is in orde, Mason,' zei ze, met kalme en beheerste stem.

Hij negeerde haar poging om hem gerust te stellen, en liep om haar heen naar Kevins bed. Zijn blik ging naar de monitors, de infuzen en ten slotte het slapende gezicht van zijn zoon. 'Wat is er gebeurd?' vroeg hij.

Chris liep naar hem toe en zei fluisterend: 'Hij heeft griep.'

'En?'
'Diarree en overgeven.'
'En?' hield Mason vol, suggererend dat ze iets voor hem verborgen hield.
'En niets.'
Hij draaide zich met een ruk naar haar om. Zijn hele lichaam straalde woede uit. 'Ze nemen mensen niet op in een ziekenhuis omdat ze diarree hebben en overgeven.'
'Kinderen zoals Kevin wel.' Ze pakte hem bij zijn arm en dwong hem met haar mee te lopen naar de andere kant van de kamer, waar ze niet gehoord konden worden. Kevin mocht dan niet in een kritieke toestand verkeren, hij was ziek en had alle slaap nodig die hij kon krijgen.
'Wat heeft dàt nu weer te betekenen?'
'Kevin droogt sneller uit dan iemand die al zijn ingewanden nog heeft,' legde ze geduldig uit. 'Hij kan heel snel heel ziek worden en in een shock raken. Omdat het al twee keer eerder is gebeurd, neemt dr. Caplan geen enkel risico meer. Hij begint de behandeling zodra Kevin symptomen vertoont.'
Hij pakte haar beide armen vast. Zijn stem klonk meer grommend dan fluisterend. 'Dat heb je al die tijd geweten en je hebt nooit de moeite genomen het me te vertellen?'
Ze rukte zich los, haar geduld raakte op. Mason ging te ver met zijn bezorgdheid voor Kevin. 'Tijdens welke van de langdurige gesprekken die we hebben gehad, had ik dat moeten doen?'
De woedende uitdrukking op zijn gezicht veranderde in minachting. 'Je had het in ieder geval tegen mijn moeder kunnen zeggen,' zei hij, terwijl hij even wachtte om zijn woorden te laten bezinken. 'Ik weet zeker dat ze onder de gegeven omstandigheden die informatie graag zou hebben doorgegeven.'
Chris had het gevoel of een ijskoude hand op haar rug werd gelegd. Waarom had Iris hem verteld over het bezoek terwijl zij juist degene was geweest die op geheimhouding had aangedrongen? Het was niet eerlijk. Na alles wat zij en Mason al hadden doorgemaakt, met alles wat ze nog voor de boeg hadden, waarom dít nu weer? En, o God, waarom juist nu? 'Dit is niet de tijd of de plaats om daarop in te gaan, Mason.'
'Daar er geen andere tijd of plaats voor ons zal komen, kun je het beter nu zeggen, als je iets te zeggen hebt.' Toen ze niet onmiddellijk antwoord gaf, duwde hij haar opzij en verwijderde haar even gemakkelijk uit zijn gezichtsveld als hij haar zojuist uit zijn leven had verwijderd. Hij pakte de plastic stoel waarop Chris had gezeten en droeg die naar Kevins bed. Hij ging zitten en pakte met een oneindig teder gebaar het handje dat op de groene bedsprei lag.

Volkomen uitgeput door alles wat er die dag en in de maanden ervoor gebeurd was, bleef Chris staan en staarde naar Mason, terwijl ze probeerde te bedenken wat ze moest doen. Het zou zo gemakkelijk zijn het hierbij te laten, op te houden met vechten, de brokken bijeen te rapen en voort te gaan met haar leven.

Ze kromp ineen bij de gedachte. Ze was het type niet om de gemakkelijkste uitweg te nemen. Als er ergens een hobbelige weg was, zocht zij die op, en probeerde zich intussen ervan te overtuigen dat het ongerepte landschap de reis de moeite waard maakte.

Of het enige zin had of niet, ze kon niet zomaar weglopen. Ze zou Mason niet opgeven, al had hij haar blijkbaar wel opgegeven.

Hoe dan ook, ze hield van hem.

Geluidloos liep ze de kamer uit naar de hal om te telefoneren.

Twintig minuten later kwam Mary.

'Waarom heb je het me niet eerder verteld?' zei ze berispend toen ze naar Chris toeliep in de wachtkamer.

'Het is allemaal zo snel gegaan, en het gaat hem goed. Dr. Caplan zei dat hij over een paar dagen waarschijnlijk naar huis mag.' Verlangend om haar voornemen ten uitvoer te brengen, draaide Chris zich om en liep terug naar de kinderafdeling. 'Ik zou je zelfs niet gebeld hebben vanavond, maar als Kevin wakker wordt, wil ik niet dat hij alleen is.'

'Ik neem aan dat deze geheimzinnige oproep iets te maken heeft met Mason?'

'Ja,' gaf ze toe. 'We moeten een paar dingen rechtzetten tussen ons. Ik heb het gevoel dat het te laat kan zijn als ik het nog langer uitstel.'

Mary liet een snuivend geluid horen. 'Het wordt tijd dat een van jullie eens iets doet.'

Ze liepen naar Kevins kamer. 'Geef me een minuutje,' zei Chris.

Mary knikte begrijpend. 'Ik wacht bij de kamer van de verpleegsters.'

Chris haalde diep adem en ging naar binnen. Mason zat nog precies zoals ze hem had achtergelaten, met zijn armen op het bed steunend, zijn hand om die van Kevin. Ze liep naar hem toe en zei zacht maar dringend: 'Ik wil met je praten.'

Hij keek niet op. 'We hebben elkaar al alles gezegd wat er te zeggen valt.'

Hij zou het niet gemakkelijk maken. De enige manier om hem de kamer uit te krijgen was hem nog kwader maken dan hij al was. 'Vervloekt, Mason, hou eens op met je aan te stellen als een kleine jongen die net heeft ontdekt dat Sinterklaas niet bestaat. Als je het met alle geweld wilt, kan ik hier ook zeggen wat ik op mijn hart heb, maar waarschijnlijk zal Kevin dan wakker worden, en ik weet zeker dat je dat evenmin wilt als ik.'

Hij aarzelde even en legde toen zachtjes Kevins hand terug op de sprei. Toen hij zich naar Chris omdraaide, lag er zo'n woede in zijn ogen dat ze even aarzelde. 'Ik ga met je mee, maar alleen omdat jij iets hebt wat ik wil hebben.'

Ze hield zich voor dat het haar niet kon schelen waarom hij kwam, àls hij maar kwam. Ze slikte haar antwoord in en liep de kamer uit.

'Wat doet zij hier?' vroeg Mason, toen hij Mary in de gang zag.

'Ze blijft bij Kevin terwijl jij en ik praten.'

Hij sloeg zijn armen over elkaar en leunde tegen de muur. 'Geef het op, Chris.' Hij staarde naar de gele lijn die over het midden van de vloer liep. Na een paar seconden keek hij weer op. 'Ik heb je al gezegd dat het me niet interesseert wat jij me te zeggen hebt. Wat is ervoor nodig om je te overtuigen?'

Mary kwam naar hen toe. Ze knikte tegen Mason, had even oogcontact met Chris, en ging toen zonder iets te zeggen naar Kevins kamer.

'Laten we gaan,' zei Chris.

Mason hief zijn handen op. 'Ik had het moeten weten. Bij jou is nooit iets eenvoudig of ongecompliceerd. Nou, vergeet het maar, ik ga nergens heen.'

'Dat had je gedacht,' zei ze. 'Je bent me deze avond schuldig, en bij God, ik zal die schuld innen.' Ze pakte hem bij zijn arm.

Hij rukte zich los. 'Hoe reken je dat uit?'

Ze had hem op honderd manieren kunnen antwoorden, maar die hadden allemaal te maken met haar gevoelens voor hem, en als ze hem dat nu vertelde zou ze zich blootgeven en kwetsbaar zijn. Ze koos voor het absurde. 'Omdat je me hebt overgehaald niet de kip mee te nemen op de picknick.'

Zijn blik was als een dolksteek, zo vijandig. 'Is dit jouw idee van een grap?'

Ze besloot de vraag te negeren. 'Mijn auto staat voor de deur. We kunnen naar huis rijden of lopen. Wat doe je liever?' Ze zouden er op beide manieren binnen tien minuten zijn, maar als ze gingen lopen, zou de spanning misschien iets afnemen door de lichaamsbeweging.

Mason keek naar de deur van Kevins kamer. 'Weet je zeker dat we hem alleen kunnen laten?' vroeg hij. Het was zijn eerste beleefde vraag.

'Mary is 's nachts elke keer dat Kevin in het ziekenhuis lag bij hem geweest. Ik vertrouw haar zijn leven toe. Bovendien, als er iets gebeurt – en er zal niets gebeuren – zijn we vlakbij.'

Mason lachte geringschattend. 'Vertrouwen?' spotte hij. 'Het moet prettig zijn zo over iemand te kunnen denken.'

Ze ging voor hem staan en dwong hem haar aan te kijken. 'Dat heb ik niet verdiend.'

Hij deed zijn mond open om te antwoorden, maar bedacht zich. 'Dit is niet de juiste plaats.'
Er kwam een brok in haar keel. Nu hij erin had toegestemd om mee te gaan, was ze minder overtuigd dan eerst dat het zo'n goed idee was. Het ziekenhuis was neutraal terrein. Thuis zou er geen reden zijn om te fluisteren of behoedzaam te zijn in hun woordkeus.
Het besef dat ze bang was, maakte haar nog banger. Het was verbijsterend te bedenken dat ze nog geen vier maanden geleden wanhopig naar een manier had gezocht om Mason buiten haar leven te houden, terwijl ze nu wanhopig op zoek was naar een manier om hem erin te houden.
'Nee, je hebt gelijk – dit is niet de plaats,' antwoordde ze eindelijk. Ze draaide zich om, en slaakte een zucht van verlichting toen ze hoorde dat hij haar volgde.

Omdat Mason telefonisch niet langer dan strikt noodzakelijk was onbereikbaar wilde blijven, gingen ze met Chris' auto, dus zonder lichaamsbeweging en derhalve zonder een mogelijke vermindering van de spanning tussen hen.
'Het spijt me dat ik niet de kans had je te vertellen over je moeder voor je het zelf ontdekte,' zei Chris, terwijl ze de deur openmaakte. In de zitkamer gooide ze haar tas en jasje op de dichtstbijzijnde stoel. 'Ik heb het een paar keer geprobeerd, maar je was de laatste tijd niet zo erg gemakkelijk om mee te praten.'
' "Het spijt me" is niet voldoende, Chris,' zei hij, terwijl hij langs haar heen liep om een lamp aan te doen. 'Evenmin als je poging om mij de schuld te geven. Je had genoeg kansen om me te vertellen dat mijn moeder hier geweest is, maar je verkoos het niet te doen.' Hij draaide zich met een beschuldigend gezicht naar haar om. 'Verdraaid nog aan toe, we wonen in hetzelfde huis!'
'Waarom kun je me niet gewoon geloven?'
'Waarom zou ik?'
'Omdat ik je nooit reden gegeven heb aan mijn woorden te twijfelen.'
'Voor zover ik weet.'
'Wacht eens even!' zei ze met gerechtvaardigde verontwaardiging, blij met de kans zich daardoor te kunnen vermannen. Ze had niet veel om op te steunen, dus greep ze alles aan. 'Je hebt het recht niet zoiets tegen me te zeggen, en dat weet je. Ik geef toe dat ik je waarschijnlijk had moeten vertellen dat je moeder hier geweest is, maar het leek me eerlijk gezegd niet zo slecht om haar een paar maanden de tijd te geven om het je zelf te vertellen.'
'Is dat waarom je me hier mee naartoe hebt gesleept, om me wijs te

maken dat je eigenlijk aan mijn kant staat en dat je nooit iets zou doen dat niet voor mijn bestwil was?'

Alsof hij zich plotseling uitgeput voelde, ging hij in de fauteuil naast de lamp zitten, zuchtte gefrustreerd en sloeg zijn handen voor zijn gezicht. Een paar seconden later, toen hij weer opkeek, had hij zijn masker weer voor. Zijn stem klonk toonloos en verslagen. 'Die mensen zijn er al genoeg in mijn leven, Chris. Er is geen ruimte voor nog meer.'

Ze besefte plotseling dat er iets aan de hand was met Mason waar zij geen idee van had. Op de een of andere manier, ook al stond ze er helemaal buiten, raakte het ook haar. De koude hand op haar rug gleed langs haar ruggegraat omhoog, sloot zich om haar hals en gaf haar het gevoel dat ze stikte. Hoe moest ze tegen een onbekende vijand vechten?

'Waarom ben je zo vastbesloten me weg te duwen?' vroeg ze, blindelings zoekend naar iets dat haar een aanwijzing zou kunnen geven van wat er aan de hand was.

'Dat lijkt me nogal duidelijk. Ik wil je niet. En ik heb je heel beslist niet nodig. Als je niet Kevins moeder was, zouden we nooit iets met elkaar te maken hebben gehad.'

Al haar mogelijkheden waren uitgeput. Hij wilde haar niet de tijd of de gelegenheid geven om langzaam toe te werken naar wat ze te zeggen had. 'Je liegt.'

Hij leunde achterover in zijn stoel en schudde verbaasd zijn hoofd. 'Lieve hemel, vertel me niet dat je jezelf hebt wijsgemaakt dat ik iets om je geef.'

Ze keek meer naar zijn gezicht dan dat ze naar zijn woorden luisterde. Alles wat ze wilde weten zag ze in zijn gekwelde, eenzame blik, als een kind dat zijn omgeving probeert te overtuigen dat het hem echt niet kan schelen dat hij als laatste in het team is gekozen. Zijn bijna wanhopige behoefte om zijn gevoelens te ontkennen moest haar eigen verklaring wel dreigend doen klinken. Toch speelde ze haar troefkaart uit. 'Ik hou van je, Mason.'

Hij kreunde alsof ze hem had geslagen en wendde toen zijn blik af. 'Doe me dit niet aan, Chris.'

'Het duurde heel lang voor ik besefte wat er gebeurde,' ging ze verder. Haar moed begon haar in de schoenen te zinken. 'Zo lang,' ging ze zachtjes verder, 'dat toen het eenmaal tot me doordrong ik er niets meer aan kon doen.'

Hij keek naar haar met een angstige, opgejaagde uitdrukking op zijn gezicht. 'Ik wil niet dat je van me houdt.'

'Ik ben Susan niet,' zei ze met de moed der wanhoop. Ze was te ver gegaan om nu niet alles te zeggen. 'En ik ben Diane niet. Ik ben mezelf.

Ik kan je niet beloven dat ik op een keer geen auto-ongeluk zal krijgen of dat ik niet onder het verkeerde gebouw zal staan bij een aardbeving, maar ik heb het al zevenendertig jaar volgehouden. Er is geen enkele reden om te denken dat ik er niet nog eens zevenendertig vol zal maken.'

Ze kon zich niet langer bedwingen, ze moest hem aanraken. Ze liep de kamer door en knielde voor hem neer, drong zich tussen zijn benen. 'Ik zal je niet alleen laten, Mason. Laat jij mij alsjeblieft niet alleen.'

Hij probeerde op te staan. Zachtjes raakte ze zijn armen aan en hij gaf zijn verzet op. Langzaam ging hij weer zitten. Toen hij zich afwendde strekte ze haar armen uit en legde haar handen om zijn gezicht, draaide hem om en keek hem aan. Op de een of andere manier moest ze een manier vinden om het hem duidelijk te maken. 'Ik hou van je,' herhaalde ze.

Eindelijk keek hij haar aan. 'Het spijt me, Chris, maar ik kan niet van jou houden.' Hij haalde de handen van zijn gezicht.

Voor het eerst kwam het bij haar op dat ze zich kon vergissen, dat hij echt niet van haar hield. 'Waarom niet?' vroeg ze. Er bleef haar weinig keus meer over.

'Het heeft niets met jou te maken,' zei hij. 'Maar alles met mij. Je had gelijk. Mijn liefde voor Susan en toen voor Diane heeft me veranderd, maar je vergist je als je denkt dat mijn ontmoeting met jou het weer goed zou kunnen maken. Het deel van me dat van je had kunnen houden is verdwenen, Chris. Het is lang geleden gestorven. Er is niets meer over.'

'Dat geloof ik niet.' Ze kòn het niet geloven.

Hij pakte haar armen vast en hield haar voor zich. 'Wat moet ik doen om je te overtuigen?' vroeg hij met een wanhopige klank in zijn stem.

Chris had het gevoel dat haar hart stilstond. Wat in het ziekenhuis zo eenvoudig had geleken – het idee dat ze Mason alleen maar hoefde te bekennen wat ze voor hem voelde en dat dan alles goed zou komen – bleek een Gordiaanse knoop te zijn. Ze kon opstaan en zich afkloppen en waardig weglopen – maar wat had het voor zin? Ze zou het verlies eeuwig blijven voelen.

'Vrij met me,' zei ze impulsief. 'Als je me daarna vertelt dat je nooit van me zult kunnen houden, zal ik me daarbij neerleggen.'

'Waarom doe je jezelf dit aan?' Zijn vingers drongen pijnlijk in haar armen. 'Verdomme, waar blijft je trots?'

Ze haalde haar schouders op. De tranen prikten in haar ogen. 'Ik weet het niet,' bekende ze.

Lange, gespannen ogenblikken gingen voorbij. Even had ze het gevoel dat hij haar zou loslaten, opstaan en weggaan. Maar toen hief hij zijn handen op en streek door haar haar. Hij legde ze achter haar hoofd en trok haar naar zich toe. Hij opende zijn mond, drukte hem op de hare en kuste haar of hij haar wilde verslinden.

Ze slaakte een kreet van opgekropt verlangen en perste zich tegen hem aan, alsof ze met hem wilde versmelten, of ze niet dicht genoeg bij hem kon komen.

Zijn tong zocht de hare, proefde, liefkoosde en drong toen naar binnen. Hij kuste haar ogen, haar slapen, haar keel. Ze voelde zich verschroeid door zijn brandende begeerte en liet zich meevoeren door de storm die was opgestoken door het plotselinge opgeven van zijn verzet.

Hun kleren werden een onduldbaar obstakel. Met bevende handen maakte ze zijn das los, die in de knoop raakte. Ze frommelde aan de knoopjes van zijn hemd, maar hoe ze ook haar best deed, ze wilden niet los. Ze begreep niet hoe zijn riemgesp werkte en kon hem niet open krijgen.

'Help me,' zei ze, met een stem die trilde van verlangen.

Met snelle, soepele bewegingen stond hij op en trok zijn kleren uit. Zij begon hetzelfde te doen, maar hij pakte haar handen vast. Met zijn tong likte hij over de ene palm en toen over de andere, en drukte ze tegen zijn blote borst.

'Laat mij dat doen,' zei hij. Hij pakte de zoom van haar gebreide trui en trok hem over haar hoofd, maakte toen haar beha los en liet de bandjes langs haar armen omlaagglijden. Toen de bandjes bij haar ellebogen waren, hield hij even op om het gewicht van haar borsten in zijn handen te nemen, en streek met zijn duimen over haar tepels tot ze hard waren en recht overeind stonden.

Hij legde zijn handen om haar middel en tilde haar op, bracht eerste de ene en toen de andere borst naar zijn lippen, zoog hem naar binnen en liefkoosde hem met zijn tong.

Chris sloeg haar benen om hem heen en hield haar hoofd achterover. Een kreet van intens genot ontsnapte haar. Een hete gloed ging van haar borst via haar middel naar de gevoelige plek tussen haar benen. 'Mason,' zei ze, 'ik kan niet langer wachten.'

Ze klampte zich aan hem vast toen hij haar naar zijn slaapkamer droeg. Bij het bed zette hij haar neer en deed het licht aan. 'Ik wil je zien,' zei hij in antwoord op haar vragende blik.

Zonder aarzelen trok hij de rits van haar spijkerbroek omlaag, schoof de broek over haar heupen, pakte het elastiek van haar slipje met zijn duimen vast en stroopte in eenzelfde vloeiende beweging de dunne stof naar beneden. In een intense behoefte kwam ze bijna klaar toen zijn hand omhooggleed langs de binnenkant van haar dij, zich om het donkere bosje haar spande en toen een vinger in de vochtige holte duwde.

De zijden sprei op het bed gaf een sensueel gevoel toen ze erop neervielen. Ze hadden geen tijd of geduld voor een teder, langdurig liefdesspel. Een lang ontkende, dringende behoefte leidde Mason toen hij bij haar binnenkwam.

Chris kwam hem met opgeheven heupen tegemoet, en opende haar mond voor zijn zoekende tong. Ze strengelde haar benen om de zijne, hem dwingend dieper in haar te komen, één met haar te worden. Ze kon niet genoeg van hem krijgen.

Mason riep haar naam en spande zich; ze kon voelen dat zijn climax naderde. Het was een moment waarvan ze wilde genieten, dat ze zich wilde herinneren, maar een seconde later werd ze door diezelfde draaikolk meegezogen en kon ze niet verstandelijk meer denken.

Later streelde Mason haar teder en liefdevol en mompelde zachtjes in haar oor: 'Bedankt dat je van me houdt... en bij me blijft... en sterk bent... en naar me luistert... en om me geeft.'

Toen ze weer normaal kon ademhalen, richtte Mason zich op zijn elleboog op en staarde haar aan. 'God, wat ben je mooi, Chris – nog mooier dan ik me had voorgesteld.'

Ze sperde haar ogen open. 'Hoe lang is dat al aan de gang?'

Een trage, verleidelijke lach verspreidde zich over zijn gezicht. 'Eerlijk?'

'Natuurlijk,' antwoordde ze, terwijl ze haar rug welfde zodat haar borsten tegen het haar rond zijn tepels drukten. Ze wilde hem aanraken, zijn warmte voelen.

'Bijna vanaf het begin.'

Ze ging achteroverliggen op de zachte zijden sprei en maakte een grimas. 'Met andere woorden, begeerte had niets te maken met aardig vinden.'

Hij grinnikte toen hij zich samen met haar liet omrollen. 'Blijkbaar zijn sommige delen van me slimmer dan andere.'

Even had ze het idee dat ze droomde, dat wat er net tussen hen gebeurd was te perfect, te mooi was om waar te zijn. De plotselinge paniek moest in haar ogen te zien zijn, want Mason pakte haar hand, legde hem op zijn borst, op de plaats waar zijn hart klopte, en zei: 'Ik ben echt, en ik ben hier – en ik ben van plan hier eeuwig te blijven.'

'Ik hou van je,' zei ze.

Hij kuste haar. 'Na de manier waarop ik je behandeld heb, begrijp ik niet waarom je van me zou houden.'

Ze nestelde zich dichter tegen hem aan. 'Hmm,' mompelde ze peinzend, 'Als ik er goed over nadenk, ik ook niet.'

Hij liet zich niet van de wijs brengen. 'In het vliegtuig naar huis besloot ik dat we er een eind aan moesten maken.'

'Omdat ik je niet verteld had dat je moeder hier was geweest?'

'Nee. Omdat het me bang maakte dat ik zoveel om je gaf.' Hij trok haar dichter tegen zich aan en gaf haar een zoen op haar slaap. 'Ik ben een lafaard als het om mijn gevoelens voor jou gaat, Chris. Goddank heb je me niet weg laten lopen.'

'Als je dat had gedaan, zou ik je achterna zijn gegaan.'

Hij legde zijn handen om haar gezicht en kuste haar. 'Vraag me iets,' zei hij. 'Ik wil je de hele wereld geven.'

'Ik heb al alles wat ik wil.'

'Verzin dan iets.'

Ze moest lachen om zijn verlangen haar een plezier te doen. Hoe had ze zichzelf ervan weten te overtuigen dat haar leven compleet was, dat ze alles had wat ze wilde, zonder hem? 'Ik wil je leren kennen,' zei ze ten slotte. 'Je echt leren kennen. Dingen zoals het kind dat je was en naar welke scholen je bent geweest en of je ooit aan sport hebt gedaan. Ik weet niet eens of je van aubergines houdt of volkorenbrood of pompoentaart – ik maak een heel lekkere pompoentaart, vraag maar aan Kevin.'

En ze wilde dat hij haar zou vertellen over Susan en het jaar dat dat hij met Diane had doorgebracht, maar niet nu. Dat kwam allemaal later wel, als het verleden gemakkelijker werd gemaakt door de toekomst die ze samen zouden delen.

Hij pakte haar linkerhand en bestudeerde die. 'Als ik beloof dat ik al je vragen zal beantwoorden, mag ik dan een trouwring voor je kopen?'

'Als hij niet te opzichtig is.' Ze grinnikte. 'Niet meer dan vijf karaat.'

Hij lachte. 'Ik dacht meer in de richting van een mooie, gladde gouden ring.'

Het zou lukken. Ze zouden gelukkig worden, ze wist het zeker. Chris voelde zich zo gelukkig, dat het haar bijna de adem benam. 'Je zei dat je iets van me wilde,' herinnerde ze zich plotseling.

'Ik –'

'In het ziekenhuis zei je dat je met me mee zou gaan omdat ik iets had dat jij wilde hebben.'

Hij aarzelde. 'Het betreft Kevin.'

'Wat is er met hem?'

'Ik was kwaad, Chris.'

'Dat weet ik nog, ja.'

Weer aarzelde hij. 'Ik wilde dat je me de jaren zou geven die ik met hem gemist heb.'

Hoewel het duidelijk was dat hij haar geen verdriet wilde doen, lag er zo'n triest gevoel van gemis in zijn stem dat het onmogelijk was zijn verdriet niet te voelen. Ze dacht lang na over wat hij gevraagd had en toen, nadat ze hem verteld had dat ze direct terugkwam, stond ze op, pakte zijn kamerjas uit de kast en ging weg. Nog geen minuut later kwam ze terug en overhandigde hem een dik, in leer gebonden aantekenboek.

'Wat is dat?' vroeg hij, het van haar aannemend.

'Het dagboek dat ik ben begonnen op de dag na Kevins geboorte.' Ze ging op bed zitten en stopte haar benen onder zich. 'Je zult er een paar dingen in lezen die je niet erg zullen bevallen. Ik ben bang dat ik toen niet al te mild over je dacht.'

Hij legde het dagboek op het tafeltje en strekte zijn handen naar haar uit. 'Ik hou van je,' zei hij, en kuste haar.

Deze keer vrijden ze in een verrukkelijk traag tempo; het hield zowel een belofte in als een verbintenis. Chris dacht dat ze voor iemand die zelfs nog nooit een lot in de loterij had gekocht, op een of andere manier de hoofdprijs had gewonnen.

Hoofdstuk achtendertig

Mason legde stilletjes Chris' dagboek terug op het tafeltje en stapte voorzichtig uit bed. Om te voorkomen dat ze wakker werd door het verlies van zijn lichaamswarmte, stopte hij de deken zorgvuldig in. Ze had hardnekkig beweerd dat ze helemaal geen slaap had en alleen haar ogen even wilde sluiten voor ze zich zouden aankleden en teruggaan naar het ziekenhuis, maar dat was een uur geleden.

Luisterend naar haar zachte ademhaling, had Mason het dagboek gelezen en Kevins eerste jaar beleefd, gezien door Chris' ogen. Het was ontnuchterend geweest, het had hem inzicht gegeven in de overwinningen en tegenslagen die beiden elke dag opnieuw beleefd hadden.

Langer dan zes maanden had Chris haar geluk afgemeten aan de vraag of Kevin al dan niet in gewicht was toegenomen. Zelfs acht of tien gram was al genoeg geweest om haar weer hoop te geven. En toen kwam het moment, na Kevins tweede operatie, toen hij vier maanden oud was en nog geen viereneenhalf pond woog en elke dag minder ging wegen. Uit elke pagina sprak Chris' wanhoop.

Toen haar verdriet zo groot werd dat Mason het niet meer kon verdragen, was hij gaan bladeren, zoekend naar de tijd waarop er weer vreugde zou zijn over Kevins vooruitgang. Zodra hij besefte wat hij deed, dwong hij zich om weer terug te gaan en elk woord te lezen dat ze had geschreven. Hij kon toch niet anders? Als zij het had doorgemaakt, kon hij er toch zeker over lezen.

De beste momenten waren de historische dagen waarop er, schijnbaar van de ene dag op de andere, hoopjes vet zo groot als een erwt in zijn wangetjes waren verschenen, waarop hij voor het eerst lachte, zijn eerste kirrende geluiden maakte.

Het dagboek bevatte herinneringen aan Thanksgiving, toen Chris plaatjes van Pilgrims en dikke kalkoenen op Kevins isoleercouveuse had geplakt. Toen kwam Kerstmis, en het miniatuurkerstboompje dat Chris boven op Kevins hartmonitor had geplaatst. Een van de verpleegsters had een kous met Kevins naam erop onder het boompje gehangen. Op kerstavond was de kous zwaar van alle cadeautjes die de verpleegsters erin hadden gestopt. Op oudejaarsavond hadden de zusters die dienst hadden op de intensive care flessen cider opengetrokken en hadden ze met kartonnen bekertjes geproost voordat ze terugkeerden naar hun tere, kleine patiëntjes. Chris bracht de laatste dag van het oude jaar en het eerste van het nieuwe op dezelfde manier door – zittend in een schommelstoel met Kevin in haar armen.

Nergens in het dagboek las Mason ook maar iets dat Chris zich de emotionele uitlaat had gegund om neer te schrijven wat haar grootste angst moest zijn geweest – dat Kevin niet in leven zou blijven. Het leek bijna alsof het feit dat het zwart op wit zou staan het op een of andere manier werkelijkheid zou maken. Maar de angst was tussen de regels door te lezen.

Wat Chris had meegemaakt met Kevin was een echo van wat Mason met Susan had beleefd. Hij wist wat het was om te moeten leven met hoop en wanhoop, als verschillende kanten van dezelfde munt.

Een verkillende, verontrustende gedachte kwam bij hem op. Wat als Dianes brief eens niet was zoekgeraakt? Als hij eens aan Kevins bed had moeten zitten? Zou hij het hebben volgehouden, had hij kunnen doorstaan wat Chris had doorstaan?

Goddank waren dat vragen die hij nooit zou hoeven te beantwoorden.

Plotseling overweldigd door zijn behoefte om zijn zoon te zien, kleedde Mason zich snel aan. Voor hij wegging schreef hij Chris een briefje, waarin hij haar vertelde dat hij niet kon slapen en zij wel, en dat het dus logischer was dat hij Mary ging aflossen. Toen hij 'Ik hou van je' onder aan het briefje schreef, liep er een rilling van blijdschap over zijn rug.

Toen hij het briefje op het kussen naast Chris had gelegd, bleef hij even staan om haar rustig op te nemen. Het was of hij de afgelopen zes jaar buiten voor een hek had gestaan, met zijn handen om de spijlen geklemd, starend naar de mensen binnen. Al verlangde hij er nog zo naar erbij te zijn, hij kon zichzelf er niet toe krijgen het hek te openen en deel te worden van de wereld die zij bewoonden, want ondanks al het geluk dat hij daar zag, bespeurde hij ook de mogelijkheid van nieuw verdriet.

En toen was Chris in zijn leven gekomen. Zonder naar zijn protesten te luisteren had ze het hek opengegooid en hem naar binnen getrokken. En pas toen hij over de drempel was, had hij beseft dat hij niet aan de buitenkant had gestaan en naar binnen had gekeken; hij had in een zelfgebouwde gevangenis gezeten.

En nu was hij vrij.

Mason deed de deur van Kevins kamer open en keek naar binnen, in de verwachting Mary te zien. Hij keek verbaasd op toen hij een knappe, donkerharige vrouw met een albasten huid zag die gezellig zat te praten met het jongetje in het bed.

'Papa!' riep Kevin enthousiast toen hij Mason zag.

'Het is midden in de nacht,' zei hij berispend en lachend. 'Je hoort te slapen.'

De vrouw stond op en stak haar hand uit. 'Hallo, ik ben Heather Landry. En u bent –'

'Mason Winter,' vulde hij aan.

'Hij is mijn papa,' jubelde Kevin trots.

Heather lachte en woelde door Kevins haar. 'Zoiets had ik al begrepen.'

'Waar is Mary?' vroeg Mason.

'Ze is naar de cafetaria om een kop koffie te gaan drinken. Ze kan elk moment terugkomen.'

'Heather Landry...' zei Mason peinzend.

'Ik was een van Kevins eerste verpleegsters toen hij nog een baby was,' zei ze. 'Mijn dienst zat er net op toen ik hoorde dat hij was opgenomen. Geen twintig paarden hadden me kunnen tegenhouden.'

'Natuurlijk.' Geen wonder dat haar naam hem zo bekend voorkwam. Nog geen uur geleden had hij die in Chris' dagboek gelezen. 'Ik weet dat het laat is, maar ik ben net tot het inzicht gekomen hoe dankbaar ik u en alle andere verpleegsters moet zijn die voor Kevin gezorgd hebben. Chris is ervan overtuigd dat hij het gehaald heeft dankzij alle speciale aandacht die u hem gaf.'

Ze lachte. 'Als ik zie wat een vrolijk jongetje hij is geworden is dat alle dank die elk van ons nodig heeft. We houden van verhalen met een goede afloop, meneer Winter. Die houden ons op de been.' Haar stem werd zachter toen haar blik van Mason naar Kevin ging. 'Bovendien geloof ik persoonlijk dat het de uren waren die Chris aan Kevins bed heeft doorgebracht, en hem vertelde over alles wat op hem wachtte als hij thuiskwam – de vlinders en regenbogen en ijsjes – dat gaf de doorslag.'

Chris had in het dagboek geschreven over de beloften die ze Kevin had gedaan om hem de wolken en sneeuwvlokken te laten zien en alle wonderen van de wereld buiten zijn couveuse.

'Zeg alsjeblieft Mason,' zei hij tegen de verpleegster.

'Kijk eens wat Heather voor me heeft meegebracht,' zei Kevin, en liet een paar boeken zien.

Heather haalde haar schouders op toen ze Masons dankbare blik zag. 'In de afgelopen drie jaar dat ik Kevin heb gezien, is er geen moment geweest dat hij geen boek in zijn hand had. Dus ben ik maar naar een boekenmarkt gegaan die de hele nacht open is, voor ik hem kwam opzoeken.'

Ze trok de la van het tafeltje naast het bed open en haalde haar tas eruit. 'Ik moet ervandoor. As mijn man wakker wordt voor ik thuiskom, vraagt hij zich af wat er met me gebeurd is.'

'Kom je morgen terug?' vroeg Kevin.

Ze bukte zich en gaf hem een zoen op zijn hoofd. 'Reken maar.'

'Dank je,' zei Mason, dolblij dat hij op tijd was gekomen om Heather te leren kennen en weer een glimp te kunnen opvangen van de eerste levensjaren van zijn zoon.

'Graag gedaan.' Ze wuifde even naar Kevin terwijl ze de deur uitliep.

Mary kwam vijf minuten nadat Heather weg was binnen. Ze zag Mason en keek toen om zich heen. 'Waar is Chris?'

'Die heb ik thuis achtergelaten. Slapend.'

Ze liep de kamer door. 'Koffie?' vroeg ze, hem een schuimplastic beker aanbiedend.

'Nee, dank je,' zei Mason.

'Heather weg?' vroeg Mary vriendelijk, terwijl ze het dekseltje van de beker wrikte.

Mason moest lachen om de dans op armlengte afstand die hij en Mary uitvoerden. Ze kende hem niet goed genoeg om rechtstreeks te vragen wat er tussen hem en Chris gebeurd was, maar ze brandde kennelijk van nieuwsgierigheid. 'Ze wilde naar huis voordat haar man zich ongerust zou maken.'

Mary nam een slokje koffie. Ze trok een vies gezicht bij de smaak ervan, liep naar de wasbak en goot de rest weg. Ze spoelde de bak schoon en slenterde naar Kevins bed. Een paar seconden gingen zwijgend voorbij; zij schuifelde met haar voeten, Mason keek naar haar, Kevin las zijn boek.

Eindelijk haalde Mary diep adem en liet die als een zucht ontsnappen. 'En, zijn jij en Chris het eindelijk eens geworden of moet ik jullie tweeën opsluiten tot het zover is?'

Toen Mason zijn eerste schok over haar openhartigheid had verwerkt, lachte hij hardop. 'Laten we zeggen dat je geen hangslot nodig hebt.'

'Wauw, het werd tijd.'

'Ik neem aan dat dat betekent dat het je goedkeuring kan wegdragen?'

Ze trok haar wenkbrauwen op. 'Kan het je iets schelen?'

Daar had hij eigenlijk niet over nagedacht. 'Ik geloof van wel,' bekende hij. 'Jij en John zijn de familie van Chris en Kevin. Het zou het voor hen een stuk gemakkelijker maken als jij me accepteerde.'

'Tante Mary vindt je aardig, papa,' zei Kevin, opkijkend van zijn boek. 'Oom John ook. Dat heeft Tracy me verteld.'

Mary lachte. 'Je hoort het.' Ze pakte haar jasje van het lege bed tegenover dat van Kevin, bukte zich en gaf hem een zoen. 'Ik ga ervandoor.'

Ze was halverwege de deur toen Mason haar staande hield. 'Mary?'

'Ja?'

'Bedankt.' Hij scheen dat de laatste tijd vaak te zeggen. 'Voor alles.'

Ze maakte een achteloos, afwimpelend gebaar. 'Waar is familie anders voor?'

Toen ze weg was ging Mason op de rand van Kevins bed zitten en sloeg zijn hand om zijn onder de deken uitstekende voetje. 'Het is midden in de nacht. Hoor je niet te slapen?'

'De zuster heeft me wakker gemaakt om me een pil te geven.'

'Hoe voel je je?'

Hij deed zijn boek dicht en legde het op het bed naast hem. 'Oké.'

'Geef je nog steeds over?'

'Eh-eh. Ze hebben me wat gegeven zodat ik het niet meer doe.'

Een paar seconden bleef het stil. 'Ik wil je iets zeggen dat ik je maanden geleden had moeten zeggen, Kevin,' zei Mason. Hij zweeg even en schraapte zijn keel. Al wist hij niet zeker waarom het zo moeilijk voor hem was de woorden hardop te zeggen, hij veronderstelde dat het kwam door zijn verhouding met zijn eigen vader. Reden te meer om alle obstakels te overwinnen die hem hadden belet Kevin te vertellen wat hij voor hem voelde. 'Ik hou van je.'

'Dat weet ik,' zei Kevin vlot. 'Ik hou ook van jou.'

Mason glimlachte en schudde verbaasd zijn hoofd. Het deed hem oneindig veel plezier dat Kevin liefde even gemakkelijk in ontvangst nam als hij het gaf. 'Hoe weet je dat?'

Kevin keek hem verbaasd aan. 'Dat horen papa's te doen.'

Mason kneep even in Kevins voet. 'Je hebt volkomen gelijk. Weet je wat papa's nog meer doen?'

'Wat dan?'

'Ze zorgen dat hun zoontjes een hoop slaap krijgen, zodat ze snel beter worden.'

'O, papa.'

'Goed dan,' zei hij, onmiddellijk toegevend. 'Eén verhaaltje, en dan gaat het licht uit.' Hij trok zijn jasje uit en hing het over de rugleuning van de stoel.

'Mary zei dat ze er twee zou voorlezen.'

Mason keek naar Kevin en wenkte hem een eindje op te schuiven zodat hij naast hem kon zitten. Hij zou Kevin zijn eigen pretpark hebben gegeven als hij daarom gevraagd had. 'Goed,' zei hij. Hij deed zijn best om het streng te zeggen, maar dat lukte niet. 'Twee verhaaltjes, maar niet één bladzij meer.'

Mason ging op het bed zitten en Kevin nestelde zich tegen hem aan. Toen Mason merkte dat het dezelfde kant was waar Chris zich nog geen uur geleden tegenaan had gedrukt, fantaseerde hij over de dag waarop ze gedrieën naast elkaar in bed zouden zitten en de zondagskrant zouden lezen.

Een heerlijk gevoel van tevredenheid ging door hem heen. In de afgelopen zes jaar was er een enkele keer geweest dat hij zich heimelijk had toegestaan weer te dromen hoe het zou zijn als hij een eigen gezin zou hebben. Niet één keer was de droom zelfs maar in de buurt van de werkelijkheid gekomen.

Hoofdstuk negenendertig

Een vreemd gevoel dat hij werd gadegeslagen wekte Mason uit een diepe slaap. Onwillig om afstand te doen van de droom waarin Chris hem omarmde en hem vertelde dat ze van hem hield, weigerde hij zijn ogen open te doen en een eind te maken aan die droom. Maar toen hij zich steeds bewuster werd van de werkelijkheid herinnerde hij zich dat het geen droom was.

Chris had hem verteld dat ze van hem hield.

Zijn ogen gingen open en hij ontdekte dat het Chris was die hem glimlachend aankeek.

'Je boft dat je de enige hebt uitgezocht om samen mee te gaan slapen – behalve mij natuurlijk – die ik kan goedkeuren.' Ze sprak zachtjes om Kevin niet wakker te maken.

Mason maakte zich los uit de omstrengeling met zijn zoon, stond op en nam Chris in zijn armen. 'Goedemorgen,' zei hij, en gaf haar een zoen die geen enkele twijfel liet dat hij geloofde wat hij zei.

Ze sloeg haar armen om zijn hals. 'O, dat is het zeker,' mompelde ze en beantwoordde zijn kus. 'Bedankt dat je me hebt laten slapen.'

Mason verstarde. 'Hoe laat is het?'

Chris leunde achterover in zijn armen en keek naar hem op. 'Half-acht,' zei ze argwanend. 'Waarom?'

'Ik moet naar kantoor,' zei hij gehaast en pakte zijn jasje van een stoel. Hij gaf haar nog een zoen, maar deze keer haastig. 'Het spijt me dat ik zo hals over kop wegga, maar ik moet vanmorgen een paar dingen doen die niet kunnen wachten.'

'Het geeft niet, Mason,' zei ze. 'Ik begrijp het.'

Blijkbaar begreep ze het niet. Hoe zou ze ook? Maar verbluffend genoeg gaf ze hem het voordeel van de twijfel. 'Zodra deze speciale kwestie is afgehandeld, ben ik er voor je,' zei hij. Hij had al te lang gewacht op het geschenk dat zij en Kevin hem hadden gegeven. Hij wilde het niet verknoeien. 'Ik zal het je later uitleggen – ik beloof het je.'

Chris omvatte zijn gezicht met haar beide handen. 'Je hoeft me niets uit te leggen. Ik weet dat als het niet iets heel dringends was wat je moet doen, je vandaag bij ons zou zijn.'

Hij drukte haar dicht tegen zich aan. 'Ik hou van je,' fluisterde hij in haar oor, en wenste dat die woorden alleen voor hen waren en dat ze net zo nieuw en uniek waren als zijn gevoelens voor haar.

'Bel me als je de kans krijgt. Ik ben de hele dag hier.'

'Zeg tegen Kevin dat ik zo gauw mogelijk terugkom.' Met tegenzin liet hij haar los. Hij trok zijn jasje aan, wilde weggaan, maar draaide zich toen weer om. 'Chris, het spijt me echt. Ik zou niet weggaan als –'

'Niet zeggen, Mason,' drong ze aan. 'Als je het uitlegt of je verontschuldigt, ontneem je me de gelegenheid om je te tonen hoe ik je vertrouw en in je geloof. Doe wat je doen moet en kom zo gauw je kunt terug.'

Ze had hem het mooiste geschenk gegeven dat hij ooit had gekregen. Hij vertrouwde zijn stem niet, dus knikte hij slechts en ging weg. Op het parkeerterrein liep hij te fluiten. Toen hij besefte dat het geluid echt uit zijn eigen mond kwam, hield hij plotseling stil.

Hij had niet meer gefloten sinds hij een kind was – toen hij nog in een happy end geloofde.

Zodra hij achter zijn bureau zat belde hij Rebecca's assistent, met het verzoek haar te vragen op zijn kantoor te komen zodra ze binnenkwam. Nog geen halfuur later stond ze op de drempel van zijn kamer.

'Hoe gaat het met Kevin?' vroeg ze.

'Goed,' antwoordde Mason. 'De dokter is vanmorgen vroeg geweest en zei dat als hij zo goed vooruit blijft gaan, hij waarschijnlijk morgen naar huis mag.'

'Ik ben je een excuus schuldig dat ik je zo de stuipen op het lijf heb gejaagd, Mason. Ik had eerst bij Chris moeten informeren voor ik je in Santa Barbara belde, maar ik was zelf volkomen van de kaart toen ik hoorde dat Kevin in het ziekenhuis lag.'

'Vergeet het.' Hij dacht aan het eindresultaat van haar telefoontje en grinnikte. 'Weet je veel. Misschien was het wel mijn tumultueuze entree die Chris over de streep bracht.'

Rebecca trok haar wenkbrauwen op. 'Wat bedoel je daarmee?'

Hij schoof zijn stoel achteruit en zei glimlachend: 'Laten we alleen maar zeggen dat je preken dat ik de grootste klootzak ter wereld ben niet meer nodig zijn.'

'Verrek,' zei ze goedkeurend. 'Het zal tijd worden.'

'Ik geef het niet graag toe, maar alweer, je hebt gelijk.'

Ze nam hem aandachtig op. 'Ik vind het heerlijk om je lofzang aan te horen, maar mijn antenne pikt een signaal op dat zegt dat er nog een andere reden is waarom je me vanmorgen wilde spreken.'

Hij haakte er onmiddellijk op in. 'Ik zou graag willen dat je een manier vindt om aan Ferguson en Pendry de informatie te laten uitlekken dat Donaldson aan Southwest heeft verkocht. Vergeet niet de premie van vijfentwintig procent te vermelden die hij heeft gekregen, en zorg er ten koste van alles voor dat niemand vermoedt dat het lek bij ons vandaan komt.'

Haar mond viel open. 'Ik snap het niet. Wil je dat Ferguson en Pendry contact zoeken met Southwest?'

'Hoe eerder, hoe beter.'

'Maar als Southwest hun hetzelfde aanbod doet, zullen ze verkopen. Ze zouden gek zijn als ze het niet deden.'

'Precies. Daar reken ik op.'

Ze schudde haar hoofd alsof ze de spinnewebben wilde verjagen. 'Sorry, Mason, maar je zult het me moeten uitleggen. Ik ga er gewoonlijk prat op dat ik je bij kan houden, maar deze keer loop ik toch achter. Gisteren was je bereid uit eigen middelen dat stuk land te kopen, en nu doe je alles wat je kunt om ervoor te zorgen dat het naar Southwest gaat.'

'Ik heb er zelf lang over gedaan voor het tot me doordrong,' gaf hij toe, terwijl hij haar wenkte aan de andere kant van het bureau te gaan zitten. 'Toen ik mezelf dwong dit zonder emoties te bekijken, besefte ik dat jij en Travis gelijk hadden. Mijn plan om werkkapitaal vast te leggen in dat grondbezit was krankzinnig. Ik was bereid miljoenen te besteden aan land dat niemand wilde hebben, alleen omdat ik de hete adem van mijn vader in mijn nek voelde.' Hij grinnikte. 'Op dat moment drong het tot me door. Als het bezit van dat land aan de rivier voor mij een financieel blok aan het been was, dan –'

'Is het dat ook voor Southwest,' maakte ze zijn zin af. Het begon haar te dagen.

'Winter Construction zou nog kunnen blijven functioneren, al was het minder goed, na dergelijke uitgaven.'

'Maar Southwest niet. Tenminste niet lang,' zei Rebecca met een enthousiaste klank in haar stem. 'Als het grootste deel van hun werkkapitaal vastligt in land waarvoor geen bank bereid is enig risico te nemen, zullen ze daar geen flat kunnen bouwen.'

'Mijn vader heeft de indruk – die ik niet heb geprobeerd te veranderen, mag ik er wel aan toevoegen – dat ik zo verzot erop ben dat droomproject van me uit te voeren dat ik bereid ben elke prijs te betalen om dat land van hem terug te kopen.'

'En daarin vergist hij zich?' vroeg Rebecca aarzelend.

'Ik mag er dan verzot op zijn, ik ben niet stom. Ik zou een directe koop met eigen geld nooit hebben doorgezet.' Mason lachte. 'Vooral niet als er een betere manier is om te krijgen wat ik wil.'

'O?'

'Denk eens na. Het ligt zo voor de hand dat het bijna lachwekkend is. Ik hoef maar rustig af te wachten tot mijn vader en broer bij me komen. Als ze eenmaal beseffen dat ik niet aan het eind van hun touw bungel, zullen ze proberen het land op een andere manier kwijt te raken. Ze zullen het nooit kunnen verkopen voor een prijs die zelfs maar in de buurt komt van wat zij ervoor hebben betaald – niemand behalve ik heeft er ook maar enige belangstelling voor, en het was al veel te hoog geprijsd voordat ik eraan te pas kwam.'

Hij rekte zich loom uit, alsof hij geen zorg ter wereld had. 'Zoals ik het zie, komt Southwest naar mij toe en verkoopt het land aan mij op mijn voorwaarden, of ze gaan failliet door gebrek aan contant geld.'

'Het is een prachtig voorbeeld van perfecte rechtvaardigheid.'

Hij boog zich naar voren en sloeg zijn handen ineen. Toen zei hij: 'Maar het lukt alleen als ze toehappen wat de grondstukken van Ferguson en Pendry betreft.'

Ze stond met een ondeugend lachje op. 'Laat dat maar aan mij over.' Ze was al halverwege de deur uit, toen haar plotseling iets te binnen schoot. Toen ze zich omdraaide was haar glimlach verdwenen. Ze wilde iets zeggen, aarzelde en vroeg toen met tegenzin: 'Heb je al met Travis gesproken?'

Hij had moeten weten dat ze bijna even snel als hij erachter was gekomen wie de informatie aan Southwest had doorgegeven. 'Nee, nog niet.'

'Blijf kalm, Mason. Ik weet zeker dat hij een goede verklaring heeft.'

Zijn enthousiasme was verdwenen. 'Ik wou dat ik daar zo zeker van was,' mompelde hij.

Een uur later was Mason nog steeds bezig het onvermijdelijke uit te stellen, wat niets voor hem was. Hij had Kelly Whitefield gebeld en een vroege lunchafspraak met haar gemaakt.

Eindelijk kon hij het niet langer uitstellen. Hij zat met de telefoon in zijn hand toen Travis in de deuropening verscheen.

'We moeten praten,' zei Travis. Met gebogen hoofd kwam hij binnen en deed de deur achter zich dicht.

Mason keek op en hield verbijsterd zijn adem in. Travis zag er zeker tien jaar ouder uit dan de vorige dag. De scherpe kantjes van Masons woede verdwenen onder een golf van bezorgdheid. 'Ja,' zei hij, 'dat geloof ik ook.'

'Ik moet je iets vertellen, en ik wil niet dat je me in de rede valt of probeert me te laten ophouden voor ik klaar ben.'

Mason legde de pen die hij had gebruikt neer en vouwde zijn handen. 'Goed. Dat ben ik je, geloof ik, wel schuldig.'

Travis streek nerveus door zijn haar. 'Ik was het,' begon hij, zonder op Masons opmerking in te gaan. 'Ik ben degene die je vader heeft verteld over het waterkantproject.'

Hoewel Mason dat zelf al uitgepuzzeld had, was het of hij opnieuw een klap met een hamer kreeg toen hij het hem hoorde zeggen. Waarom, nadat Travis al die jaren geleden alles had geriskeerd door zijn baan bij Southwest op te zeggen en in zee te gaan met een knaap die net van de universiteit kwam, had hij zich uiteindelijk tegen hem gekeerd? Mason had het zich al honderd keer afgevraagd en had nog steeds geen plausibel antwoord gevonden.

'Je maakte me echt bang in dit geval, Mason. Hoe ik ook praatte en hoeveel berekeningen ik ook voor je maakte, je wilde de harde feiten van dat waterkantproject niet onder ogen zien. Hoe meer je erbij betrokken raakte, hoe meer het zich uitbreidde, tot je met het krankzinnige idee kwam dat je een stad in een stad wilde bouwen. Telkens als je er weer een nieuw gebouw of recreatiecentrum aan toevoegde, werd de kans groter dat je onder het gewicht ervan zou worden begraven.' Hij stopte zijn handen in zijn zakken en haalde hulpeloos zijn schouders op. 'Ik kon niets zeggen of doen om het je ook maar iets kalmer aan te laten doen.

'Ik kon niet rustig toekijken hoe je jezelf te gronde richtte. Vooral niet als ik eraan dacht hoe je vader zich zou verkneukelen.'

Hemel, kon het werkelijk zo simpel zijn? Was het alleen maar Travis' bedoeling geweest Mason tegen zichzelf te beschermen? 'Dus ben je naar hem toegegaan?' vroeg Mason verward.

'Naar wie kon ik anders gaan? De bouwers hier in de buurt zouden me hebben uitgelachen of me krankzinnig laten verklaren.' Er verscheen een blik van intense woede in zijn ogen. 'Via een vriend van me hoorde ik dat Southwest zijn terrein wilde uitbreiden. Daar Sacramento de meest gewilde markt is in het land, leek het logisch dat ze hier zouden komen. Ik wist dat je ouwe heer elke kans zou aangrijpen om je op je eigen terrein te overtroeven, en als hij een manier kon vinden om je in een hoek te drijven, zou hij zich die kans niet laten ontgaan.'

Travis had volkomen gelijk wat dat laatste betrof. De herinnering aan Stuart Winters triomfantelijke grijns zou Mason de rest van zijn leven bijblijven.

'Alleen geloofde ik geen moment dat hij niet zou doorzetten en zijn stempel zou willen drukken op wat jij had gepland, om je dat onder je neus te wrijven. Maar hij was me te slim af. Hij wilde dat waterkantproject helemaal niet bouwen. Hij zocht alleen maar een manier om jou op je knieën naar zich toe te laten kruipen, en hij dacht dat de beste manier zou zijn als hij iets had dat jij wilde hebben.'

'Hoe lang heb je erover gedaan om dat allemaal te ontdekken?' vroeg Mason.

'Hij heeft het me gisteravond zo ongeveer zelf verteld.'

Masons hart ging sneller kloppen. Hij was bijna bang om de volgende vraag te stellen. 'Heb je iets tegen hem gezegd dat je naar mij toe zou gaan met die informatie?'

'Nee. Hij zou me toch niet geloofd hebben als ik dat had gezegd. Hij denkt dat hij me te grazen heeft en dat ik niets zal doen wat hij niet eerst heeft goedgekeurd.'

Mason slaakte in stilte een zucht van opluchting. Er was nog steeds een kans dat zijn plan zou lukken. Southwest had meer grondstukken nodig om hem effectief te beletten te bouwen. Hij kon nu alleen maar afwachten of ze in het aas zouden happen. 'Doe absoluut niets om hem van gedachten te laten veranderen.'

Travis had even nodig om die opmerking te laten bezinken. Toen nam Travis Mason met samengeknepen ogen op. 'Je wist het al, hè?'

'Niet alles.'

'Wat verwachtte je dat ik zou invullen?'

'Het "waarom".'

Travis sloeg zijn ogen neer, alsof wat hij Mason te vertellen had te pijnlijk was voor oogcontact. Zijn stem haperde toen hij zei: 'Je moet je wel ellendig hebben gevoeld toen het tot je doordrong.'

'Laten we zeggen dat ik me weleens beter heb gevoeld.'

'En nu?'

Mason wist zelf niet goed wat hij voelde. Woede en droefheid en een afschuwelijk gevoel van verlies, maar ook hoop. 'Ik weet het niet,' zei hij ten slotte. 'Ik heb tijd nodig om erover na te denken.'

Travis knikte. 'Als je besluit dat je me niet meer om je heen wilt hebben, begrijp ik dat.'

'Ik wilde dat ik kon zeggen dat die mogelijkheid uitgesloten is.'

'Het is oké, Mason.'

De afgelopen veertien jaar had Masons wereld uit zwart en wit bestaan. Iets was goed of verkeerd. Toen waren Chris en Kevin in zijn leven gekomen en hadden zijn ogen geopend voor de schoonheid van het grijs. Terwijl ja en nee nog steeds goede antwoorden waren, had 'misschien' een betekenis gekregen die hij vroeger onmogelijk had gevonden. Hoe kon hij alles wat hij en Travis samen hadden doorgemaakt opzij schuiven, vanwege een misplaatste behoefte om Mason te beschermen? Maar zouden ze ooit terug kunnen krijgen wat ze vroeger gehad hadden? Was een volledige breuk niet beter, zodat beiden verder konden gaan met hun leven?

'Ik weet het gewoon niet, Travis,' zei Mason, uit de grond van zijn hart wensend dat hij een antwoord had.

Travis knikte. 'Ik denk niet dat ik het recht heb van je te verwachten dat je er anders over zou denken.'

Mason sloeg zijn handen ineen en staarde hem een paar seconden aan. Toen zei hij: 'Er is nog iets, Travis.' Omdat hij geen vriendelijke manier wist om het te vragen, flapte hij het eruit. 'Hoe lang heb je de details van mijn privé-leven doorgegeven aan mijn moeder?'

Travis kwam met een ruk overeind. Zijn rug was kaarsrecht en zo hard als staal. 'Dat is iets tussen haar en mij.'

'Niet als ik degene ben over wie gesproken wordt.'

Travis dacht erover na en gaf toen met tegenzin toe. 'We hebben regelmatig contact gehad sinds de dag toen ze twaalf jaar geleden in de trailer op de bouwplaats kwam en jij haar de rug toekeerde,' zei hij verdedigend. 'Ze is een prachtvrouw, en ze verdiende niet wat jij en Stuart haar hebben aangedaan. Misschien, nu je Kevin hebt, begrijp je iets beter hoe ze zich gevoeld moet hebben toen ze haar kind verloor, en zul je het over je hart kunnen verkrijgen haar nu en dan eens op te bellen.'

'Je had iets kunnen zeggen.'

'O, ja? Zou ik daar iets mee zijn opgeschoten?'

Op een perverse manier vond Mason het prettig te weten hoever Iris gegaan was om zelfs maar een heel ijl contact met haar zoon te bewaren. 'Hoe vaak heeft ze gebeld?'

Travis knipperde verbaasd met zijn ogen. 'Eén, misschien twee keer per maand,' antwoordde hij met duidelijke verwarring. 'Ze zou me vaker gebeld hebben, maar ik kon haar nooit aan het verstand brengen dat ze me niet lastig viel.'

'Wat voor soort vragen stelde ze?'

'Hoe je je voelde, of je met aardige vrouwen uitging, wat voor soort –' Hij zweeg en kneep kwaad zijn ogen samen. 'Je denkt toch zeker niet dat ze Stuart al die tijd inlichtingen heeft gegeven, hè?'

Wat was er toch met hem, dat hij een reden zocht om haar te wantrouwen? 'Het is een mogelijkheid.'

'In geen miljoen jaar, en je bent een schoft als je dat denkt.' Travis liet verslagen zijn schouders hangen. 'Het heeft geen zin om er met je over te praten. Je schept wolken in een blauwe lucht, alleen omdat jij ze daar wilt hebben.' Hij draaide zich om. 'Bel me als je besloten hebt wat je aan dat andere geval wilt doen. Ik ben bij het hotel.'

Mason leunde achterover en keek Travis na. Hij voelde een enorm verlies zonder in staat te zijn er iets aan te doen. Net doen of alles in orde was, of ze verder konden gaan of er niets gebeurd was, was niet alleen dwaas, maar zou zelfs een averechtse uitwerking hebben. Mason kon de gedachte niet verdragen iemand om zich heen te hebben die hij niet kon vertrouwen.

Zelfs als die iemand de vader was geworden die Mason nooit gehad had.

Hoofdstuk veertig

'Papa is thuis,' riep Kevin, terwijl hij door de zitkamer naar Mason holde, die hem in zijn armen opving.

Chris volgde hem, terwijl ze haar handen afdroogde aan een keukenhanddoek. 'Ik heb geprobeerd je op kantoor te bellen om te zeggen dat Kevin eerder werd ontslagen, maar je was al weg,' zei ze. Mason gaf Kevin een snelle zoen. 'Ik wist niet wat ik moest denken toen ik de deur van je ziekenhuiskamer opendeed en je was er niet,' zei hij.

'Ik ben helemaal beter.'

'Dat is duidelijk. Maar zou je het niet toch een tijdje wat kalm aan doen?' Hij keek naar Chris. 'Voor alle zekerheid?'

'Hij is helemaal beter, Mason. De dokter zei dat er geen enkele reden is om hem te beletten te doen wat hij wil.'

'Weten ze het heel zeker?'

Ze knikte geduldig. 'Zijn bloedproef was volkomen normaal, en hij is over de griep heen.' Haar mond vertrok even in een spottend lachje. 'Het enige dat nog resteert is een licht geval van ouderlijke paranoia, maar ik denk dat we daar zonder Kevins hulp wel overheen komen.'

Buiten klonk een claxon. 'Dat is Tracy,' zei Kevin. Hij maakte zich los uit Kevins armen en huppelde naar de deur. 'Tot straks, mam en pap.'

Mason keek hem na. 'Ik heb mezelf gewaarschuwd dat er een dag zal komen waarop een vrouw tussen ons in zal komen, maar ik had nooit gedacht dat het zo gauw zou gebeuren.'

Chris lachte en nam Kevins plaats in Masons armen in. 'Over vrouwen gesproken,' zei ze dreigend, 'hoe gaat het met Kelly?'

'Mmm, dat is goed,' antwoordde hij, terwijl hij haar mond vasthield in een innige zoen. Janet had Chris kennelijk verteld dat hij met Kelly was gaan lunchen. 'Groen staat je goed.'

'Nou?'

Hij had een fysieke uitlaat nodig voor zijn opgekropte geluksgevoel. Hij tilde Chris op en zwaaide haar uitbundig rond, verrukt dat hij haar vasthield en dat ze zo spontaan en van ganser harte reageerde. 'Als ik je iets vertel, is de verrassing bedorven.'

'O, ik hou van verrassingen,' zei ze met glinsterende ogen. 'Maar ik haat wachten. Vertel op.'

Hij zette haar langzaam neer. 'Vanavond,' zei hij met een hees gefluister. 'Als Kevin naar bed is.'

'Wat zou je zeggen van een hint om me op weg te helpen?'

Hij lachte hardop. Wat een heerlijk gevoel! 'Een hint wordt altijd gevolgd door giswerk.'

'En nog meer hints,' zei ze sluw.

Hij dacht even na, stak zijn hand toen in zijn borstzak en overhandigde haar een envelop. 'Je kunt zien wat het is, maar je mag er niet inkijken vóór vanavond.'

Chris keek naar de envelop en toen naar Mason, duidelijk verward. 'Vliegtickets? Wat heeft Kelly Whitefield hiermee te maken?'

'Ze heeft een reisbureau.'

Ze haalde welsprekend haar schouders op. 'En ik dacht...'

Hij verborg zijn gezicht in haar haar en mompelde in haar oor: 'Nee, dat deed je niet. Geen seconde.'

'Hoe weet je dat zo zeker?'

'Omdat je weet dat ik van je hou en dat ik precies op de plaats ben waar ik wil zijn.'

'Als dit is waar je wilt zijn, hoe zit het dan met die tickets?'

'Heb je iets tegen een huwelijksreis?'

Ze drukte de envelop tegen haar borst. 'Nee, natuurlijk niet,' zei ze snel. 'Maar ik dacht dat je zoveel te doen had op kantoor.'

'Ik heb je agentschap gebeld om te vragen wanneer en hoe lang ze je vrij konden geven, en toen zei ik tegen Janet dat ze mij voor diezelfde periode vrij moest houden – drie weken, volgende maand. Al wil ik nog zo graag denken dat ik onmisbaar ben, er is niets dat Rebecca of Travis –' Hij hield plotseling zijn adem in toen er een intens gevoel van verlies door hem heen ging bij het automatisch noemen van Travis' naam. 'Bovendien zijn er geen zaken die ze op kantoor niet kunnen afhandelen.'

Ze trok zich terug en keek hem aan. 'Wat is er mis?'

Het lag op het puntje van zijn tong om te ontkennen dat er iets mis was, maar hij besefte toen dat hij haar graag wilde vertellen wat er gebeurd was. Ze was intuïtief en edelmoedig, niet iemand die een wrok koesterde – goddank – en, behalve als het erom ging Kevin te beschermen tegen iemand die ze beschouwde als een conservatieve rokkenjager, zag ze altijd de goede kant in iemands karakter. 'Ik ben erachter gekomen dat Travis informatie doorgaf aan mijn vader en broer over land dat ik wilde kopen.'

'Weet je dat zeker?' vroeg ze verbijsterd.

'Hij heeft het me zelf verteld.'

'Waarom zou hij dat doen?' Ze dacht even na en stak toen haar hand op. 'Nee, wacht even, laat me raden. Hij deed het omdat hij zich op een of andere manier in zijn hoofd had gehaald dat hij je hielp.'

'Hoe weet je dat?'

'Je hoeft nog geen vijf minuten met die man te praten om te weten dat hij jou als een soort godheid beschouwt. Ik weet dat het een cliché is, maar wat hij heeft gedaan heeft hèm waarschijnlijk meer verdriet gedaan dan jou.'

Mason streek met zijn hand door zijn haar en wreef toen over de achterkant van zijn hals. 'Je hebt gelijk, maar dat verandert niets aan wat hij deed.'

'Dat verandert er niets aan, nee,' zei ze met een trieste klank in haar stem. 'Als dat zou kunnen, dacht je dan niet dat Travis vooraan in de rij zou staan?'

'Je vindt dat ik het moet vergeten en verder gaan of er niets gebeurd is?'

'Kun je dat?'

'Nee.'

'Bouw er dan op voort. Praat er met hem over tot het niet zo belangrijk meer is.' Ze raakte met een teder gebaar zijn wang aan, hem troostend zoals ze Kevin zou hebben getroost. 'Je kunt niet veertien jaar van je leven vergooien voor één vergissing.'

Verstandelijk wist hij dat ze gelijk had, maar hij kon het gevoel niet van zich afzetten dat Travis zijn vertrouwen misbruikt had. Als je iemand niet kon vertrouwen, wat bleef er dan nog over? 'Ik moet erover nadenken.'

'Maak het niet te ingewikkeld, Mason. En gooi niet weg wat je nu hebt voor wat je denkt dat je over vijf maanden zou kunnen voelen. Wacht eerst die vijf maanden af.'

Hij trok haar naar zich toe en hield haar zwijgend dicht tegen zich aan. 'Ik heb alleen wat tijd nodig om erover te denken.'

Ze sloeg haar armen om zijn middel. 'Het spijt me,' zei ze. 'Ik weet hoeveel verdriet dit je moet doen.'

Zijn automatische reactie was te ontkennen dat Travis hem verdriet had gedaan, maar dat zou Chris nooit geloven. Ze kende hem te goed om niet te weten dat hij zou liegen als hij dat zei. Hij had behoefte aan de troost en veiligheid van hun oorspronkelijk schertsende gesprek en zei: 'Wil je nog steeds een aanwijzing hebben waar we naartoe gaan?'

Hij zag aan haar gezicht dat ze zijn verlangen begreep. 'Dat weet je best,' zei ze, erop ingaand.

‘Het is er warm, maar niet tropisch.’

‘Niet de woestijn,’ kreunde ze. ‘Ik kan niet tegen de hitte. Dan word ik helemaal vlekkerig en ik transpireer en ik krijg een rothumeur. Je zou echtscheiding aanvragen nog voordat de huwelijksreis ten einde was.’

Als hij zich de rest van zijn leven kon blijven voelen als op dit moment, zou hij als een gelukkig mens sterven. ‘Verdraaid – dat vertel je me nu pas.’

‘Je kunt me echt niet voor de gek houden –’ Het rinkelen van de telefoon onderbrak haar. Ze legde haar hand op zijn borst. ‘Ga niet weg,’ zei ze, ‘ik ben nog niet klaar met je.’

Hij trok haar naar zich toe voor een snelle kus. Toen ze haar mond opende voor zijn lippen en haar tong de zijne liefkoosde, had hij de grootste moeite haar los te laten.

‘Ik kom zo terug,’ beloofde ze. Ze maakte zich los en liep naar de keuken. ‘Blijf zoals je bent.’

Het telefoontje was voor Mason. Hij trok vragend zijn wenkbrauwen op toen hij de hoorn van Chris aannam. Haar lippen vormden geluidloos de naam Rebecca.

‘Heb je iets gehoord?’ vroeg hij in de telefoon, nauwelijks in staat zijn ongeduld te bedwingen.

‘Ze hebben toegehapt,’ antwoordde ze stralend. ‘Je broer vliegt erheen om de transactie vanavond af te sluiten.’

Mason liet een zucht ontsnappen. ‘Ik ben erg blij voor ze,’ zei hij lachend.

Rebecca grinnikte. ‘Dat geloof ik graag!’

Masons volgende gedachte trof hem als een mokerslag: als vanzelfsprekend, zonder erbij na te denken, wilde hij het nieuws aan Travis vertellen. De vreugde, het gevoel iets bereikt te hebben, zou niet volledig zijn zonder hem. Pas op dat moment drong het goed tot hem door wat het voor hem zou betekenen als hij zijn vriend zou verliezen.

‘Heb je Travis gezien?’ vroeg Mason.

Er viel een veelzeggende stilte. ‘Nee, maar ik kan hem wel voor je vinden.’

‘Doe dat,’ zei hij. Hij had het gevoel dat zijn wereld weer in evenwicht kwam. ‘Vraag hem of hij me wil ontmoeten...’ Waar? Niet op kantoor. Dat was Masons terrein. Toen wist hij het. ‘Hij zei dat hij vanmiddag naar het hotel ging. Zeg hem dat ik daar over een uur ben.’

‘Verder nog iets?’

‘Ja, zeg tegen de boekhouding dat ze Walt Bianchi opslag moeten geven.’

‘Oké...’ antwoordde ze, blijkbaar wachtend tot hij verder zou gaan.

'Ik ben Walt een excuus schuldig, maar ik zeg hem liever niet waarom. Ik wil niet dat hij weet dat ik ooit aan hem getwijfeld heb. Zeg maar dat ik heb gezegd dat hij verrekt goed werk levert.'

'Verder nog iets?' vroeg ze voor de tweede keer.

'Nee. Ben ik nog iets vergeten?'

'Nee. Tenzij je een of andere reden kunt bedenken ook mij je verontschuldigingen aan te bieden.'

Mason grinnikte. 'Ik zal iets voor je meebrengen van mijn huwelijksreis.'

'Mag ik een paar verzoekjes indienen?'

'Bel Travis, Rebecca.'

Deze keer was het haar beurt om te lachen. 'Beschouw het als gedaan.'

Mason hing op en wendde zich tot Chris. Hij streek met zijn hand door zijn haar en wipte van de ene voet op de andere. Hij wist niet hoe hij het idee naar voren moest brengen dat bij hem was opgekomen en vorm had aangenomen sinds hij eerder met Travis had gesproken. Ten slotte zocht hij niet langer naar de juiste woorden, maar flapte het eruit. 'Ik dacht erover mijn moeder te vragen om op Kevin te passen terwijl wij weg zijn,' zei hij, en ging toen snel verder. 'Als er iets mocht gebeuren – Mary en John wonen verderop in de straat, en we gaan per slot niet op een safari waar we niet te bereiken zijn.'

Chris hield verbaasd haar adem in. 'O, Mason, wat een fantastisch idee. Hoe kom je daarop?'

'Het is een lang, gecompliceerd verhaal.'

Teder streek ze met haar lippen langs zijn mond. 'Ik heb hopen tijd. En ik wil niets liever dan naar jou luisteren. Ik wil alles over je weten, vanaf de tijd dat je een klein jongetje was dat zandkastelen bouwde op het strand tot wat het ook was waar jij en Rebecca het zojuist over hadden. Alles wat je me over je leven vertelt boeit me.' Ze zweeg even en trok een lelijk gezicht. 'Misschien moet ik dan iets wijzigen. De details van je vriendschap met Kelly kun je bewaren tot over een paar jaar.'

Het geweldige van alles was dat hij haar geloofde. Hij dacht aan alle maaltijden die hij in zijn eentje had gegeten, de kranteartikelen die hij had gelezen en met iemand had willen bespreken, de schitterende zonsondergangen die hij in alle eenzaamheid had bewonderd. Niet langer. Hij hoefde zijn leven niet meer eenzaam te slijten. 'Weet je, we zullen die fascinerende nieuwtjes over mijn leven bewaren voor de saaie momenten tijdens de cruise.'

'Cruise?' zei ze. Haar stem schoot uit van opwinding. 'Gaan we een cruise maken?'

Hij kreunde. 'Verdraaid. Ik had het je niet willen vertellen tot Kelly alles bevestigd had. Ze moet nog informeren of het jacht beschikbaar is.'

'Gaan we met een jacht? Ik dacht dat cruises met grote schepen werden gemaakt.'

'Deze niet,' zei hij, terwijl hij haar weer in zijn armen nam. Hij kon niet genoeg krijgen van haar warme lichaam. 'Ik wil je helemaal voor mij alleen hebben. Kelly zorgt voor een bemand jacht, waarmee we langs de Griekse eilanden gaan varen.'

'Eh, ik wil er liever niet over beginnen, maar weet je zeker dat ze ons niet op een vrachtschip naar de noordpool boekt? Ze heeft er alle reden voor.' Ze grinnikte ondeugend. 'Dat zou ík doen in haar plaats.'

'Hoe vaak moet ik je nog vertellen dat Kelly en ik vrienden zijn.' Hij trok zijn wenkbrauwen op. 'Bovendien heb ik gehoord dat je fantastisch kunt eten op een vrachtschip.' Hij gaf haar een kus die vol belofte was voor de dingen die komen gingen.

'En om helemaal eerlijk te zijn,' mompelde hij tegen haar lippen. 'Ik kan me ergere dingen voorstellen dan twee weken onder de dekens met jou, om je warm te houden.'

'Ik dacht dat je zei dat je drie weken vrij nam.'

'Twee voor jou en mij, en één voor ons drieën. Ik dacht dat als we je uitnodigden om mee te gaan, je het misschien goed zou vinden dat ik Kevin meenam naar Disneyland.'

Ze legde haar hoofd tegen zijn borst. 'Ik geloof dat ik het prettig zal vinden met je getrouwd te zijn, Mason Winter.'

'Gelóóf?' vroeg hij, terwijl hij zijn kin op haar hoofd liet rusten.

'Goed dan, ik weet het. En pas op dat je niet verwaand wordt.'

Mason hield haar in zijn armen, zo overmand door liefde voor haar dat hij geen woord kon uitbrengen.

Eindelijk verbrak Chris de stilte. Ze nestelde zich dicht tegen hem aan en zei: 'Zullen we Kevins thuiskomst vieren met een Original Pete's pizza als je terug bent?'

'Goed idee. Misschien kun je de Hendricksons vragen of ze zin hebben om mee te gaan.'

Toen ze naar hem opkeek glinsterden er tranen van geluk in haar ogen. 'Welkom in de familie, meneer Winter.'

Hij zoende het puntje van haar neus. 'Ik kan je niet zeggen hoe blij ik ben dat je me hebt uitgenodigd, mevrouw Winter. Vooral omdat er geen plek ter wereld is waar ik liever ben.'

Een halfuur later stond Chris voor het raam in de zitkamer en zag Masons truck de hoek om rijden toen hij op weg ging naar Travis. Toen hij uit het zicht verdwenen was, keek ze naar de lucht en concentreerde zich op een enkele witte wolk. Ze staarde lange tijd naar de donzige pluk wit, denkend aan de goede en de slechte dingen in de afgelopen zes jaar van haar leven, en hoe vaak ze van de ene rijdende trein op een andere was overgestapt, die in de tegenovergestelde richting reed.

En ze dacht aan haar zus Diane, die ze verloren had, en die vroeger de positieve, zekere constante in haar leven was geweest en, zoals was gebleken, ook de meest kortstondige.

Toen ze opgroeiden was Chris degene geweest die voor Diane had gezorgd, het recht en de taak van oudere zusjes. Niet één keer was het bij Chris opgekomen dat Diane, op haar eigen onverzettelijke manier, op een dag voor haar zou zorgen – eerst met een zoon en toen met de man die Diane meer had liefgehad dan haar eigen leven.

Voor de tweede keer die dag stonden er tranen in Chris' ogen toen ze fluisterde: 'Dank je, Diane. Ik beloof je dat ik goed voor ze zal zorgen.'